O FUNCIONAMENTO DA MENTE

AUGUSTO CURY

O FUNCIONAMENTO DA MENTE

Uma Jornada para o mais
Incrível dos Universos

Editora
Cultrix
SÃO PAULO

Copyright © 2015 Augusto Cury.

Copyright da edição brasileira © 2016 Editora Pensamento-Cultrix Ltda.

1ª edição 2016.

6ª reimpressão 2020.

Todos os direitos reservados. Nenhuma parte desta obra pode ser reproduzida ou usada de qualquer forma ou por qualquer meio, eletrônico ou mecânico, inclusive fotocópias, gravações ou sistema de armazenamento em banco de dados, sem permissão por escrito, exceto nos casos de trechos curtos citados em resenhas críticas ou artigos de revistas.

A Editora Cultrix não se responsabiliza por eventuais mudanças ocorridas nos endereços convencionais ou eletrônicos citados neste livro.

Editor: Adilson Silva Ramachandra
Editora de texto: Denise de Carvalho Rocha
Gerente editorial: Roseli de S. Ferraz
Preparação de originais: Lucy de Carvalho
Produção editorial: Indiara Faria Kayo
Assistente de produção editorial: Brenda Narciso
Editoração eletrônica: Join Bureau
Revisão: Vivian Miwa Matsushita

Dados Internacionais de Catalogação na Publicação (CIP)
(Câmara Brasileira do Livro, SP, Brasil)

Cury, Augusto
   O funcionamento da mente : uma jornada para o mais incrível dos universos / Augusto Cury. – São Paulo : Cultrix, 2016.

   ISBN 978-85-316-1349-4

   1. Autoajuda 2. Conhecimento 3. Emoções 4. Inteligência 5. Mente – Corpo 6. Pensamento I. Título.

16-00342   CDD: 158.1

Índice para catálogo sistemático:
1. Mente humana : Psicologia aplicada   158.1

Direitos reservados.
EDITORA PENSAMENTO-CULTRIX LTDA.
Rua Dr. Mário Vicente, 368 — 04270-000 — São Paulo, SP
Fone: (11) 2066-9000
http://www.editoracultrix.com.br
E-mail: atendimento@editoracultrix.com.br
Foi feito o depósito legal.

Agradeço a todos os meus pacientes que tratei em mais de 20 mil atendimentos psicoterapêuticos e psiquiátricos. Eles não eram doentes para mim, mas obras de artes que eu procurava contemplar e desvendar. Sem eles, não teria desenvolvido a teoria sobre o mais incrível e complexo dos mundos, a mente humana. Essa obra contém a assinatura invisível deles. Eles descobriram que a dor e os conflitos quando bem trabalhados produzem uma riqueza que dinheiro nenhum pode comprar. Obrigado por existirem.

Augusto Cury

Prefácio

Os físicos sempre olharam para o universo e foram seduzidos pelos seus segredos. Muitos pensadores investiram o melhor de seu tempo, habilidade e inteligência para desvendá-los. De fato, há mistérios incontáveis em cada planeta, estrela e galáxia. Todavia, se observarmos atenta e detalhadamente um planeta muito próximo de cada um de nós, a mente humana, mesmo de uma criança pobre sem qualquer proteção social ou de uma pessoa em surto psicótico, perturbada pelas suas paranoias ou ideias de perseguição, talvez concluamos sem muito esforço que no intelecto humano se esconde os maiores segredos do universo, em destaque a construção de pensamentos e a formação da consciência existencial.

Basta dizer que os físicos, os químicos, os biólogos e outros pesquisadores só produzem ciência porque pensam, e pensam porque têm uma consciência, e têm uma consciência porque têm uma mente mais complexa do que imaginam. A curiosidade, a observação, a capacidade de perguntar, a colheita de dados, a análise crítica, a inferência, a dúvida, a síntese e a conclusão são ferramentas sofisticadíssimas para se produzir conhecimento que nascem e se desenvolvem na psique. Há pensamentos sem ciência, mas não há ciência sem pensamento.

Faz mais de 17 anos que publiquei a teoria *Inteligência Multifocal* no livro homônimo. Imagine a dificuldade de se produzir uma teoria numa nação que não valoriza seus cientistas, pelo menos não na estatura que merecem, ainda mais quando produzem ciência básica. Imagine, então, uma teoria que, devido à complexidade e abrangência não cabe dentro de uma tese acadêmica de doutorado, frequentemente, uma fonte dessas teses. Uma teoria nunca é verdadeira, as pesquisas derivadas dela é que a validarão ou não. Agora imagine a dificuldade que é produzir uma teoria sobre a mente humana, um objeto de estudo intangível. Continue imaginando ainda a enorme barreira que é produzir teoria sobre os mais complexos de todos os fenômenos científicos, o pensamento e a consciência.

Como relato neste livro, em 1985, logo que me formei na faculdade de medicina, depois de ter escrito mais de quatrocentas páginas sobre a mente humana, procurei um cientista de uma famosa universidade e quis fazer o ritual acadêmico de uma tese, pesquisar dentro da orientação dele. Ele me perguntou qual era meu objeto de interesse. Comentei que queria pesquisar sobre o pensamento e seus processos construtivos. Ele levou um susto. Olhou bem nos meus olhos e com ironia me indagou: "você quer pesquisar ou ganhar o prêmio Nobel?" Eu lhe disse: "quero ser livre para pensar e, certamente, aqui não é meu lugar, pelo menos não com a meta que carrego".

Fiquei décadas admiravelmente perturbado e prazerosamente assombrado ao desenvolver a teoria sobre o processo de construção de pensamento e da consciência existencial, bem como sobre a formação do Eu como gestor da mente humana, os papéis conscientes e inconscientes da memória, a gestão da emoção, e, por fim, o processo de formação de pensadores, que são os grandes temas da Teoria da Inteligência Multifocal. Como o próprio nome infere, a teoria é multiangular e abrangente.

Toda a minha produção de conhecimento ocorreu enquanto fazia mais de vinte mil atendimentos psicoterapêuticos e psiquiátricos. *Meus pacientes não eram doentes, eram obras de artes que eu contemplava e procurava entender, eram mentes fascinantes que eu procurava perscrutar e desvendar.* Não julgava comportamentos, penetrava nas suas entranhas. Fui amante das perguntas, respirei a arte da dúvida e transpirei questionamentos desde quando atravessei o caos emocional, uma cálida depressão, durante o curso da faculdade de medicina. Entendi que as lágrimas que nunca tivemos coragem de chorar são mais profundas do que as que encenam-se no teatro do rosto. A partir desse momento nunca mais parei de mergulhar no oceano das indagações. Enquanto meus colegas de faculdade anotavam as informações que aprendiam, eu anotava as perguntas, questionando meus professores. Fui um rebelde a todo conhecimento pronto.

O que é o pensamento? Qual sua natureza? O pensamento consciente é real ou virtual? Ele incorpora a realidade do objeto pensado, ou apenas discursa e conceitua seu conteúdo? Quais são os tipos de pensamentos? Como são construídos? Que fenômenos leem a memória? Como eles são gerenciados? O Eu, que representa a capacidade de escolha e a consciência, tem pleno controle sobre o processo de construção? Perguntas e mais perguntas geraram o intenso estresse da dúvida. Quem é incapaz de suportá-lo não produz conhecimento, repete-o. A certeza é mais confortável, mas mais superficial também.

Como digo em *O Funcionamento da Mente*, o que é a consciência? Como ela é tecida? Quais seus limites, alcances, distorções e contaminações, sejam patrocinados pelos fatos passados sejam pelos focos de tensão do presente? A consciência capta a realidade do mundo conscientizado ou constrói sua própria realidade no teatro psíquico? Como gerenciamos o mais rebelde dos fenômenos, a emoção? O que é a emoção? Qual sua natureza? Essas são apenas algumas das inúmeras perguntas feitas neste livro, que procura explicar de forma mais democrática e acessível a Teoria da Inteligência Multifocal que publiquei há quase duas décadas.

Precisamos passear por essas indagações para entender o funcionamento básico da mente humana, que é o objetivo central desta obra. Mesmo brilhantes teóricos estudaram diversas áreas da mente humana, mas raramente tiveram a oportunidade de adentrar o escopo da construção dos pensamentos, da consciência e da gestão do Eu.

Tenho milhões de leitores, fico feliz por isso. Mas, confesso, não é fácil produzir teoria sobre o funcionamento da mente em meu país. O preço é muito alto, devido principalmente ao câncer chamado preconceito. Notáveis pensadores do passado, como Freud, Jung, Piaget, Fromm, Skinner, são colocados num pedestal tal que parece uma heresia que alguém na atualidade seja capaz de produzir uma nova teoria, e ainda mais questionando-os.

Minha teoria procura unir outras teorias, inclusive "antagônicas", como a comportamental e a psicanalítica, levando-as a se comunicarem através de fenômenos universais do psiquismo humano. Além disso, como ela estuda também o processo de formação de pensadores, tenho convicção de que os mestres do passado não foram supra-humanos ou gênios inatingíveis. O que os tornou diferentes? Eles romperam o cárcere da rotina e ousaram muito mais que a média, passaram pelos vales dos preconceitos, mas não desistiram dos seus sonhos; choraram, mas usaram suas lágrimas para irrigar a sabedoria, tombaram, mas foram hábeis em se reinventar.

Não devemos nos esquecer de que a arte da crítica e das perguntas é o alicerce para começar a descortinar as grandes respostas ou pelo menos revelar quanto nossa produção de conhecimento nas ciências humanas ainda representa fagulhas num universo insondável.

Augusto Cury

Introdução

Existe nos bastidores da mente humana um incrível e infinito mundo a ser descoberto. Inumeráveis perguntas sobre o complexo e sofisticadíssimo planeta psíquico precisam ser minimamente respondidas, caso contrário, as ciências humanas – não apenas a psicologia, mas também a sociologia, a psicopedagogia, as ciências jurídicas e a psiquiatria – ficarão sem solo para caminhar.

Precisamos atentar a essas perguntas para entender o funcionamento básico da mente humana. É esse o objetivo central desta obra. A grande maioria dessas perguntas nunca foi respondida; algumas sequer foram formuladas e fazem parte, portanto, de nosso universo obscurantista, de nossa ignorância. Mesmo brilhantes teóricos, como Freud, Jung, Roger, Skinner, Piaget, Kurt Lewin, Fromm, Vygotsky, não tiveram a oportunidade de dar respostas a essas questões.

Formular perguntas é o primeiro passo para se tornar um pensador; é o alicerce vital com base no qual podem-se descortinar as grandes respostas ou, pelo menos, pode-se perceber quanto a produção de conhecimento na área das ciências humanas se parece com minúsculas gotas num oceano inimaginável.

Fico perplexo ao ver que os estudantes de psicologia, pedagogia, sociologia, direito, filosofia ou medicina terminam a formação acadêmica sem saber, minimamente, como construímos pensamentos, que fenômenos participam desse processo, como se forma o Eu, que papéis fundamentais ele representa, como se formam os traumas e como eles bloqueiam a leitura da memória e impedem o Eu de dar respostas brilhantes a focos estressantes. Mesmo mestrandos e doutorandos, alguns meus alunos, têm milhares de dados na memória, mas não conseguem elaborar um esboço geral de como funciona a mente. Isso compromete não apenas a prática profissional, mas também a existência pessoal deles, pois terão dificuldades enormes para se proteger emocionalmente, gerenciar seus pensamentos e ser autores da própria história.

Antes de iniciar esta obra, que trata do funcionamento do mais sofisticado e complexo dos mundos, a mente humana,[1] vou formular algumas perguntas fundamentais, as quais procurei estudar e teorizar. Não devemos ter medo de entrar na seara das dúvidas; ninguém pode se achar se não se perder. Quem tem medo da dúvida não é digno das respostas mais profundas.

As faculdades, incluindo as de psicologia, cujos professores são peritos em dar respostas prontas, em supervalorizar a teoria que abraçam, como se ela fosse um celeiro de verdades absolutas, terão mais chances de formar repetidores de dados do que pensadores críticos. As ciências humanas precisam de um choque na arte de duvidar.

Perguntas fundamentais

Questionamentos quanto à consciência existencial

O que é a consciência? Como ela é tecida? Qual é sua natureza: ela é real ou virtual? Como ela se expressa? Quais são seus limites e alcances, suas distorções e contaminações, sejam causadas por fatos passados, sejam por focos de tensão do presente? A consciência capta a realidade do mundo conscientizado ou constrói sua própria realidade no teatro psíquico? Ela nos retira da solidão social ou nos afunda

---

[1] Os conceitos tratados aqui estão alicerçados na Teoria da Inteligência Multifocal.

numa solidão paradoxal e intransponível, em que estamos próximos, mas infinitamente distantes de tudo? Por que ela nos distingue como seres únicos? Que vínculos tem a consciência com a emoção e com os pensamentos?

Questionamentos quanto à emoção

Qual é a natureza das emoções? Como elas se formam? Como os sentimentos se organizam, descaracterizam-se e se reorganizam em novas emoções? As emoções, como raiva, amor, vingança, generosidade, são meros frutos do metabolismo cerebral, apenas uma dança dos neurotransmissores nas sinapses nervosas ou, ainda que sejam influenciadas por esse metabolismo, têm uma natureza metafísica? Como o prazer, a autoconfiança, a autoestima, o sentimento de incapacidade, o humor depressivo, a ansiedade influenciam a racionalidade? Como as emoções libertam ou aprisionam o Eu, que representa a vontade consciente? De que modo se registram as experiências emocionais como códigos físico-químicos no córtex cerebral? Como se formam as janelas traumáticas que contêm emoções fóbicas, depressivas, autopunitivas, impulsivas? Podem as emoções tensas fechar o circuito da memória, impedindo o Eu de acessar milhões de dados, reduzindo o *Homo sapiens* a *Homo bios* e provocando reações instintivas e impulsivas como as de um animal irracional? Como são acessadas as emoções passadas e que grau de comprometimento elas têm com o pensamento e o comportamento presentes? Como as emoções influenciam o processo de formação da personalidade? Em que nível as emoções comprometem os processos de concentração, assimilação, resgate e organização de dados na memória e, consequentemente, todo o processo de aprendizado? Como proteger a emoção e prevenir transtornos emocionais?

Questionamentos quanto ao pensamento

O que são os pensamentos? Quais são seus limites e alcances? Quais são seus tipos? Que natureza possuem os pensamentos: real ou virtual? Os pensamentos incorporam a realidade do objeto pensado ou o ato de pensar é uma ilusão da mente humana? Pais e professores, quando corrigem seus filhos e alunos, corrigem baseados neles mesmos ou nos pensamentos e nas emoções dos educandos? Como os pensamentos são construídos em milésimos de segundos? Que fenômenos participam dessa construção? Como os fenômenos que constroem os pensamentos resgatam os elementos da memória com assertividade e precisão quase mágicas? Palestinos são cognitivamente diferentes de judeus, que são diferentes de americanos, que são diferentes de orientais, europeus e africanos ou nos bastidores do funcionamento da mente, em especial na construção de pensamentos, somos mais iguais do que imaginamos? Se somos iguais, por que nos digladiamos como se fôssemos inimigos naturais?

Questionamentos quanto ao Eu

O que é o Eu? Como ele se forma? Quais são seus papéis históricos? Como raciocinar multifocalmente? Como gerenciar pensamentos e filtrar estímulos estressantes? Como reeditar o filme do inconsciente? Quais são os vínculos do Eu com os pensamentos e as emoções? Como a consciência tem sua expressão máxima e é organizada através do Eu? O Eu é de natureza virtual, real ou tem misteriosamente ambas as naturezas? Por que e como o Eu é capaz de materializar os pensamentos virtuais, portanto, emocionalmente estéreis (como um sentimento de culpa ou um pensamento sobre o futuro), no território da emoção e dar substancialidade sentimental a eles?

Questionamento quanto à memória

Como se forma a memória existencial? Que vínculos ela tem com a memória genética? A memória humana arquivada no córtex cerebral registra-se de forma difusa ou em regiões especializadas, as chamadas janelas? O que são as janelas da memória? O que são janelas neutras, traumáticas (*killer*) e saudáveis (*light*)? Como as janelas influenciam o processo de formação da personalidade e do aprendizado? Como as janelas *killer*, ou traumáticas, influenciam o preconceito, contaminam o raciocínio, distorcem o direito das minorias, fomentam o suicídio, o homicídio, o genocídio, as guerras? É possível deletar a memória ou apagar traumas ou só é possível reeditá-los? Quais são as classes de raciocínio? O que são os raciocínios complexo, multifocal, simples, unifocal? Todos os seres humanos desenvolvem as mesmas classes de raciocínio no processo educacional ou, dependendo das técnicas usadas, pode haver bloqueios cognitivos? Por que a educação clássica se tornou excessivamente cartesiana (lógica) e não enfatizou as importantíssimas funções socioemocionais, como pensar antes de reagir, colocar-se no lugar do outro, proteger a emoção? Por que a educação clássica errou nos últimos séculos ao crer que a memória é especialista em lembrar, quando na realidade a lembrança pura não existe, pois todo resgate do passado, em especial as experiências socioemocionais, apresentam micro ou macrodistorções inconscientes, cujo objetivo é fazer com que o *Homo sapiens* seja eternamente um pensador criativo e não um repetidor de dados? Que prejuízos esse erro educacional histórico trouxe para a formação de mentes livres, flexíveis, construtoras de ideias e altruístas?

Armadilhas da mente

Essas dúvidas e muitas outras povoaram minha mente durante a formulação de minhas teorias sobre o funcionamento da mente, a formação do Eu, os papéis da memória, a educação da emoção e a construção dos pensamentos e da consciência existencial (essas duas talvez sejam as últimas fronteiras da ciência).

Um mar de questionamentos invadiu meu intelecto nas últimas décadas para que a Teoria da Inteligência Multifocal fosse desenvolvida. Um dos erros da educação clássica é responder muito mais do que perguntar, isso abre caminho para formar servos e não mentes livres. Todo pensador deve perguntar muito mais do que responder. Formulei perguntas contínua e incansavelmente sobre as mais diversas áreas da mente humana. Perguntei muito mais do que construí respostas, mas as respostas que encontrei, pelos menos algumas delas, iluminaram minha mente não apenas como teórico das ciências humanas, mas também como ser humano. Nunca mais serei o mesmo.

Por exemplo, quando vejo judeus e palestinos em conflito, financiando ódio e desconfiança, fico imaginando os fenômenos que estudei e que, em milésimos de segundos, resgatam os tijolos da memória de ambos os povos para que construam os pensamentos que desferem um contra o outro. Independentemente da cultura e da religião, tenho convicção científica de que palestinos e judeus, negros e brancos, ricos e miseráveis, intelectuais e iletrados, religiosos e ateus são exatamente iguais nos bastidores da mente, membros da intrigante família humana. Mas, por desconhecerem os incríveis fenômenos que os tornam *Homo sapiens*, reagem como se fossem de espécies distintas.

Na essência, são iguais; nas diferenças, deveriam se respeitar. Grande parte da violência entre os povos, da discriminação, do *bullying* e da exclusão social deve-se à ignorância quanto ao processo de construção de pensamentos.

A longa e extenuante jornada em minha produção de conhecimento sobre o mundo da consciência, da emoção, do pensamento, do Eu e da memória me transformou em eterno aprendiz. Ao mesmo tempo que defendo ideias e convicções científicas, saiba que tenho plena consciência, até porque estudei exaustivamente esse fenômeno, de que a verdade é um fim inatingível. Talvez fiquemos pasmos ao descobrir que todo conhecimento é virtual, não incorpora jamais a realidade do objeto conhecido, apenas discursa, acusa, conceitua.

Por exemplo, um psiquiatra ou psicólogo jamais incorpora a essência de ataques de pânico, humor depressivo, ansiedade ou sentimento de culpa de seus pacientes. Entre eles e os pacientes existe um antiespaço, ambos estão sós no pequeno espaço de um consultório. O diálogo terapêutico deve ser inteligente, coerente e regado de análises críticas para que sirva de ponte entre terapeuta e paciente, mas essa ponte, por mais bem construída que seja, nunca permitirá que um invada a realidade essencial do psiquismo do outro. Ambos estarão profundamente sós. Por isso, os psiquiatras e psicólogos precisam aprender a se esvaziar o máximo possível de si mesmos, monitorar os próprios fantasmas mentais e colocar-se no lugar do outro para, assim, esquadrinhar os fantasmas mentais de seus pacientes e dar-lhes autonomia para reeditar na memória o que lhes faz mal. Do mesmo modo, pais e filhos, professores e alunos também estão sós. Mesmo que discutam, atritem, orientem e amem-se estão profunda e dramaticamente sós, pois toda comunicação entre eles é virtual. E por ela ser virtual temos a responsabilidade de sempre questionar nossas verdades, aprender a nos esvaziar e nos colocar no lugar do outro, para que nossas verdades sejam o mais sinceras possível.

Uma trajetória belíssima e repleta de obstáculos

Não é fácil produzir ciência, ainda mais ciência básica. Mais difícil ainda é produzir ciência teórica sobre o complexo funcionamento da mente. Haja vista que praticamente não existem novas teorias sobre o assunto. Agora imagine produzir teoria num país como o Brasil, que embora tenha inúmeras qualidades ainda não valoriza seus cientistas da maneira que eles merecem. Para sobreviver, tive de exercer a psiquiatria e a psicoterapia em meu consultório, o que sempre amei fazer. Também trabalhei na Secretaria da Saúde do estado de São Paulo, onde exerci a função de psiquiatra concursado; e na Secretaria de Justiça do mesmo estado, onde atuei como perito em psiquiatria judicial, também concursado. Paralelamente, escrevia. Meus fins de semana, feriados, noites e não poucas madrugadas tornaram-se espaços nobilíssimos para minha solidão criativa.

Depois de muitos anos, tinha três mil páginas nas mãos. O que fazer? Ninguém queria publicar meu imenso livro, cujo tema eram os fenômenos intangíveis que constroem pensamentos em milésimos de segundos. Então, eu transformei as três mil páginas em quatrocentas e com grande dificuldade publiquei meu primeiro livro, *Inteligência Multifocal*[2]. O resultado? Quase ninguém entendeu o que escrevi, era tudo muito complexo. Apenas alguns pesquisadores disseram que estavam usando minha teoria em suas teses de mestrado e doutorado. Depois de quase duas décadas, a presente obra é a retomada desse primeiro livro, uma explicação da Teoria da Inteligência Multifocal

Logo depois que me frustrei com a publicação da teoria, procurei democratizar o conhecimento em obras mais acessíveis, escritas em linguagem menos hermética. Foi uma trajetória cheia de obstáculos. Novas dificuldades para a publicação.

---

[2] Editora Cultrix, São Paulo, 1999. (N. da E.)

Mas depois da noite soturna surge um belo amanhecer. Hoje tenho dezenas de milhões de leitores em muitas nações. Certa vez, enquanto dava uma conferência em Israel, percebi que um coronel da agência de inteligência do país anotava tudo com entusiasmo. Depois ele me disse que sua nação precisava daquele conhecimento. "Israel tem muitos desertos", afirmou ele. E eu pensei: "Ele não sabe quantos desertos atravessei para ser um construtor de conhecimento".

Embora muitos de meus livros sejam usados em universidades e em teses de mestrado e doutorado, parece sacrilégio que um pensador tenha tantos leitores. Ainda tenho de engolir a seco e sem tempero a opinião de alguns jornalistas e profissionais da área, que tacham meus livros de autoajuda, embora frequentemente nunca os tenham lido. Meus livros, quando são acessíveis, são de psicologia aplicada. Não há resposta pronta, tudo é inimaginavelmente complexo no psiquismo humano. Os livros de ficção que escrevi são romances psiquiátricos. Por exemplo, em *Holocausto Nunca Mais* (*Colecionador de Lágrimas*, volumes I e II), escrevo sobre o processo de formação de Adolf Hitler e sobre as técnicas de marketing de massa que ele usou para devorar o inconsciente coletivo dos alemães a fim de, em seguida, devorar marxistas, judeus, eslavos.

Dias antes de finalizar esta Introdução, um acontecimento mais uma vez confirmou o que estou dizendo. Numa reunião com profissionais de várias áreas, havia uma respeitada especialista em comunicação e jornalismo. Depois que terminei minha fala sobre o processo de construção de pensamentos, a formação do Eu e os papéis da memória, abri espaço para perguntas. A jornalista solicitou a palavra e me pediu desculpas. Disse que nunca havia lido uma obra minha, pois achava que eu era autor de autoajuda; confessou estar surpresa com o que tinha ouvido e declarou que, a partir daquele momento, leria todos os meus livros e se tornaria uma de minhas maiores divulgadoras. Fiquei feliz, é claro, mas não pude deixar de pensar: "Quem se arriscar a produzir novas teorias nas ciências humanas deverá saber que passará pelos vales da rejeição e do preconceito". Mas quem vence sem riscos triunfa sem mérito.

Democratizar o acesso às informações com linguagem acessível tem seu preço. O preconceito diz que um pensador tem de falar apenas para um grupo restrito de intelectuais. Parece que a ciência tornou-se uma religião fechada a ser cultuada apenas por poucos sacerdotes. Se as universidades e os centros de pesquisas forem sempre corpos estranhos no tecido social, terão pouca utilidade no desenvolvimento da sociedade e na formação de pensadores.

Algumas áreas inéditas

Já se passaram mais de trinta anos desde o desenvolvimento da Teoria da Inteligência Multifocal (TIM). Não me sinto melhor nem maior do que qualquer outro teórico, ao contrário. Mas não posso deixar de reconhecer que a TIM trata de áreas importantíssimas que outros pensadores não tiveram a oportunidade de estudar, pelo menos que eu saiba, como os fenômenos ligados ao processo de construção de pensamentos, a formação da consciência existencial e do Eu, os papéis conscientes e inconscientes da memória, o processo de gestão e proteção da emoção.

É provavelmente a primeira teoria a estudar sistematicamente a natureza dos pensamentos e discorrer sobre a natureza virtual dos pensamentos conscientes; essa virtualidade é sustentada por um tipo de pensamento essencial, concreto, inconsciente, que aparece milésimos de segundo após a leitura da memória. Os pensamentos conscientes, por serem de natureza virtual, jamais incorporam a realidade essencial do objeto pensado, o que impõe graves limitações e não poucas distorções no processo de interpretação nas relações entre psicoterapeuta e paciente, pais e filhos, professores e alunos, executivos e funcionários. A TIM demonstra que há um antiespaço entre o *Homo sapiens*, ser pensante e consciente, e o universo conscientizado, o que traz importantes consequências para a psicologia, a sociologia, a pedagogia, as ciências jurídicas etc.

A TIM é possivelmente uma das raras teorias que aborda os três tipos de pensamento básicos: o essencial (inconsciente), o dialético (que usa os signos da linguagem e as imagens) e o antidialéticos (que são antilinguagem e priorizam o imaginário).

É também provavelmente a primeira teoria a estudar criteriosamente o processo de construção de pensamentos, não sob a perspectiva do metabolismo cerebral (neurociência), mas sobre a psicodinâmica dos fenômenos que leem a memória. É possivelmente também a primeira que produziu o conhecimento de que não apenas o Eu, que representa a capacidade de escolha e a consciência crítica, lê a memória e produz cadeias de pensamentos e imagens mentais, mas três outros fenômenos inconscientes também o fazem, e sem a autorização do Eu. Isso muda substancialmente nossa visão sobre o ser humano e novamente traz implicações seríssimas à psicologia, à educação, à sociologia, enfim, a todas as ciências, principalmente, às humanas.

Para a TIM, pensar não é apenas uma opção do *Homo sapiens*, é uma inevitabilidade. Se o Eu não pensar numa direção lógica, outros fenômenos inconscientes construirão cadeias de pensamentos, transformando a mente, seja de um iletrado ou de um intelectual, numa usina de constructos intelectuais e emocionais.

É também a primeira teoria a descrever a síndrome do pensamento acelerado (SPA), demonstrando que o excesso de informações, de TV, de trabalho, de uso de smartfones, de internet ou redes sociais pode saturar o córtex cerebral e estimular o Eu e os fenômenos inconscientes, em especial o autofluxo, a acelerar o processo de leitura da memória e produzir pensamentos numa velocidade assombrosa.

A SPA é diferente do TAG (transtorno de ansiedade generalizada), da síndrome de *born out*, do transtorno obsessivo, da ansiedade pós-traumática e de outros tipos de ansiedade. Ela gera uma ansiedade crônica nas sociedades modernas, é um verdadeiro mal do século. A SPA é caracterizada por fadiga excessiva, dores de cabeça, dores musculares, sofrimento por antecipação, baixo limiar para suportar frustrações, déficit de memória entre outros sintomas. O pensamento acelerado gera alto índice de GEEI (gasto de energia emocional inútil), levando ao esgotamento cerebral.

A TIM também é provavelmente a primeira teoria a afirmar que o pilar central da educação, a lembrança, não existe. Em última instância, os alunos frequentam as escolas para assimilar e registrar informações e, depois, aplicá-las nas provas e atividades socioprofissionais. Mas não existe lembrança pura, pelo menos não das experiências socioemocionais; inúmeras variáveis atuam em frações de segundos no processo de leitura da memória.

Lembrar-se é distorcer criativamente o passado. Se não fosse assim, uma mãe paralisaria sua emoção no velório de um filho. Suas lembranças a colocariam numa masmorra. Mas sem perceber, embora a saudade jamais seja resolvida, ela começa a oxigenar sua maneira de ser, pensar e sentir. Resgatamos o passado com microdistorções; portanto, avaliar um aluno apenas pelas respostas certas em provas escolares é quase um crime educacional, que alija mentes brilhantes, criativas, imaginativas. Muitos gênios foram tachados de fracassados pela educação clássica por não conseguirem se submeter ao regime hermético das provas escolares e à repetição de dados.

A TIM talvez seja a primeira teoria que discorre sobre as janelas da memória e a impossibilidade de deletar a memória. Tentar eliminar um desafeto é a melhor forma de fazê-lo dormir conosco e destruir nosso sono. Tentar apagar um trauma, seja procurando esquecê-lo, negá-lo ou fugindo dele, reforça-o. A memória não pode ser apagada, só reeditada.

O ser humano não acessa sua memória como acessamos a memória dos computadores, nos quais todos os arquivos se abrem quase simultaneamente. Entramos em nossa memória por áreas específicas, quer dizer, através de janelas. O desafio é acessar o máximo de janelas num determinado momento existencial, a fim de expandir as possibilidades do pensamento. Mesmo as mentes mais cultas podem restringir a abertura de janelas e dar respostas engessadas. A TIM demonstra que existem algumas janelas sabotadoras (janelas *killer*) que representam as zonas de conflitos vivenciados ao longo do processo de formação da personalidade. Quando acessamos uma janela *killer* (que contenha, por exemplo, raiva, fobia, impulsividade, timidez), a ansiedade gerada a partir daí pode bloquear milhares de outras janelas, iniciando a síndrome do circuito fechado da memória, que impede o Eu de acessar milhões de informações e de dar respostas inteligentes a situações estressantes. O *Homo sapiens* se torna, então, o *Homo bios* (instintivo).

Para a TIM, a síndrome do circuito fechado da memória está na base da grande maioria dos conflitos da humanidade, dos suicídios aos homicídios, das guerras às discriminações, da síndrome do pânico à depressão, das fobias à farmacodependência, do *bullying* à bulimia e anorexia, dos fracassos nas provas escolares quando se está estressado aos lapsos de memória quando se está ansioso.

Além disso, a TIM, embora não tenha sido a primeira, é uma das poucas teorias que estudou o processo de formação de pensadores, os amplos aspectos do processo de interpretação e a lógica do conhecimento. Talvez seja uma das raras teorias a afirmar que não apenas duas pessoas interpretam de maneira distinta um mesmo objeto, fato percebido pelo senso comum, como também uma mesma pessoa, em dois momentos diferentes da existência, pode interpretar de maneira distinta um mesmo objeto, ainda que imperceptivelmente, em função de um complexo sistema subliminar de variáveis. O *Homo sapiens* é um *Homo interpres* microdistinto a cada momento existencial.

A Teoria da Inteligência Multifocal é certamente a primeira a detectar e estudar as síndromes universais do psiquismo humano. Não apenas a síndrome do circuito fechado da memória e a síndrome do pensamento acelerado (SPA), já mencionadas, mas também a síndrome tri-hiper (hiperconstrução de pensamentos, hipersensibilidade e hiperpreocupação com a imagem social) e a síndrome da exteriorização existencial.

As teses da Teoria da Inteligência Multifocal são muitas. E previamente peço desculpas quando repetir alguns termos e conteúdos, pois a presente obra foi organizada com base em vários textos já escritos. Mas como são frequentemente assuntos novos, retomá-los algumas vezes pode facilitar o processo de compreensão. As teses da TIM não envolvem apenas os processos de formação da personalidade e desenvolvimento amplo da inteligência, tratam também das relações sociopolíticas, da evolução e viabilidade da espécie humana, do processo de aprendizagem e do rendimento intelectual e profissional. Por estudar todos esses elementos, ela abarca a psiquiatria, a psicologia, a sociologia, a psicopedagogia, o direito, a filosofia, e por isso recebeu o nome de Teoria da Inteligência Multifocal. Nossa inteligência é de fato multifocal, multilateral, multiangular. Estudar uma área e desprezar as outras é reduzir a compreensão global do psiquismo humano.

Para a TIM, devido às distorções ocorridas no processo de construção dos pensamentos, que surgem a partir das variáveis emocionais (como estou), intelectuais (quem sou), sociais (onde estou), motivacionais (intenções conscientes e/ou subliminares), a verdade é um fim inatingível. Embora a verdade essencial seja inalcançável, até porque o conhecimento não captura a realidade substancial do objeto pensado, ela deve ser procurada, como o ofegante procura o ar, através de todos os processos metodológicos disponíveis.

Como eu disse, pesquisadores já estão utilizando a TIM em suas teses de mestrado e doutorado. Espero que no futuro outros pensadores e cientistas continuem a escrever, expandir e reescrever a teoria, que não me pertence, mas à humanidade.

Uma ressalva: as pessoas que falam com prazer da TIM, porque conhecem alguns fenômenos fáceis de ser assimilados, como as janelas *killer* (traumáticas), e aplicam algumas técnicas de fácil compreensão, como a do DCD (duvidar, criticar e determinar), para resgatar a liderança do Eu e reeditar a memória, podem estar enganadas se acreditam que conhecem a teoria. A maioria, mesmo os psicólogos, conhece a sala de visitas da teoria. É necessário se aprofundar. Esta obra, que explica algumas áreas nobres do funcionamento da mente a partir da TIM, poderá contribuir para esse aprofundamento. Espero que mesmo mestrandos e doutorandos que já a utilizam façam um mergulho nessa teoria.

Formar pensadores, eis a questão

Deveríamos ter sede de estudar os mecanismos de formação do Eu, o funcionamento do planeta mental e as funções mais complexas da inteligência para formar mentes pensantes, criativas e não engessadas. Veremos que grande parte das mazelas psicossociais, da fome às guerras, da discriminação ao genocídio, das doenças mentais ao consumismo decorre do fato de sermos uma espécie pensante que não pensa sobre o próprio pensamento, enfim, que não investiga o instrumento fundamental que a torna *Homo sapiens*.

Somos diferentes na cor da pele, na cultura, nas crenças, nas habilidades técnicas, mas todas essas diferenças estão na ponta do grande *iceberg* da inteligência. Não há diferenças no funcionamento da mente de um cientista e de uma criança especial. Os processos construtivos do pensamento são sempre os mesmos. As discriminações tão comuns nas sociedades modernas são não apenas injustas e alienantes como também desprovidas de inteligência, um verdadeiro crime contra o mundo inimaginável do funcionamento do psiquismo humano.

Vivemos num mundo onde o ser humano mistura-se na massa social e perde sua identidade essencial. Somos iguais no funcionamento da mente, mas somos únicos em nossas características de personalidade, somos iguais no processo de construção das ideias, mas as ideias são únicas em sua expressividade. Todavia, os valores se inverteram, sentimo-nos iguais por fora e diferentes por dentro. O consumismo se tornou uma droga coletiva, a paranoia da estética controla a emoção de milhões; o excesso de trabalho intelectual furta a tranquilidade de grandes líderes. Tenho dito para plateias de magistrados que somos escravos vivendo em sociedades livres.

Quando uma pessoa entra no território da memória e resgata, em milésimos de segundo, uma informação entre bilhões de opções e constrói uma cadeia de pensamentos, ela realiza o maior espetáculo da existência: o ato de pensar.[3] Esse processo é um complô de fenômenos inconscientes, como o gatilho da memória e as janelas da memória, realizado quase na velocidade da luz. Não há mais mistérios no universo do que dentro da mente de um ser humano quando ele constrói um simples pensamento, seja lúcido ou estúpido, coerente ou ilógico.

Pensar é o maior espetáculo da existência humana. Como afirmou a poetisa Emily Dickinson, "O cérebro é mais amplo que o céu". Compreender esse assunto exige profunda humildade e capacidade de ser um eterno aprendiz. E por falar em aprendiz, certa vez tive uma feliz surpresa ao visitar uma tribo da Floresta Amazônica. Lá encontrei um cacique de notável inteligência. Ele me disse: "Cury, tenho lido seus livros e tenho me colocado como um aprendiz para liderar bem meu povo. Quando estou estressado, uso a estratégia de zombar do meu problema para que ele não me domine e nem se torne um monstro em minha mente, porque sei que os maiores monstros estão dentro de mim e não na floresta". Fiquei boquiaberto com sua sabedoria.

Minutos antes eu tinha encontrado alguns antropólogos que estavam fazendo um relatório e tinha ficado muito incomodado. Sem me identificar, perguntei se realizavam sua tarefa com prazer. Um deles me disse com prepotência: "Ser antropólogo não é uma tarefa, é uma profissão". Então, eu disse: "Sim, claro, é uma profissão, e muito nobre, que envolve a psicologia, a sociologia, as relações

---

[3] *Inteligência Multifocal*, p. 20.

socioambientais". Em seguida, falei sobre os estímulos vivenciados pelos habitantes das sociedades urbanas comparados aos estímulos experimentados pelas pessoas que vivem nas florestas. Disse que a exposição à avalanche de estímulos na era digital e o excesso de compromissos nas cidades são fonte de estresse que contrastava com a tranquilidade e o estado contemplativo existentes na vida em meio à natureza. Em seguida, comentei que os índices de doenças psíquicas nas sociedades de consumo são explosivos, capitaneados pela depressão, pelas doenças psicossomáticas, pelos transtornos ansiosos. Eles discordaram veementemente. Um deles comentou que não acreditava que estávamos tão doentes nas cidades. Então, dei a eles os números. Só depois perguntaram quem eu era e o que fazia. Nesse momento, as chamas de seu orgulho diminuíram.

De acordo com a Organização Mundial de Saúde, 20% das pessoas desenvolverão um transtorno depressivo. Além disso, algumas estatísticas apontam que, mesmo no auge da medicina e da psicologia, uma em cada duas pessoas terá um transtorno psiquiátrico, incluindo a depressão. Um número gigantesco, que será agravado porque só a minoria vai se tratar e só a minoria da minoria vai encontrar um bom profissional de saúde mental que não apenas prescreva medicamentos, se necessário, mas que estimulará o Eu, que representa a capacidade de escolha e a consciência crítica dos pacientes, e os levará a proteger a emoção; ser, tanto quanto possível, autores da própria história.

Reitero que precisamos abrir nossa mente, libertar-nos dos preconceitos e oxigenar nossa capacidade de aprender, a fim de trilhar caminhos que nos façam conhecer e compreender a sofisticadíssima dinâmica da mente humana e suas fascinantes possibilidades. É fundamental também que reconheçamos a dificuldade, exatamente por causa dessa complexidade, de nos proteger mentalmente; o céu e o inferno emocional estão muito próximos de cada um de nós.

O que se espera de cada profissional de saúde mental, educador, cientista, líder social é que transforme as informações que assimila em conhecimento, o conhecimento em experiência e a experiência em habilidades socioemocionais capazes de filtrar estímulos estressantes, gerenciar pensamentos, contemplar o belo, sentir empatia, produzir tolerância social, generosidade, flexibilidade e proatividade. Tais habilidades contribuem para a formação de mentes brilhantes, autônomas, inventivas e reinventivas, e não apenas repetidoras de dados. Formar pensadores, eis a razão de ser das ciências humanas. Convido você não apenas a procurar respostas nesta obra, mas também a entrar em contato com ares nunca antes respirados, a não ter medo de se perder, a experimentar a insegurança, pois as grandes ideias nascem nos solos da dúvida.

Capítulo 1

◼O funcionamento da mente

A Teoria da Inteligência Multifocal (TIM) abarca a filosofia multifocal, a psicopedagogia multifocal, a sociologia multifocal e, entre outras áreas, a psicologia multifocal. A TIM, portanto, tem ampla abrangência; ela estuda os grandes processos que ocorrem na mente humana, a saber: 1 – o processo de construção de pensamentos; 2 – o processo de formação do Eu como gestor psíquico; 3 – o processo de educação e gestão da emoção humana; 4 – os papéis conscientes e inconscientes da memória; 5 – a construção de relações interpessoais e intrapessoal; 6 – o processo de interpretação e lógica do conhecimento; 7 – o processo de formação de pensadores.

A filosofia multifocal estuda o processo de interpretação, a natureza dos pensamentos e a construção do conhecimento, a epistemologia, a dinâmica do *Homo sapiens* como construtor de ideias, pensamentos e imagens mentais. Desse modo, a teoria da filosofia multifocal está dentro do guarda-chuva da Teoria da Inteligência Multifocal.

A teoria da sociologia multifocal estuda o universo das relações humanas, o processo de construção das relações entre pais e filhos, entre professores e alunos, entre amigos, entre executivos e funcionários, bem como as relações do ser humano consigo mesmo (intrapsiquismo). Também estuda os três tipos de solidão: a solidão social, a solidão intrapsíquica e a solidão paradoxal da consciência existencial. A solidão social é aquela que faz com que nos sintamos sós, mesmo estando no meio de uma multidão; outra solidão é a intrapsíquica, aquela em que nós mesmos nos abandonamos e o nosso Eu deixa de entrar em camadas mais profundas de nossa psique; a última é a solidão paradoxal da consciência existencial, na qual estamos próximos e infinitamente distantes de tudo.

Uma existência superficial

Vivemos uma existência frequentemente superficial; não nos relacionamos mais profundamente com nossa história e com nossos projetos e não mapeamos nossos fantasmas mentais. Não criamos uma relação mais inteligente com nossos conflitos e traumas, nossas perdas e frustrações, a fim de reeditá-los, reescrevê-los, já que, como veremos, é impossível deletá-los. Portanto, a solidão do ser humano em relação ao seu próprio ser é intrínseca. Vivemos numa sociedade de autoabandonados. As pessoas enviam mensagens nas redes sociais e conversam diariamente em seus celulares, mas por incrível que pareça se calam diante de si mesmas. Falaremos sobre isso ao longo desta obra.

Mas há uma solidão mais profunda, um tipo que não foi sequer tratado superficialmente em toda a história das ciências humanas, a solidão paradoxal da consciência existencial. Devido à natureza virtual dos pensamentos, estamos próximos de nós mesmos, mas infinitamente distantes; próximos do mundo que está a nosso redor, mas, ao mesmo tempo, infinitamente distantes. Por quê? Porque os pensamentos nunca incorporam a realidade do objeto pensado. Eles discursam, acusam, definem, teorizam, mas não conseguem incorporar nem a realidade do mundo em que estamos (pessoas, objetos, fenômenos físicos), nem tampouco a realidade do mundo que somos (angústias, ansiedades, perdas, fobias). Enfim, os pensamentos dissecam, abordam, mas não conseguem incorporar a realidade do objeto pensado. Entender isso é a revolução necessária para implodir nosso heroísmo, nosso endeusamento, nossa necessidade neurótica de poder e, enfim, incutir o respeito pelos diferentes.

Temos consciência do objeto, mas entre nós e o objeto pensado existe uma distância intransponível. Essa é uma das áreas mais complexas da psique humana: a relação do ser humano consigo mesmo e com o mundo. Nós a estudaremos ao longo desta obra. Fique tranquilo porque estou agora apenas apresentando alguns fenômenos que serão abordados de maneira mais detalhada durante nossos estudos.

Na sociologia multifocal é muito importante entender que, se o nosso Eu não for um excelente gestor psíquico, vamos construir relações doentias, relações que não imprimem, não provocam a inteligência, não libertam o imaginário nem nos permitem ser pessoas autoras de nossa própria história.

Estudaremos também a teoria da pedagogia multifocal. A pedagogia multifocal estuda os hábitos de pais brilhantes que, no microcosmo da sala de casa, conseguem estimular as funções mais importantes da inteligência de seus filhos, como pensar antes de reagir, expor e impor as próprias ideias, trabalhar perdas e frustrações. A pedagogia multifocal também estuda os hábitos de educadores, professores e professoras brilhantes que, no microcosmo da sala de aula, formam pensadores e não expectadores passivos do conhecimento, não vítimas de mazelas e misérias. Nesse aspecto, dentro da pedagogia multifocal, o objetivo máximo da educação não é entulhar o cérebro com milhões de informações, as quais não são organizadas, assimiladas nem trabalhadas, tornando o aluno apenas um receptor passivo. O objetivo máximo de todas as escolas do mundo, quer no Ocidente quer no Oriente, é, ou deveria ser, formar engenheiros de ideias, cidadãos que saibam transformar informações em conhecimento, conhecimento em experiência e experiência em sabedoria.

Dentro da psicologia multifocal, não há como não abarcar também a filosofia multifocal, a pedagogia multifocal e a sociologia multifocal. Portanto, o guarda-chuva Inteligência Multifocal será analisado ponto por ponto no decorrer deste livro.

Antes, gostaria de citar alguns fenômenos que estudaremos, mas peço que fique tranquilo, não se estresse, pois assuntos novos podem muitas vezes causar certa angústia se não se conhece minimamente os meandros de seu conteúdo. Não se preocupe, analisaremos todos esses assuntos de maneira mais detalhada.

Temas relevantes sobre a mente humana

O primeiro grande tema sobre a mente humana trata dos fenômenos participantes do processo da construção psicodinâmica dos pensamentos, que é, em consequência da consciência social, área que talvez seja a última fronteira da ciência, o mais complexo desafio intelectual. Por quê? Porque o pensamento e, por extensão, a consciência são matéria-prima básica e fundamental do próprio conhecimento científico. Paradoxalmente, o pensamento é matéria-prima também do conhecimento coloquial; e mais: das ideias lúcidas e estúpidas, da comédia e do drama, da poesia, da ficção literária, da percepção, das impressões, das emoções da motivação, dos relacionamentos e da solidão.

A leitura da memória é de extrema complexidade e importância. O ser humano não tem consciência de que acessa a memória com rapidez impressionante, em milésimos de segundos, e de que com precisão quase mágica, resgata verbos, substantivos, adjetivos e utiliza-os na construção das cadeias de pensamentos. Esse fenômeno é de vital importância para o *Homo sapiens* e para a formação do ser humano como gestor empresarial, gestor de pessoas e também como educador brilhante que alavanca o processo de formação de pensadores.

O segundo fenômeno é a autochecagem da memória, ou gatilho da memória. O fenômeno é imperceptível e ocorre toda vez que o sujeito contempla um gesto físico, um pensamento ou uma ideia. O gatilho da memória abre as janelas da mente para que os estímulos ao redor sejam assimilados.

O terceiro fenômeno é a âncora da memória. Esse fenômeno trata da maneira como as experiências se fixam nas janelas da memória. Janelas da memória são os territórios de leitura atuantes num determinado momento existencial. Nossa mente não se abre de maneira completa, ela se abre por territórios, por janelas.

Estudaremos isso e veremos que existem três tipos de janelas: as janelas neutras, as janelas *light* e as janelas *killer*. As últimas podem controlar o Eu, abortar a tranquilidade e fomentar o humor depressivo, as fobias, a impulsividade, a autopunição, os ciúmes, a inveja, o sentimento de vingança.

As janelas neutras, que constituem a grande maioria das janelas, talvez mais de 90% dos arquivos do córtex cerebral, contêm milhões de informações recebidas na escola e dos livros, os números e inumeráveis imagens. As janelas traumáticas, ou *killer*, contêm as experiências com alta carga de tensão doentia, como medo, perdas, decepções, agressividade, rejeições, crises. As janelas *light* são arquivos que contêm o imaginário e as altas cargas de tensão saudável, como prazeres, elogios, autoconfiança, autoestima, habilidades pessoais. As janelas *killer* e *light* são minorias no córtex cerebral, mas seu poder é enorme, a tal ponto que podem influenciar ou mesmo dominar e controlar positiva ou destrutivamente o Eu.

Também estudaremos o fenômeno do autofluxo, que representa um conjunto de fenômenos que financiam a multiplicidade das ideias e das emoções produzidas diariamente e sem a autorização do Eu. O fenômeno do autofluxo é o grande diretor auxiliar do Eu no processo de construção de pensamentos e emoções. Ele faz com que a mente humana pareça um filme ou uma peça de teatro ininterruptos. O tempo todo o autofluxo faz uma varredura da memória, abre milhares de janelas e constrói personagens, ambientes e circunstâncias. Repare na sua mente. Você tem uma construção multifocal de ideias e imagens mentais mesmo quando está dormindo, quando o Eu não está em ação. Quando você não utiliza os parâmetros lógicos para formatar os pensamentos, para organizar suas imagens mentais, eles são produzidos através desse complexo fenômeno que mantém o fluxo das ideias.

Outro fenômeno vital e importantíssimo é a consciência do Eu, ou seja, a consciência da existência, de quem somos e do mundo extrapsíquico. Sem ela, não seríamos *Homo sapiens*, não seríamos seres pensantes que, além de pensar, têm consciência de que pensam; e que não apenas sentem, mas também têm consciência de suas emoções.

Veja bem, todos esses fenômenos, apresentados aqui de maneira bem simples, serão detalhadamente estudados e explicados. Trata-se de áreas muito novas.

Uma grande viagem para dentro de nós mesmos

Também estudaremos os três tipos fundamentais de pensamento da mente humana: o pensamento dialético, o antidialético e o essencial.

A leitura virtual das matrizes dos pensamentos essenciais, que gera pensamentos dialéticos e antidialéticos, parece muito simples, mas nós não percebemos que isso ocorre em milésimos de segundos; num período de tempo que nós sequer captamos, acontece um processo de leitura virtual de toda a memória arquivada no córtex cerebral, essa cidade fantástica que é a camada mais evoluída do cérebro. Uma leitura virtual de milhares de janelas, com bilhões e bilhões de informações, que gera o espetáculo do pensamento dialético. O pensamento dialético, nós vamos ver, são os pensamentos lógicos produzidos a partir da cópia, dos símbolos e sinais virtuais e sonoros.

Os pensamentos antidialéticos são os pensamentos imaginários, aqueles que abordam por múltiplos ângulos o mesmo fenômeno, sem necessidade do discurso lógico, o discurso dialético. Portanto, há uma leitura virtual do córtex cerebral que gera o espetáculo dos dois grandes tipos de pensamentos: o pensamento dialético e o pensamento antidialético.

O pensamento essencial é inconsciente. Ele está na base da produção dos pensamentos dialéticos e antidialéticos.

Capítulo 2

Bilhões de seres humanos altamente complexos

O mais sofisticado fenômeno psíquico é o processo de construção das cadeias psicodinâmicas de pensamento, que se dá segundo os parâmetros históricos da nossa psique. Esses parâmetros são formados por milhares de janelas, ou arquivos, que contêm bilhões de experiências construídas e informações recebidas ao longo da nossa existência, da vida fetal ao momento presente. Parâmetros extrapsíquicos, fenômenos físicos, relações interpessoais, habilidades para desenvolver atividades profissionais e assim por diante, tudo se soma para que o processo altamente complexo de construção de cadeias de pensamentos aconteça.

Mesmo pacientes portadores de psicoses que produzam pensamentos bizarros ou imagens alucinatórias de um monstro perseguidor, nem mesmo essas construções intelectuais rompidas com os parâmetros da realidade são de menor valor. São construções tão complexas quanto os argumentos e pensamentos produzidos por um brilhante doutor ao defender uma tese acadêmica.

Diferenças na ponta do *iceberg* da psique

As diferenças existentes na mente de um ser humano para a de outro, de pele negra ou de pele branca, intelectual ou iletrado, estão apenas na ponta do *iceberg* da inteligência. Uns pensamentos são mais lúcidos, outros menos, uns são coerentes, outros rompem com a realidade, mas independentemente do movimento lógico dos pensamentos, na imensa base do *iceberg* da inteligência, os fenômenos que atuam em milésimos de segundos na construção das cadeias psicodinâmicas de pensamentos, sejam eles lúcidos ou estúpidos, revelam que o *Homo sapiens* carrega uma sofisticação sem precedentes, é um mundo a ser descoberto. É muito importante que você enxergue além da cortina dos comportamentos; que você seja um pensador humanista, capaz de refinar seu olhar para entender que a psique humana é um mistério a ser desvendado. Na imensa base da construção dos pensamentos, não há diferença entre brancos e negros, intelectuais e iletrados, palestinos e judeus, psiquiatras e pacientes.

Na base do *iceberg* nós somos mais iguais do que imaginamos, ainda que na expressão dos pensamentos, na ponta do *iceberg,* tenhamos diferenças culturais, de habilidades na construção de raciocínio, de profundidade das ideias e assim por diante. Mas se quisermos ser pessoas que fazem a diferença no teatro social, temos de aprender a fazer a diferença no teatro psíquico. Temos de sair da plateia e entrar no palco da nossa mente para ser atores mais profundos, pessoas que conhecem a própria psique, se não completamente, pelo menos o funcionamento básico desse pequeno e infinito mundo que nos define como seres que pensam e sentem.

Estudaremos a liberdade criativa e a plasticidade construtiva, que são fenômenos importantes na produção dos pensamentos gerados pelo Eu. Esses fenômenos estão na base da identidade do ser humano, atuam na libertação do imaginário para que não sejamos recitadores de informações, e sim construtores de novas ideias.

Outro fenômeno é o fluxo vital da energia psíquica: a organização, desorganização e reorganização de pensamentos, ideias, imagens mentais e fantasias. Os pensamentos e as ideias são construções intelectuais mais organizadas; as imagens mentais são pensamentos antidialéticos, e as fantasias são imagens mentais nas quais viajamos e nos desconectamos dos parâmetros da realidade.

O fluxo vital da energia psíquica indica, dentro da teoria da psicologia multifocal, que o *Homo sapiens* é um engenheiro incessante de ideias. Produzir pensamentos não é uma opção para o *Homo sapiens*, mas um processo inevitável, e isso é muito sofisticado. Tente interromper a construção dos pensamentos. Tente parar de pensar na pessoa que o machucou ou num problema que você tem de resolver amanhã. Até a tentativa em si já é construção de pensamentos.

Se o ator principal, o diretor da história, o gestor da psique, ou seja, se o Eu não produzir pensamentos, imagens mentais, ideias e fantasias num sentido lógico, coerente e discursivo, diretores coadjuvantes, quer dizer, fenômenos auxiliares, lerão a memória e construirão cadeias de pensamentos independentemente do Eu. Portanto, há um fluxo vital, uma dança de fenômenos nos bastidores da nossa mente, e faz do *Homo sapiens* um diretor teatral que nunca para, nunca interrompe sua peça intelectoemocional.

Uma revolução silenciosa nos bastidores da mente

Por fim, temos as etapas do processo de interpretação em que os fenômenos intrapsíquicos atuam para construir as cadeias dos pensamentos. As pessoas que estudarem, mesmo que minimamente, o processo de interpretação nunca mais serão as mesmas. Haverá um novo professor, psicólogo, médico, engenheiro, líder social, pai, pensador. Há várias etapas sofisticadíssimas do processo de interpretação. Isso faz com que a produção de conhecimentos e de pensamentos dependa de uma série de variáveis, uma série de interferências, confirmando que somos micro ou macrodistintos a cada momento existencial.

Não apenas dois seres humanos interpretam de maneira distinta o mesmo evento ou objeto – por exemplo, um ataque de pânico de um paciente, uma crise de ansiedade de um aluno ou de um filho, objetos externos ou fenômenos naturais –, mas também o mesmo ser humano pode, em dois momentos distintos, interpretar de maneira micro ou macrodistinta o mesmo evento ou objeto. Ou seja, o ser humano é micro e macrodistinto de si mesmo e dos outros a cada momento porque uma série de variáveis atua em frações de segundos e faz com que as cadeias de pensamentos resultantes do processo de interpretação não sejam as mesmas. Isso está na base do *Homo sapiens* como construtor das artes, como aquele que evolui na construção das artes, evolui na construção das relações sociais, na produção intelectual e científica, na música, na literatura e assim por diante.

Nós não evoluímos intelectual e emocionalmente, cultural e cientificamente apenas porque o nosso Eu determinou essa evolução; evoluímos também porque uma série de variáveis inconscientes atua nos bastidores da mente em frações de segundos e vai gerando pequenas distorções, visões distintas do mundo em que estamos e do mundo que somos. Portanto, saiba que os seres humanos estão em formação constante, que interpretam inevitavelmente de forma micro e macrodistintas os mesmos fenômenos quando eles se apresentam ao longo da história de cada um.

Essa é uma abordagem breve sobre o corpo de fenômenos dessa primeira grande área. Nós vamos entrar em camadas profundas. Nossa mente é de fato um mundo a ser descoberto. A mente de todas as pessoas que estão a nosso redor é muito mais complexa do que temos consciência.

Um mendigo que perambula pelas ruas sem se interessar por nada, em busca de um endereço dentro de si mesmo; uma pessoa depressiva desencantada da existência, pensando em não viver mais; uma adolescente que, mesmo sabendo gozar de ótima saúde, vê sua segurança derreter como gelo ao sol do meio-dia e acha que vai desmaiar ou morrer durante um ataque de pânico, nenhuma dessas pessoas, nem de longe, por terem esses comportamentos, por terem na base da psique esses conflitos, é menos complexa. Na verdade, todas são seres humanos fascinantes. Devemos aprender a sair do superficialismo para abrir a cortina dos comportamentos tangíveis, e ver além do que está expresso em imagens e palavras.

Os piores inimigos de Freud, Marx e outros teóricos

Bom, estimado leitor, o que acabei de abordar é apenas um dos corpos de fenômenos estudados na Teoria da Inteligência Multifocal. Não fique preocupado se sentir que não assimilou tudo de maneira profunda, porque foram exposições breves. Como eu disse, são trinta anos de estudos.

Cerca de 50% do material apresentado é inédito. Vamos conhecer passo a passo algumas áreas mais profundas, ligadas ao funcionamento da mente, à construção de pensamentos e ao processo de formação de pensadores. É muito importante ter consciência de que sobre o processo de construção de pensamentos atua um sistema distorcido de encadeamento que nos leva a ser diferentes a cada momento existencial. Também é fundamental entender que a natureza dos pensamentos é virtual. O pensamento nunca incorpora a realidade do objeto pensado, e isso indica que a verdade é um fim inatingível.

Quando teorizamos, produzimos conhecimentos, desenvolvemos ideias sobre o mundo em que estamos e sobre o mundo que somos, estamos construindo um corpo de conhecimento e jamais devemos considerar que esse conhecimento é uma verdade absoluta, plena, seja na Teoria da Inteligência Multifocal ou em outras teorias. Todas as teorias são corpos de pensamentos, traduzidas por hipóteses, postulados, discussões. Mas como nenhum pensamento incorpora a realidade do objeto, toda teoria está em débito eterno com a verdade. Se um cientista crê que o conhecimento que produziu reproduz verdades absolutas ou inquestionáveis, ele é deus e não um ser humano. Precisamos na ciência e na educação de seres humanos, como tais, imperfeitos e limitados e não de deuses.

Todos aqueles que utilizam teorias nunca devem defendê-las radicalmente, precisam aprender a analisá-las, observá-las, criticá-las, aplicá-las e reconstruí-las a fim de se tornarem participantes do processo de construção de pensamentos. Os piores inimigos de uma teoria não são seus críticos, os piores inimigos da teoria são aqueles que aderem a ela com radicalismo, sem questioná-la, reciclá-la ou fazê-la evoluir. Essa é uma das grandiosas contribuições que a filosofia multifocal propicia à lógica do conhecimento, à compreensão das demais teorias.

Os freudianos que defendem a psicanálise com radicalismo, os piagetianos que não se abrem para outras possibilidades, profissionais que não adaptam a teoria que elegeram e não a criticam são incapazes de reciclá-la. Tornam-se, sem saber, os maiores inimigos da teoria que amam. Com isso quero dizer que todos que decidem utilizar a Teoria da Inteligência Multifocal devem aplicá-la, observá-la, analisá-la e ter consciência crítica de que ela nunca expressa a verdade absoluta. Já mencionei e reitero: o *Homo sapiens* é micro e macrodistinto a cada momento existencial, e a democracia das ideias é fundamental.

É muito importante respeitar o pensamento do outro, dar liberdade para que expresse suas ideias, colocar-se no lugar dele a fim de entender o conteúdo, as emoções e os pensamentos que estão por detrás da cortina do seu comportamento – seja esse outro um filho, aluno, colega de trabalho ou qualquer pessoa próxima de nós. Caso contrário, exerceremos o autoritarismo de ideias, não contribuiremos para a ciência nem para a melhoria da qualidade de vida das pessoas a nosso redor nem, tampouco, para a excelência profissional.

A TIM revela que somos mais iguais do que imaginamos

Somos mais iguais em nossa psique do que imaginamos, pois os fenômenos que estão na base da construção das emoções e dos pensamentos são exatamente os mesmos, seja em africanos assolados pela fome na África subsaariana, seja em executivos de Manhattan, seja em palestinos ou judeus, seja em psiquiatras ou em seus pacientes. Nos bastidores da nossa mente, a cada momento de nossa existência, há uma dança de pensamentos que gera o espetáculo das ideias. Devemos penetrar em camadas mais profundas da memória para entender que esses fenômenos atuam frequentemente.

Por exemplo, neste exato momento que você está lendo sobre minhas ideias, como entende minhas palavras? Esse entendimento não é uma atuação consciente do Eu. Neste exato momento, um fenômeno inconsciente chamado gatilho da memória – que estudaremos profundamente mais adiante – abre múltiplas janelas, que contêm representações psicossemânticas com informações e experiências, e promove a assimilação instantânea das minhas palavras, gerando a primeira etapa da interpretação. Nesse aspecto, somos mais iguais do que imaginamos. Infelizmente, por não conhecermos as entranhas do processo que nos torna *Homo sapiens*, seres-pensamentos, a história humana está infectada de atitudes discriminatórias.

Diferenças triviais e não essenciais na humanidade

Na quase totalidade das relações humanas existem disputas. Na política, por exemplo, os mais poderosos controlam os mais frágeis para reafirmar seu poder. Na economia, uns têm situação financeira privilegiada e, por isso, controlam, diminuem ou olham com indiferença para os menos privilegiados, os financeiramente miseráveis. Na cultura, uns são intelectuais, têm cultura acadêmica e usam o poder do conhecimento não para estimular a criatividade das pessoas, mas para controlá-las e diminuí-las. Isso sempre ocorreu na história da humanidade e até hoje ocorre em ambientes insuspeitos, como congressos de medicina, escolas e universidades. Ocorre também nas relações sociais, nas empresas e na esfera política. O *Homo sapiens* não apenas caminha por este intrigante planeta azul, como frequentemente caminha também pela camada superficial do intrigante planeta psíquico, e faz essa caminhada sem nenhuma consciência dos fenômenos ocorridos nos bastidores da mente. São esses fenômenos que operam a mais fantástica orquestra para produzir as mais belas sinfonias de emoções e pensamentos.

O pensamento mais ínfimo, aquele que você considera estúpido, incoerente e tolo, esse mesmo pensamento é produzido por essa orquestra de fenômenos nos bastidores inconscientes do pensamento. É um verdadeiro espetáculo. Temos de aprender a honrar a nossa psique, a valorizar a mente humana, entender o funcionamento da psique, a fim de não aviltarmos os direitos humanos e de perceber que respeitar o outro, valorizá-lo e dar-lhe dignidade é muito mais que um dever, é um direito daqueles que são inteligentes, que compreendem minimamente esse intrigante e complexo planeta psíquico que nos torna seres pensantes.

Vamos estudar os grandes processos dentro da teoria da psicologia multifocal. Como disse, também entraremos na filosofia multifocal, que é a filosofia da interpretação, na sociologia multifocal e na pedagogia multifocal. O conhecimento não é compartimentado, ele se mescla para produzir o mundo das ideias. O primeiro grande processo é a construção de pensamentos; o segundo é a transformação da emoção e da energia psíquica; o terceiro é a transformação da energia intrapsíquica, em especial dos papéis consciente e inconsciente da memória; e o quarto grande processo é a formação da consciência existencial.

Esses quatro grandes processos são quatro grandes áreas que atuam de maneira mais completa e permeiam todos os campos das atividades humanas. Para você ter uma ideia, pense que para falar ou escrever nós acessamos a memória. Como conseguimos resgatar verbos e usá-los no tempo verbal apropriado? Como você pode ter certeza de que realmente quer empregar esse verbo nesse tempo específico? Que grau de segurança tem ao empregá-lo?

Construímos cadeias de pensamentos com simplicidade e espontaneidade e não pensamos na complexidade que está na base desse processo. Veremos que os papéis consciente e inconsciente da memória – presentes num bebê, na criança pré-escolar, no adolescente, no adulto e mesmo num idoso no último estágio de sua experiência existencial – auxiliam o Eu e estão na base de sua manutenção como gestor psíquico. Os quatro grandes processos formam juntos o mais complexo planeta psíquico e o colocam em funcionamento. Felizes os que não pisam apenas a superfície desse planeta e mergulham em seus oceanos, adentram suas cavernas, penetram suas entranhas.

Capítulo 3

Os grandes processos mentais

Há fascinantes processos mentais estudados na Teoria da Psicologia Multifocal. Esses processos envolvem outras áreas, por exemplo, a teoria da filosofia multifocal, como interpretação; a teoria da pedagogia multifocal e a teoria da sociologia multifocal. Devemos ter em mente que o conhecimento nunca é dividido em compartimentos. Na psique humana os fenômenos e os processos se mesclam para produzir o espetáculo das ideias.

Primeiro processo: construção de pensamentos

Nós temos três fenômenos inconscientes: o autofluxo, o gatilho da memória e as janelas da memória. Esses três fenômenos inconscientes estão na base da construção de pensamentos. E há o quarto fenômeno, que é a atuação consciente e crítica do Eu como responsável pela leitura diretiva e pelo discurso lógico dos pensamentos.

Segundo processo: transformação da emoção

Esse assunto é tão complexo e sofisticado que sabemos pouquíssimo sobre ele. Nós mal arranhamos a superfície de todo conhecimento científico. Como uma emoção alegre se transforma em poucos segundos ou frações de segundos numa emoção depressiva, triste? Como, diante de um estímulo estressante, o estado de tranquilidade transforma-se numa crise de ansiedade? O que leva a essa mudança? Como essa mudança ocorre com tamanha facilidade e rapidez?

Imagine que você tenha um carro e que ele se transforma numa piscina de água momentos depois de alguns elementos incidirem sobre ele. Imagine uma parede de barro se transformando em ferro. Isso que parece absurdo no mundo físico ocorre no mundo psíquico. O que muda? Que alteração é essa, que mudança de natureza ocorreu, que processo gerou essa mudança de natureza? Vamos estudar um pouco sobre isso, mas devo alertar que vamos entrar apenas em algumas camadas, e continuará a existir em nós um mundo a ser descoberto. Quem sabe novos cientistas surgirão no futuro para entender a dinâmica desse tão complexo *Homo sapiens*.

Terceiro processo: a formação da história intrapsíquica

A história intrapsíquica está ligada intrinsecamente à memória. Sem o registro da memória não há história. Os animais têm um currículo histórico frágil porque o registro das suas experiências é deficiente. Estudaremos os papéis consciente e inconsciente da memória; o registro da memória; o arquivamento das experiências emocionais, das experiências existenciais e das informações lógicas.

Como se arquiva uma reação fóbica? Por exemplo, uma pessoa está dentro de um elevador e imagina que ele vai parar e que seus pulmões vão se asfixiar por falta de oxigênio. Mesmo sendo apenas uma fantasia dramática, isso se arquiva no córtex cerebral. Como? Será que preserva a natureza fóbica ou se arranja de maneira empobrecida, perde o conteúdo emocional e se torna apenas um sistema de código que será resgatado num segundo momento e se reconstruirá no palco da mente humana?

Essas questões são muito importantes e estão na base do que somos, de quem somos. É provável que, conhecendo os fenômenos atuantes na evolução das emoções, possamos adotar medidas pedagógicas, sociológicas e psicoterapêuticas para tornar o *Homo sapiens* mais generoso, mais gentil, mais sereno e altruísta. É uma jornada pela qual eu espero que você caminhe com inteligência, a fim de melhorar não apenas você mesmo e o ambiente social em que se relaciona, mas também toda a humanidade.

O quarto processo: a formação da consciência existencial

A consciência existencial é provavelmente o fenômeno dos fenômenos, a tese das teses, a área mais complexa da psique. Como posso saber que sou um ser único? Como posso ter consciência de que entre mim e bilhões de outras pessoas há uma diferença básica? Eu não sou outro ser, tenho meu nome, minha identidade, minha história, meus gostos, minhas preferências e minha maneira de ver, reagir e sentir a existência. A consciência existencial exercida por nós todos os dias e a cada momento é um fenômeno que jamais será incorporado pelos computadores. Eles serão sempre escravos de estímulos programados, mesmo que a humanidade viva milhares de anos e tenha milhares de gerações dessas máquinas. Ainda que elas simulem comportamentos humanos e que seja quase impossível distinguir entre o ser humano e uma máquina, saibam que entre a consciência existencial do Eu e a simulação da consciência através da inteligência artificial há muitos mistérios. Nesse inferno científico há muitos mais mistérios do que imagina nossa diminuta ciência.

O *Homo sapiens* por nunca ter sido um grande gestor dos seus pensamentos comete múltiplas falhas, erros atrozes e primários. Fecha o circuito da memória e não se enxerga como uma fagulha que cintila no tempo e logo se apaga na solidão de um túmulo. Ao longo da sua história, fez guerras e discriminou o outro, teve atitudes vexatórias e indignas da grandeza de seu intelecto e nunca honrou o funcionamento mental no espetáculo da formação de ideias. Contudo, apesar de todos os nossos erros e de nossa agenda de falhas, não há dúvida de que ter consciência existencial e saber que somos, cada um de nós, únicos nos transforma em pessoas, em seres humanos.

Quando você sofre pelo fato de ter consciência existencial, todo o universo sofre. Quando você se desespera, parece que todo o universo se desespera. Quando me alegro, parece que todo o universo adquire um sabor de alegria. Quando nos deprimimos, parece que o mundo a nosso redor, até mesmo as galáxias distantes, não têm muito sentido, não têm encanto, nada expressa o belo.

A consciência existencial torna o ser humano um ser que enxerga o universo a partir de si mesmo. Isso tem um lado positivo, indicando que somos de fato extremamente sofisticados, mas podemos nos iludir e nos divinizar por isso e querer que os outros gravitem a órbita de nossos preconceitos, nossas dores e mazelas; passamos, então, a controlar os outros e fazer com que se submetam a nossas verdades absolutas. Se, por um lado, a consciência existencial nos torna seres únicos no palco do tempo, no teatro da existência; por outro, ela pode levar os seres humanos a cometer atrocidades, porque pode levá-los a se julgarem deuses e a forçarem os outros a gravitar em torno deles. Isso ocorreu ao longo de toda a história da humanidade.

Os parâmetros, a dinâmica, a natureza e o processo de formação da consciência existencial não foram adequadamente estudados na filosofia, na psicologia ou na sociologia. Não se entendeu que existir é um mistério de exímia complexidade. A existência é mais bela que a melhor das poesias, mais encantadora que a melhor das esculturas, mais incrível que o mais fascinante quadro de pintura, mais lúcido que a melhor das teses científicas, mais louco que o mais insano dos surtos psicóticos.

Quem não se deslumbra com a existência está drogado pelo sistema, não pensa com profundidade, é um zumbi social. Enxerga a si mesmo como um cartão de crédito, reage como um medíocre consumidor, age como um eleitor, atua como espectador. Não é o ator principal do teatro da existência.

Capítulo 4

Homo sapiens: deuses que adoecem coletivamente

De modo geral, o *Homo sapiens* tem vocação para ser supra-humano, e não para ser simplesmente humano, perceber sua complexidade e, ao mesmo tempo, reconhecer suas limitações. Por ter a necessidade neurótica de poder e aspirar ser o centro do universo, o ser humano comete falhas exorbitantes durante o traçado de sua existência.

O fruto mais excelente da consciência existencial é o Eu. O Eu, como vimos, é o diretor, o portador do *script* de nossa história, o gestor psíquico, aquele que é ou deveria ser o autor do traçado de nossa existência. O Eu expresso pela consciência existencial, ou vontade consciente de decidir, representa uma força fundamental no desenvolvimento da personalidade. O Eu é o fenômeno que faz escolhas, que determina e abre caminhos. O Eu representa o leitor consciente e crítico da memória e, consequentemente, é o construtor de pensamentos, ideias e imagens mentais lógicas, ainda que essa lógica esteja completamente enviesada, maculada por preconceitos.

Estou lendo a minha memória neste exato momento e estou construindo pensamentos e emoções e expressando-os através do que escrevo; o Eu faz essa leitura, claro que a leitura é inconsciente, porque não sei quantas janelas estão sendo abertas no córtex cerebral. Milhões de dados são escolhidos em milésimos de segundos para que eu construa cadeias de pensamentos e ideias. Porém, embora os fenômenos que estão na base da leitura sejam fenômenos inconscientes, o resultado é uma leitura consciente, discursiva e determinante para produzir palavras e textos, para dialogar, projetar, pesquisar, construir relações humanas e assim por diante.

Quem escapa dos defeitos do Eu?

Quase a totalidade dos seres humanos tem algum tipo de má formação do Eu, da timidez à arrogância, do medo do que os outros pensam e falam à necessidade de ser o centro das atenções, da ruminação de perdas e frustrações do passado às preocupações com o futuro, do conformismo ao medo de falhar, da ansiedade à impulsividade, todas essas características são defeitos do Eu. Muitos usam o pronome Eu em múltiplas frases que constroem o dia todo, mas não entendem que esse Eu é muito mais que um pronome empregado sintaticamente junto a um verbo.

Esse Eu deveria ser treinado para ser o gestor psíquico. Como estudaremos em capítulos posteriores, à medida que o Eu se desenvolve ao longo dos primeiros anos, ele tem de ter consciência de si e do mundo para se tornar autor da própria história. Tenho a impressão de que 70% a 90% do potencial do Eu como autor da história não seja desenvolvido em nossa personalidade. O nosso Eu dirige carros, manipula o câmbio, pisa no acelerador e no breque; dirige empresas, controla orçamentos e suprimento de materiais, controla a área comercial. No entanto, esse Eu, quando diante da grande empresa humana, parece um menino frágil e sem habilidades para gerir pensamentos e emoções.

Pergunto: Quando tem um pensamento perturbador, o que você faz com ele, o que o seu Eu faz com ele? Quando sente uma emoção angustiante, depressiva, que atitude você toma? Normalmente, nosso Eu se torna um espectador passivo.

Se usarmos a figura do teatro – gosto muito da metáfora do teatro para explicar os fenômenos complexos da mente humana – e considerarmos a mente, o intelecto, como o espaço físico desse teatro, onde está o Eu quando emoções angustiantes, pensamentos mórbidos e pessimistas e ideias fixas se encenam? Onde se encontra nosso Eu quando estamos depressivos, sem encanto pela vida, sem motivação para buscar por ares nunca antes respirados, correr riscos para materializar nossos sonhos? Normalmente, o Eu se encontra na plateia. Nosso Eu não é treinado para entrar no palco e gerir emoções. Esse é um dos maiores erros da educação e mesmo da psicologia, não trabalhar adequadamente o Eu gerente dos pensamentos, protetor da emoção, autor da história.

Claro que nós nunca seremos autores plenos, nunca vamos controlar todos os pensamentos e as emoções. Se fôssemos, optaríamos por emoções tranquilas, mesmo que o mundo estivesse desabando sobre nós. Todos nós gostaríamos de levantar pela manhã cantando e assoviando alegremente, mesmo diante de uma agenda saturada de problemas pela frente. Nós nunca teremos pleno controle do território da emoção nem pleno controle do território dos pensamentos, mas devemos ser capazes de exercer uma gestão mínima a fim de não sermos vítimas, mas protagonistas da nossa história. Se assim fôssemos nós não assistiríamos, em pleno século XXI, a uma explosão de doenças psicossomáticas e ao aumento assustador de suicídios, depressão e vários outros transtornos psíquicos.

Estamos adoecendo mental e coletivamente na modernidade

De acordo com o Institute for Social Research, da Universidade de Michigan, 50% das pessoas, cedo ou tarde, terão um transtorno psíquico. Vejam bem, mais de três bilhões de pessoas, cedo ou tarde, terão um conflito psíquico importante. Os números são assustadores. De acordo com a Organização Mundial de Saúde (OMS), não apenas a depressão é a doença psiquiátrica do século hoje, mas também será a doença mais importante dentre todas as doenças nos próximos dez ou vinte anos.

Provavelmente cerca de um bilhão e meio de pessoas terão depressão em algum momento de sua história. Elas experimentarão perda do prazer de viver, fadiga excessiva ao acordar, alteração da libido, alteração do apetite, excesso de sono ou insônia, irritabilidade, ansiedade, dificuldade de filtrar estímulos estressantes, dificuldade de trabalhar perdas e frustrações, desmotivação, enfim, o quadro completo que caracteriza uma doença depressiva.

Infelizmente, na ciência, seja na psicologia, na pedagogia ou psicopedagogia, na sociologia ou na psiquiatria social, não trabalhamos o Eu como gestor psíquico, como diretor da história, somos frequentemente péssimos protagonistas, compramos o que não desejamos, somos invadidos com frequência por calúnias, agressividades, frustrações. Nossa emoção torna-se uma lata de lixo social. Não é sem razão que muitos miseráveis moram em palácios, muitas celebridades são escravas de sua imagem social, muitos intelectuais são pessimistas, mórbidos, controlados pela autopunição, a aversão ao social, a timidez.

Aliás, existe um preconceito vazio, uma verdade infundada, de que os intelectuais têm de ser depressivos, introspectivos, proibidos de gozar a vida. Não aprenderam a ter pele emocional, por isso desertificam sua mente com facilidade. Eu, por pesquisar a construção dos pensamentos e detectar com profundidade as loucuras e incoerências humanas, vejo correr nas minhas artérias emocionais o pessimismo, a morbidade, mas estou sempre me vacinando contra essa distorção emocional. Meu Eu está sempre treinando a arte de contemplar o belo, ou seja, fazer das pequenas coisas um espetáculo aos olhos. É possível cultivar flores no lixo emocional, é possível ver beleza indizível nos desertos emocionais.

Uma das maiores críticas que tenho contra as ciências humanas na atualidade, em especial as que tratam de transtornos de aprendizado e de doenças psíquicas, como a psicopedagogia e a psiquiatria, é que esperamos as pessoas adoecerem para depois tratá-las. Nós não entendemos que a prevenção é mais humana, mais justa e menos dispendiosa. O Eu tem de corrigir seus defeitos de formação para ser protetor da mente, caso contrário, será carrasco de sua saúde psíquica. E muitos são os maiores carrascos de si mesmos.

A população da Terra nunca havia passado de algumas centenas de milhões ao longo de séculos. Nos séculos XVII e XVIII, por exemplo, havia de setecentos a oitocentos milhões de pessoas no planeta. No século XIX também, porque havia fome intensa. Uma colheita era acontecimento solene para as famílias, porque muitas delas teriam de sobreviver no inverno e não havia alimentos para armazenar nem técnicas de armazenamento adequadas. Além disso, populações inteiras eram dizimadas por viroses, por doenças para as quais não havia vacinas, por falta de higiene e de medidas sanitárias.

Esquecemos a prevenção

No século XX, tivemos o apogeu da agricultura e pela primeira vez na história houve abundância de alimentos. A medicina preventiva conseguiu melhorias impressionantes no saneamento básico, no tratamento da água e, em especial, na invenção de vacinas. Hoje vivemos uma explosão populacional. Somos bilhões de habitantes. Se não fossem a medicina preventiva e as técnicas de agricultura, que permitem produção excedente de alimentos, certamente o número de habitantes no planeta seria menor.

Pergunto: que alimentos as ciências humanas produzem para nutrir o líder psíquico? Quais são as técnicas de produção dessa agricultura intelectual e emocional para nos tirar da condição de expectadores passivos e nos fazer protagonistas? Quais são as ferramentas para prevenir transtornos psíquicos, depressão, crises de ansiedade, doenças psicossomáticas, a fim de que o Eu deixe de ser vítima das mazelas e misérias e se torne autor da própria história? O que ocorreu nas ciências agrárias e na medicina biológica infelizmente não ocorreu na medicina psicológica, na psicopedagogia, na sociologia nem na psiquiatria social.

Obviamente há brilhantes profissionais nessas áreas, mas nós não investimos nossa inteligência. Faltou investimento de cientistas e pensadores, na produção de nutrientes para formar, equipar e treinar o Eu como gestor psíquico, gerenciador de pensamentos, como protetor da emoção, autor da sua própria história. Também faltou investimento para produzir nutrientes com os quais se possam construir as funções mais importantes da inteligência.

Pensar antes de reagir, expor e não impor as próprias ideias, trabalhar perdas e frustrações, desenvolver resiliência, aprender a se colocar no lugar dos outros etc. são funções vitais. Provavelmente não desenvolvemos nem 20% ou 30% delas, por isso temos frequentemente conflitos nas relações com as pessoas e preservamos nossos conflitos interiores. Eles estão presentes, mesmo que não se traduzam em doenças importantes tratadas pela psiquiatria e pela psicologia clínica.

É preciso que nossa história deixe de ser escrita apenas pela carga genética e pelo ambiente sociocultural para ser escrita por nós mesmos. Quando o nosso Eu é treinado e equipado para proteger a emoção, nossa carga genética deixa de ser preponderante mesmo que haja predisposição para a depressão, a bipolaridade, o humor agressivo. Nossa memória, a base da formação da personalidade, os arquivos que determinam a maneira como pensamos, interpretamos e reagimos ao mundo, e como trabalhamos os conflitos, as dificuldades e as decepções é modulada e lapidada pelo Eu como gestor psíquico. Portanto, ele tem de ser um excelente gestor, um excelente diretor de nossa história.

Veremos que cada pensamento perturbador, cada ideia angustiante, cada emoção intensa tem de ser reciclada, criticada, reorganizada pelo Eu nos primeiros segundos que se produz, porque toda ideia perturbadora, se não for reciclada, será registrada e não poderá mais ser deletada. Apagar a memória é a tarefa mais simples dos computadores, mas tente deletar o que está arquivado em sua memória – mesmo o lixo, as ansiedades, angústias e preocupações débeis. O nosso Eu não tem liberdade para agir no córtex cerebral e apagar arquivos, como se faz nos computadores.

Somos deuses para a memória dos computadores, mas o nosso Eu é completamente limitado em relação a nossa memória, uma vez que as informações tenham sido processadas e arquivadas. Portanto, se quisermos ter dias felizes, proteger emoções e gerenciar pensamentos, devemos atuar como gestores, diretores do *script,* no exato momento em que os atores coadjuvantes estão encenando a peça dos pensamentos e das emoções, criticando, reciclando, discordando, confrontando, para que o arquivo não se processe, pois, se ele se processar, a nossa liberdade como gestores se torna limitada. Não poderemos mais apagar o córtex cerebral, não conseguiremos mais deletar as janelas da memória. A única possibilidade é reeditar o filme do inconsciente.

Meu objetivo é que você se torne um ser humano em busca de excelência emocional e intelectual, que atinja uma qualidade de vida exemplar, uma relação inteligente com consigo mesmo, um caso de amor com sua própria história, e que, assim, contribua com a sociedade e com toda a humanidade.

Capítulo 5

A TIM e os primórdios da formação da personalidade

Armadilhas mentais sutis

Quando o Eu, que representa a capacidade de escolha, a consciência crítica e a autoconsciência, é equipado para gerir nossa mente, começamos a entender que o destino, seja social, político, profissional ou afetivo, deixa de ser inevitável e passa a ser em grande parte uma questão de escolhas e, principalmente, de gerenciamento. Quem acredita em sorte ou azar e tem superstições será sempre controlado, encarcerado, amordaçado pelos fenômenos psicossociais. Muitos acham que foram programados para ser depressivos, fóbicos, tímidos, pertencentes a uma casta incapaz de encantar e impactar a ciência, a universidade, os pares, os familiares.

A mente humana tem várias armadilhas, uma delas é a autocomiseração, isto é, ter dó de si mesmo, achar-se desprivilegiado e impotente para mudar o traçado da sua história. Consciente ou inconscientemente, milhões de pessoas, inclusive cultas academicamente, encarceram-se na masmorra do destino. Claro que há fatos imprevisíveis e inevitáveis que nós não controlamos, mas grande parte do que somos, do que construímos e das relações sociais que estabelecemos depende do gerenciamento do Eu ou da ausência dele. A autocomiseração é uma armadilha intelectual que aborta nossa liberdade como autores de nossa história.

Existem outras armadilhas da mente, uma delas é o conformismo. O conformismo soma-se à autocomiseração. Não apenas sentimos compaixão doentia por nós mesmos, colocando-nos num casulo com medo dos riscos, de falhar, de ser ridicularizado, de se frustrar, como também nos conformamos com tudo o que está a nosso redor.

Se o mundo desaba sobre nós, não temos reação para mudar as circunstâncias. Se as pessoas nos ofendem, se passamos por uma crise financeira, se alguém nos trai afetivamente, enfim, se passamos por percalços, perdas e decepções importantes, em vez de reagir e construir os melhores dias de nossa história, de ter o Eu como protagonista, reescrevendo o roteiro da nossa existência, ficamos paralisados mentalmente.

Centenas de milhões de seres humanos sabem fazer escolhas quando vão comprar um produto tangível aos sentidos, mas não sabem fazer escolhas no intangível território da emoção, não sabem agir no teatro psíquico, são espectadores passivos e conformados com os conflitos, a crise política, os dramas sociais. Foram educados em escolas que os arremeteram para fora, que lhes forneceram milhares de informações sobre matemática, química, geografia, línguas e competências técnicas, mas quase nada a respeito do funcionamento da mente. O Eu dessas pessoas é frágil onde elas deveriam ter grande musculatura, dentro de si mesmas. Não sabem transformar o caos em oportunidade criativa, as perdas em excelentes ganhos e não entendem que ninguém é digno do pódio se não usar os próprios fracassos para conquistá-lo. Se nosso Eu é conformista, inclusive da depressão, da dependência de drogas, da timidez, das fobias, ele se torna um escravo vivendo numa sociedade livre e deixa de ser protagonista da própria história.

Em certo sentido, grande parte das pessoas, inclusive os intelectuais, tem a autocomiseração e o conformismo como fenômenos sutis. Reclamam, ainda que inconscientemente, de seu sentimento de incapacidade, de suas limitações, de não estar no lugar certo na hora certa. Não podemos avançar, abrir horizontes, libertar o imaginário; não nos tornamos criativos e construtores dos melhores capítulos de nossa vida, se nosso Eu não gere nossa psique, se somos movidos por autocompaixão, autopunição, autoabandono, massificação social, consumismo, enfim, se somos mais um número de passaporte, identidade e cartão de crédito na massa social.

Um grande cineasta me disse há pouco tempo que, depois de ler minhas obras, estava treinando diariamente para ser autor da sua história, gerenciar seus pensamentos e proteger sua emoção. E completou relatando que estava experimentando uma liberdade inteligente que jamais havia sentido.

Culpamos as tribulações da vida por nossas mazelas emocionais porque não aprendemos a ter controle do veículo mental. Claro, como disse e reitero, há muitos acidentes inevitáveis, como perdas e crises, mas o destino frequentemente não é inevitável, é uma questão de escolha. Se a sociedade nos abandona, a solidão é dramática e um grande sofrimento, mas é suportável. Se nós mesmos nos abandonamos, se nosso Eu não se torna minimamente autor de nossa história, a solidão é insuportável, e tornamo-nos encarcerados em nossa própria mente.

Jamais devemos esquecer que o objetivo central e fundamental do Eu, como centro da capacidade de escolha e da consciência crítica, seja quando ele frequenta uma escola, faz psicoterapia, trabalha num laboratório como cientista ou constrói relacionamentos socioprofissionais, é ser autor da própria história. Mas ser autor da própria história não é repetir "Eu sou" e viver para si, isolado, sentindo-se livre para satisfazer as próprias necessidades instintivas e emocionais, mas é dizer "Eu sou" dentro do "Nós somos" e viver no teatro social, contribuindo com a sociedade (melhorando-a, corrigindo-a) e sendo ajudado por ela (recebendo proteção, segurança, afeto), influenciando e sendo influenciado, sem ser controlado.

Muitos seres humanos vivem só porque estão vivos e não desenvolvem os papéis do Eu; não se perguntam, pelo menos não com frequência, intensidade e profundidade necessárias "quem sou?" (quais são minhas funções sociais, meus projetos de vida, minha identidade?); "o que sou?" (qual é minha essência como ser humano, quais são os mistérios que cercam a existência, qual é o processo de formação da personalidade, como se constroem os pensamentos, como se deu a formação de meu Eu, enfim, como funciona minha mente?); ou "como estou?" (qual é meu estado emocional, quais são meus conflitos, meus fantasmas mentais).

Quando o Eu das crianças, adolescentes e adultos é educado e equipado para pilotar o veículo mental, ele começa pouco a pouco a romper o cárcere de ser controlado exclusivamente pelos instintos e por conflitos psíquicos (perdas, privações, frustrações, abusos, abandonos), estresse social (ofensas, rejeições, conflito socioafetivo, crise financeira, assédio moral), uniformidade social (consumismo, massificação do ser, banalidade existencial) e necessidades neuróticas que surgem ao longo do processo de formação da personalidade (em especial as necessidades neuróticas de poder, de estar sempre certo, de ser o centro das atenções e de acreditar na existência de verdades absolutas). Quando o Eu se equipa para ser autor da própria história, ele começa a reeditar as armadilhas da mente e, a partir daí, é capaz de escrever os textos mais importantes de sua história nos momentos mais dramáticos de sua existência.

Precisamos estudar sobre como desatar as armadilhas mentais, mas para isso se faz necessário estudar os bastidores do funcionamento da mente, em especial os três fenômenos inconscientes que constroem pensamentos, emoções, e estruturam o Eu como líder psíquico. Freud, Jung, Piaget, Vygotsky, Kant, Hegel, Marx, Sartre e centenas de outros brilhantes pensadores, se tivessem tido a oportunidade de estudar esses fenômenos que estudaremos agora, teriam ampliado e reciclado seu conhecimento psicológico, psicopedagógico, filosófico. Não apenas o Eu constrói pensamentos e emoções, mas há fenômenos que leem a memória sem a autorização dele. Compreender isso muda muito do que sabemos sobre o *Homo sapiens*, pois compreender os fenômenos que agem independentemente da vontade do Eu nos torna cientes de nossa complexidade e de nossa vulnerabilidade a traumas e cárceres psíquicos.

Pensar o pensamento: traduzir o intraduzível

Construí a Teoria da Inteligência Multifocal, em destaque a teoria sobre o processo de construção de pensamentos, a formação da consciência existencial e a construção do Eu, com base em milhares de análises de comportamento dos meus pacientes, bem como das minhas reações intrapsíquicas e dos meus comportamentos sociais. Desde quando estava no quinto ano da faculdade de medicina (1983), numa sala lúgubre e mal iluminada do diretório acadêmico, em meio a centenas de "amostras grátis" de remédios, um lixo químico, escrevendo como um "louco" durante quatro horas por dia, eu me perguntava o que é o pensamento, como ele é construído, qual sua natureza, por que não os podia controlá-los plenamente. Um estudante de medicina deveria se preocupar com doenças físicas e no máximo doenças mentais, mas eu me preocupava em saber "como penso". A famosa tese de Descartes é "penso, logo existo". Eu, diferente de Descartes, vivia e respirava outra tese: "pergunto, logo penso, penso logo existo, se não pergunto, me despersonalizo na massa social". Portanto, para mim não bastava pensar nem ter um pensamento crítico, o que me inquietava era pensar o próprio pensamento: seus limites, seu alcance, sua natureza e construção.

Todo esse processo de construção de pensamentos sobre o próprio pensamento foi regado a dúvidas, autocríticas e centenas de milhares de indagações. Fiquei insone muitas vezes, fosse pelo deslumbramento de produzir conhecimento sobre esse nobilíssimo tema, fosse por experimentar o caos intelectual através do sistema de indagações e do esvaziamento dos meus preconceitos e, consequentemente, por perceber minha notável ignorância nessa área, que pode ser chamada "a última fronteira da ciência". Por que o processo de construção de pensamentos e, por extensão, da própria consciência pode ser chamado assim? Porque "pensar" o "pensamento" é pensar os fundamentos da ciência, do discurso, da natureza, da lógica, da validade das contaminações da ciência. Enfim, é pensar a essência da própria ciência, é pensar os fundamentos *sapiens* do *Homo sapiens*. Tudo no psiquismo humano se fundamenta, se expressa ou se deixa influenciar pelo universo dos pensamentos, dos delírios às teses acadêmicas, da poesia à filosofia, da ciência à espiritualidade, do sofrimento por antecipação à ruminação do passado, da construção das relações sociais à solidão, do egocentrismo ao altruísmo.

Nessa prazerosa, estressante e extenuante construção de conhecimentos sobre o funcionamento da mente, elaborei, como já comentei, milhares de páginas. Em muitos momentos estava completamente confuso, não apenas por não compreender os mecanismos psicodinâmicos dos fenômenos que geram o espetáculo dos pensamentos, mas também pela falta de recursos linguísticos para traduzi-los. Tive de usar muitas metáforas, porque muitos fenômenos, por serem inconscientes, eram quase indescritíveis. É muito difícil descrever o intangível. Descrever uma obra de arte, como os quadros de Rafael ou de Da Vinci, por exemplo, frequentemente é uma árdua tarefa, pois as palavras não dão conta da dimensão estética da criação artística, imagine, então, descrever a construção de pensamentos operada numa velocidade inimaginável.

Einstein defendeu a tese de que nada excede a velocidade da luz no mundo físico. O pensamento, por nascer no universo físico do metabolismo cerebral, a partir da leitura sofisticadíssima dos arquivos da memória, alcança na fase inicial uma velocidade menor que a da luz. Todavia, logo após nascer, o pensamento passa por um desprendimento metafísico na esfera da imaginação (o pensamento consciente caminha na esfera da virtualidade); o resultado disso é que sua velocidade ultrapassa muitíssimo os limites da velocidade da luz. A luz demora oito minutos para chegar do Sol a Terra, mas em seu pensamento imaginativo você leva segundos ou frações de segundos para fazer esse mesmo trajeto. É uma outra dimensão, outra natureza, outra perspectiva. Você nunca ficou assombrado com as perspectivas do pensamento? Uma barata pode se tornar um dinossauro, um beija-flor pode se tornar um monstro assustador, como muitas vezes alguns pacientes me relataram. Na esfera da virtualidade, os parâmetros físico-químicos se perdem.

Entre os recursos linguísticos que usei, está a metáfora do mordomo ou dos mordomos da mente. O Eu não está presente, pelo menos não de maneira consciente, na aurora da vida fetal. Só vai começar a se formar a partir do primeiro ou segundo ano, quando a criança começa a perceber que é diferente de todas as outras crianças, quando passa a entender suas necessidades e saber que alguém pode atendê-las.

Quando um bebê de 2 anos fala, por exemplo, "Mamãe, quero água", a cadeia de pensamento que construiu é carregada de complexidade, revelando uma necessidade instintiva, a expressão dessa necessidade, a identificação do agente que vai supri-la, a relação espaçotemporal do presente. Estudaremos esses fenômenos mais profundamente, mas antecipo que, a partir desse momento, o Eu vai se encorpando e desenvolvendo o pensamento consciente de forma espetacular. Descobrir o pensamento como instrumento de comunicação consigo e com o mundo é uma das maiores e mais importantes descobertas humanas, embora não a percebamos claramente e, por isso, não a exaltemos. Para expressar conscientemente o pensamento "Mamãe, quero água", é preciso que haja milhares de informações na base do córtex cerebral.

Para produzir a palavra "sede", temos de ter em nossa mente milhares de dados e experiências sobre o que é sentir sede, como ela se manifesta, como expressá-la, como convencer o outro sobre esse sentimento. A palavra em si é pobre, um mero som codificado, a ponta do *iceberg* do que está nos alicerces da inteligência e que dá a dimensão da intelectualidade, das ideias, dos pensamentos e das imagens que descrevemos.

Os primórdios da formação da personalidade

Para o bebê expressar seus primeiros pensamentos conscientes, temos de entender que muito antes a personalidade já começou a ser formada. E isso não apenas por causa da influência da carga genética, mas por causa da ação dos fenômenos que leem a memória sem a autorização do Eu (até porque o Eu ainda não está formado) e que serão responsáveis por transformar a mente humana numa usina de pensamentos e emoções. Todo bebê e todo idoso, intelectual e iletrado, religioso e ateu, paciente em surto psicótico ou psiquiatra/psicólogo é uma usina ininterrupta de pensamentos e emoções. No psiquismo do adulto, se o Eu não produz pensamentos, os fenômenos inconscientes, como o autofluxo e o gatilho da memória, os produzirão.

Estudaremos os fenômenos inconscientes, como o autofluxo, as janelas da memória, o gatilho da memória (fenômeno da autochecagem), mas já adianto que esses fenômenos não são apenas construtores de pensamentos inconscientes, também podemos considerá-los "mordomos do Eu", ou seja, seus curadores e nutridores; enfim, os fenômenos inconscientes são vitais para a formação do Eu. Sem os fenômenos que leem a memória sem autorização do Eu, não haveria história humana, não haveria milhões de dados para possibilitar a formação do Eu. Claro, que sozinhos, sem a educação socioemocional inteligente, capaz de lapidar funções como pensar antes de reagir, colocar-se no lugar do outro e gerenciar os pensamentos, eles não poderão completar a formação do Eu. Como veremos, a má formação do Eu acontece em quase 100% dos seres humanos, seja pelas armadilhas mentais, seja porque a educação mundial é excessivamente cartesiana e cognitiva, supervaloriza a memória, o raciocínio e o pensamento lógico, e muito pouco as habilidades socioemocionais.

Os fenômenos inconscientes que constroem pensamentos são importantíssimos; é difícil traduzi-los, mas não percebê-los. Neste exato momento em que você lê este livro, o gatilho da memória é disparado milhares de vezes, abrindo milhares de janelas e arquivos, checando milhões de dados para compreender as palavras, ainda que você as compreenda de acordo com seu paladar interpretativo.

Esses fenômenos estão superativos na psique fetal mesmo quando o Eu ainda não está minimamente formado, não tem identidade, não está completo como ser único e consciente, não tem consciência crítica de sua própria história. Quando uma criança faz malabarismo fetal (por volta dos três, quatro ou cinco meses), esse movimento na barriga da mãe lhe é muito prazeroso. Quando a criança suga o dedo, também tem muito prazer. Todas essas experiências são registradas inconscientemente por um fenômeno que estudaremos a seguir, o fenômeno RAM (registro automático da memória). Milhões de dados são arquivados na história fetal. O gatilho da memória e o fenômeno do autofluxo se abastecem desses arquivos para produzir inumeráveis pensamentos (não conscientes) e emoções. Nos computadores, esse recurso é ativado ou desativado quando desejamos.

O estresse da mãe influi na formação da personalidade do bebê

Somos tão complexos que nossa memória é como a de um Deus perante as memórias dos computadores. Na máquina, apagamos o que queremos e registramos o que queremos. Na memória humana isso é impossível. O registro é automático e involuntário, produzido pelo fenômeno RAM. Registra-se tudo e principalmente, de maneira privilegiada, o que não se quer. O que você mais detesta e mais rejeita coloca combustível no registro. Esse registro vai ocupar o centro da psique e influenciar a maneira de ser, de pensar, de encarar e interpretar a vida. Assim, a rejeição sentida ao longo de toda a história humana, por reis e súditos, intelectuais e iletrados, foi registrada; o ingênuo processo RAM facilita e promove o registro, não o evita.

Nem mesmo a negação, o disfarce ou a distração conseguem evitar o registro. O arquivamento ocorre milhares de vezes a cada novo estímulo, seja ele visual, sonoro, tátil ou gustativo. Os estímulos intrapsíquicos, como os pensamentos, as emoções e as ideias, são todos registrados em frações de segundos e tornam-se parte do portfólio de nossa memória, da grande base do córtex cerebral.

Desse modo, o fenômeno RAM atua rápida e intensamente a cada momento existencial, desenhando a história da humanidade. No caso do feto, à medida que o fenômeno RAM vai gravando as experiências prazerosas, como a sucção do dedo ou o malabarismo fetal, vão-se formando janelas da memória. As janelas vão sendo preenchidas no córtex cerebral e, simultaneamente, o fenômeno do autofluxo vai lendo essas janelas. Enquanto lê, reproduz as experiências no palco da mente, e o fenômeno RAM as registra novamente, forma-se um ciclo fantástico e as janelas do córtex vão sendo processadas.

Esse processo ocorrerá ao longo dos primeiros dias da vida extrauterina, nos primeiros meses, e o Eu, pouco a pouco, tem uma base para começar a ter consciência de si e do mundo a seu redor. Milhões de experiências bilhões de informações são necessárias para que o Eu tenha uma consciência mínima de si mesmo e, no futuro, possa, quando for treinado e preparado, tornar-se autor da sua própria história, e não vítima de suas mazelas e misérias.

Recapitulando, um feto no útero materno tem uma série de experiências. Essas experiências podem ser positivas ou negativas, salutares ou doentias. Se ocorrem duas experiências positivas, a sucção do dedo e o malabarismo fetal, isso não quer dizer que elas de fato sejam saudáveis. Se no exato momento dessas experiências, o estresse da mãe gerar uma contração arrítmica na parede intrauterina, causando pressão no sistema tátil, haverá desconforto, e a emoção do feto será, portanto, abalada. O estresse da mãe modula a qualidade das experiências fetais e interfere no processo de formação da personalidade do bebê, podendo gerar crianças agitadas já no ventre.

Esses estímulos, saudáveis ou doentios, são arquivados pelo fenômeno RAM, formando milhares de janelas com dezenas de milhares de informações, e o fenômeno do autofluxo vai lendo essas experiências e novamente registrando-as no córtex cerebral. Imagine, o fenômeno RAM registrou a experiência da sucção do dedo e formou uma janela; quando a criança sugar o dedo novamente, o gatilho da memória vai disparar e encontrar as janelas, ou os arquivos, que contêm as experiências anteriores. Quando o gatilho é detonado, abre-se a janela e o autofluxo começa a se alimentar dessas experiências de prazer ocorridas anteriormente; no dia anterior, na semana passada, não importa. Todas as experiências produzidas são novamente registradas, retroalimentando os arquivos, enfim, a memória existencial. Portanto, na vida intrauterina, o funcionamento da mente já demonstra uma complexidade muito grande.

Expulso para o útero social

Quando a criança é expulsa do útero materno para o útero social, ela deixa de experimentar o conforto e a proteção que tinha e entra num ambiente muito agressivo, com a luminosidade incidindo sobre seus olhos. Mesmo que se usem tecidos confortáveis, o bebê sente sua pele sendo arranhada, pois qualquer tecido é diferente da parede viscosa do útero materno. Além disso, a criança vai sofrer cólicas intestinais, porque o aparelho digestivo começa a funcionar. Enfim, a criança entra num turbilhão de estímulos estressantes, chora, expressa ansiedade e todas essas experiências serão registradas pelo fenômeno RAM. São milhares de experiências por dia, formando milhares de janelas, e consequentemente o gatilho da memória vai sendo acionado. Abrem-se as janelas e o autofluxo vai-se alimentando, e já se consegue enxergar algo fantástico.

As criancinhas com apenas dois ou três meses de idade, às vezes, ficam paradinhas com os olhos fixos. Por quê? Porque o autofluxo começa a desenvolver o mundo das imagens mentais, das fantasias. O Eu como autor da história, como aquele que tem a consciência crítica de si mesmo, ainda não está formado conscientemente, mas o autofluxo faz da mente humana um teatro ininterrupto. Os personagens, os ambientes e as circunstâncias complexas, resgatados desde a aurora da vida fetal e do útero social, vão se transformando num caldeirão de elementos para que a mente humana se transforme nesse cinema ininterrupto. Isso acontecerá até o último suspiro de um ser humano, mesmo que em idade avançada.

Nunca mais esses mordomos, o gatilho da memória, o fenômeno da autochecagem, a janela da memória e o autofluxo, deixarão de atuar. Eles existirão para sempre, transformando o *Homo sapiens* numa usina de pensamentos, uma fonte ininterrupta de emoções, quer saudáveis, quer destrutivas.

Passo a passo ocorre a formação do Eu

Pouco a pouco, esses mordomos então criam a base da formação do Eu. Como eu disse, a criança vai-se distinguindo do mundo. Ela começa a perceber-se e viajar para dentro de si mesma; através da linguagem dos sinais, dos símbolos, dos sinais sonoros e visuais, ela vai construindo pensamentos que começam a definir o Eu como protagonista da consciência de si; e ela começa a se entender como ser único, diferente de todas as crianças, de todos outros seres; e vai pedindo, atuando, evidenciando, perguntando, enfim, deixando de ser espectadora passiva para ser uma pequena atriz no teatro social.

Einstein e a libertação do imaginário

Para se formar, o Eu não necessita apenas de milhões de janelas com dezenas de milhões, ou até bilhões, de informações e dados de experiências; enfim, ele não precisa só de quantidade, ele precisa também de qualidade. O que transforma o ser humano num grande ator, e protagonista de sua própria história, não é só a quantidade, mas também a qualidade, que é ainda mais importante.

Einstein, por exemplo, aos 27 anos construiu os pressupostos básicos de sua Teoria da Relatividade. Era um jovem imaturo e tinha alguns traumas por nunca ter sido aluno brilhante nem professor excelente. Quando saiu da universidade, ninguém o contratou. Ele foi trabalhar numa firma de patentes, fazia exercícios ou trabalhava carimbando materiais, analisando alguns elementos; nada com grande apelo intelectual. Mas esse jovem, que talvez tivesse menos informações que a grande maioria dos físicos e dos engenheiros da atualidade, aprendeu a ter um Eu como autor de sua história, libertou seu imaginário.

Ele não tinha uma grande quantidade de informação, como os profissionais da atualidade da área de engenharia, mas tinha qualidade e, principalmente, como estudaremos, libertou o mais importante de todos os pensamentos, a fonte excelente das ideias, chamado de pensamento antidialético. Libertou seu imaginário, pensava por metáfora, vivia olhando para dentro de si, construindo imagens mentais para entender o mundo enigmático a seu redor. Consequentemente, começou a enxergar os fenômenos físicos de uma maneira nunca vista antes.

Quero dizer, portanto, que o importante não é somente a quantidade de informação. É, claro, fundamental que tenhamos uma certa quantidade de janelas para dar sustentabilidade a um Eu ousado, criativo, inventivo e que ande por caminhos nunca antes trilhados, a fim de que nos tornemos autores da nossa própria história. Assim, podemos ter excelentes gestores que saibam como provocar a psique das pessoas para que também abram o leque da inteligência e sejam construtoras de ideias, de soluções nas empresas; e excelentes gestores educacionais, capazes de formar pensadores que debatam as ideias, que sejam criativos, que aprendam a pensar antes de reagir e que não façam do córtex cerebral apenas um depósito passivo de informação sem fundamento, mas estejam aptos a enfrentar com dignidade, naturalidade e criatividade os desafios depois do ensino médio e, sobretudo, depois da universidade e da pós-graduação.

Portanto, os mordomos da mente humana produzem a grande base das janelas da memória que dão sustentabilidade à formação do Eu. De certa forma, eles atuam como cuidadores do Eu. Entretanto, depois que o Eu se forma, tem de retornar a esses mordomos e dar um choque de gestão neles, a fim de que não se assenhoreiem do campo de energia psíquica. Caso contrário, uma série de transtornos ocorrerá. Por exemplo, quando o autofluxo deixa de ser um diretor auxiliar, um mordomo coadjuvante na formação do Eu, e se torna diretor principal, ele pode ancorar-se em alguma janela e produzir ideias fixas, como obsessões.

Algumas pessoas, por exemplo, pensam que vão morrer ou infartar, outras têm tiques, outras acham que são pobres miseráveis diante de suas mazelas e misérias, outras, ainda, relacionam todos os seus problemas a determinado ambiente, têm medo de expressar suas ideias e acreditam que o ambiente em que vivem conspira contra elas, contra sua liberdade criativa e sua capacidade de pensar. Existem também as pessoas com a ideia fixa de fechar as portas e as janelas todos os dias, ou até de achar que há um ladrão embaixo da cama. Quando o diretor auxiliar se torna o diretor principal na adolescência e na vida adulta, pode produzir transtornos psíquicos, como o transtorno obsessivo-compulsivo (TOC).

Obsessões são as ideias fixas, compulsão é o ritual exterior. Estudaremos sobre isso também, mas é muito importante entender que os fenômenos que estão na base da mente humana e dão sustentabilidade ao Eu devem desenvolver quantidade e qualidade; e que o Eu, no futuro, deve retomar processos para dirigi-los, dar-lhes um choque de gestão. Caso contrário, esse Eu será vítima desses fenômenos, e não autor ou protagonista da própria história. A atuação desses fenômenos é muito complexa, está na base de grande parte dos transtornos psíquicos e psicossociais, até mesmo do autoritarismo, da necessidade neurótica de poder, do desejo de controlar os outros, de estar em evidência social, de estrelismo social. É muito importante que o Eu jamais abandone a consciência de si mesmo como gestor psíquico para poder brilhar numa sociedade altamente estressante e ansiosa, que não nos estimula a ser autores e gestores da própria mente. Essa sociedade só nos leva para o mundo exterior, ela nos quer gestores empresariais, gestores de orçamentos familiares, de escolas, mas não gestores de nossa própria psique. É bom termos isto muito claro: ninguém pode brilhar adequadamente no mundo de fora se primeiro não brilhar no mundo de dentro, no palco de sua própria mente.

Capítulo 6

A mente humana: ilógica e flutuante

Variáveis que atuam no processo de construção de pensamentos

Estudaremos dois grupos de variáveis. Um grupo é estático e o outro é evolutivo. Deixe-me falar primeiro do grupo mais estático. A abertura das janelas da memória é uma variável do processo de construção de pensamentos. Por quê? Porque, dependendo do grau de abertura, teremos a dimensão dos pensamentos. Se a abertura é puntiforme, poucas janelas participam do processo – uma ou duas. Nesse caso, não espere um raciocínio complexo. Se a abertura é grande, haverá mais condição de que as ideias, o conhecimento produzido, tenham uma dimensão mais profunda.

Temos de entender que as janelas se abrem por áreas. Não temos liberdade para abrir o córtex cerebral, a grande cidade da memória, no momento que queremos, do jeito que queremos. Entramos na memória através de suas janelas e arquivos. Dependendo do arquivo (por exemplo, se ele contiver fobias, raiva ou ciúmes), o circuito se fecha, gerando a síndrome SiFE – síndrome do circuito fechado da memória. Tive o privilégio de descobrir essa síndrome, que indica que o pensamento não é linear. O *Homo sapiens* pode se tornar instintivo, reagir como um animal nos focos de tensão.

Não pensamos o que queremos, quando queremos. Há uma série de variáveis estáticas e evolutivas que atuam em milésimos de segundo quando entramos nos bastidores da mente e construímos cada pensamento, cada imagem mental e cada fantasia. Vou citar algumas mais estáticas, depois citarei outras evolutivas.

Variáveis estáticas que interferem na construção de pensamentos

Abertura das janelas da memória

A memória humana, diferentemente da dos computadores, não se abre integralmente. Nós a abrimos por territórios. O mais adequado é abrir o máximo de janelas num determinado momento existencial. Além disso, dependendo do ambiente em que estamos e do estado emocional em que nos encontramos, abriremos mais ou menos janelas. A tranquilidade, a motivação e a autoconfiança são elementos psíquicos que facilitam o processo de abertura.

O medo, as tensões, as chantagens, o risco de vexame e as preocupações excessivas podem fechar a janela da memória e, por conseguinte, determinar a qualidade e até a quantidade de cadeias de pensamentos, de ideias e de imagens mentais formadas. Portanto, a abertura das janelas da memória é uma das variáveis.

A leitura da memória

A leitura da memória é a segunda variável estática que interfere diretamente na qualidade da construção dos pensamentos. Sem história não há memória, sem memória não há pensamento, logo, todo pensamento por mais original que seja é marcadamente influenciado por nossa história arquivada no córtex cerebral. Toda ideia sobre o futuro tem débitos impagáveis com a história. Os olhos do futuro são a história. Por isso, enfatizo no livro *Colecionador de Lágrimas – Holocausto Nunca Mais*: o povo que nega sua história está condenado a repetir seus erros. O ser humano que não vasculha sua história e não a recicla andará em círculo, repetirá estupidez, ciúmes, raiva, inveja e sentimentos de vingança.

As experiências, quando arquivadas, perdem a dimensão existencial. Por exemplo, num ataque de pânico, a sensação súbita de morte e o desespero são muito grandes. Quando, porém, o registro ocorre no córtex cerebral, a dimensão fóbica é reduzida a um sistema de código. Se, por exemplo, uma pessoa tiver um ataque de pânico diante de um médico em quem ela confia, provavelmente, quando o gatilho da memória, fenômeno inconsciente, detonar, abrirá aquela janela, ou zona de conflito (janela *killer*). O volume de ansiedade não será muito intenso (pelo menos tem a chance de não ser muito intenso), porque a pessoa está ao lado de um médico ou num hospital em que confia. Agora, se ela estiver sozinha em casa naquele exato momento em a memória lê e resgata com determinada dimensão o código da experiência do ataque anterior e dá a ele volume fóbico, um volume de tensão enorme, o Eu se aprisiona nessa janela; é sequestrado por ela. A pessoa vai procurar desesperadamente um hospital ou pronto-socorro, porque acredita que está morrendo.

A leitura das janelas da memória, portanto, resgata a dimensão nas várias circunstâncias, nos vários ambientes, nos vários estados, tanto emocionais quanto sociais, em que nos encontramos. E isso determina a qualidade das reações que produzimos, das experiências intelecto-emocionais.

Qualidade e quantidade das informações utilizadas

As informações geram a base do *iceberg* dos pensamentos. Dependendo da quantidade de janelas abertas, como eu disse anteriormente, teremos a quantidade e a qualidade das informações que sustentarão a construção da cadeia de pensamentos. Se restringirmos a quantidade de janelas, vamos restringir o pensamento, a dimensão intelectual, filosófica, existencial e até sociológica dos pensamentos. Lembro-me de uma jovem que dizia: "Preciso me preocupar com os outros, porque não é adequado ferir pessoas próximas".

Ao ouvir isso, poderíamos pensar que essa jovem de fato estivesse preocupada com a dor dos outros, que sabia colocar-se no lugar do outro, que seu Eu era um gestor psíquico e construía relações sociais saudáveis. Esse pensamento ou grupo de pensamentos, porém, era sustentado por pequenas janelas da memória que não tinham dimensão intelecto-emocional profunda.

Quando estava numa situação real em sua casa, fora do ambiente terapêutico, ela tinha agressividades enormes, dramáticas. Era intolerante, tinha baixo limiar para frustrações, quando era contrariada por sua mãe partia para a briga e, às vezes, para a agressão física. Ela era dominada pelos instintos, pelas janelas *killer*. Isto é, seu Eu não era o gestor da sua psique. Diante de um estímulo estressante, vivia a síndrome SiFE (síndrome do circuito fechado da memória), restringia o campo de leitura do Eu e, consequentemente, acabava reagindo de maneira instintiva e feria as pessoas que mais amava. Portanto, é muito importante entender que a quantidade de janelas abertas determina a quantidade e a qualidade das informações que vão sustentar a construção dos pensamentos, a dimensão dos pensamentos e das ideias que produzimos em nosso dia a dia.

Natureza da energia emocional

Essa variável que interfere no processo de construção de pensamentos é, paradoxalmente, tanto estática quanto dinâmica e evolutiva. Quando produzimos pensamentos, ao mesmo tempo excitamos o território da emoção e consequentemente experimentamos alegria, tranquilidade, prazer, encanto e afeto ou angústia, ansiedade, irritabilidade e reação de intolerância.

A emoção resultante da construção das cadeias de pensamentos acaba, em fração de segundos, interferindo no grau de abertura das janelas da memória; e em consequência, em todos os pensamentos produzidos nessa sequência, nessa agenda, bem como no tipo de gerenciamento que o Eu vai exercer no teatro psíquico.

Ao observar esse corpo de variáveis estáticas que influenciam a natureza dos pensamentos, das ideias e dos raciocínios, dá para perceber por que o *Homo sapiens* é micro ou macrodistinto a cada momento existencial, porque mudamos de opinião, passamos a enxergar os problemas, as dificuldades, as ofensas por outros ângulos ao longo do tempo. Não reclame se você é um ser mutável, aplauda. Não somos máquinas de pensar. Se fôssemos, as esculturas de Michelangelo ou de Aleijadinho não existiriam, não haveria poesias nem romances, não dançaríamos nem comporíamos músicas, não produziríamos ciência e, tampouco, teríamos conversas triviais.

Variáveis evolutivas que influenciam o processo de construção de pensamentos

Agora quero falar com vocês sobre os mais diversos ambientes que estão na base do *iceberg* e também interferem em nossa psique. Esses ambientes são mais evolutivos.

O primeiro ambiente é o emocional, quer dizer, o estado emocional em que o indivíduo se encontra em determinado momento de sua existência. Esse estado determina a quantidade e a qualidade de janelas abertas em cada situação. Se um aluno, por exemplo, acabou de cometer um erro, e o professor não perceber que, em vez de criticar, deveria elogiá-lo, abrir a fronteira de suas janelas tencionais, das zonas de conflito, *killers* que estão contraindo seu Eu como autor da história, colocará mais combustível nessas janelas doentias em vez de ampliar suas fronteiras. O aluno terá o Eu sequestrado, mesmo vivendo em sociedade livre, mesmo tendo musculatura para ir e vir. Será sequestrado no único lugar em que deveria ser livre. Portanto, o ambiente emocional pode contrair o grau de abertura das janelas da memória. Ao longo de toda a história da humanidade, professores erraram e perpetuaram o erro, porque, em vez de conquistar o território da emoção, abrir as fronteiras das janelas tencionais, elogiar, encantar, surpreender positivamente um aluno que acabou de errar, eles na verdade os remeteram, e têm remetido, para dentro da sua zona de conflito. Mais de 80% das atitudes dos professores para com alunos que erraram, das correções dos pais aplicadas aos filhos que cometeram erros, bem como das atitudes de executivos em relação a funcionários que falharam não abriram as fronteiras das janelas *killers*, não abriram as fronteiras das zonas de conflito. Desse modo, sequestraram essas pessoas e as pioraram; não consideraram essa dança de janelas que ocorre a partir da qualidade da emoção.

É muito importante, reitero, surpreender o indivíduo que erra com palavras de apoio, que em geral nunca são ditas, isto é, é importante dizer-lhe que apostamos nele e respeitamos seu momento de tensão; assim, ele poderá alargar as fronteiras das janelas doentias e, consequentemente, acessar outras janelas, para que o Eu tenha condições de compreender o erro, a falha ou a incoerência e se tornar protagonista da própria história corrigindo rotas. Desse modo, seremos educadores que geram pensadores, e não que traumatizam as pessoas a nosso redor; ou seremos executivos e profissionais que libertam a criatividade, promovem a capacidade de encontrar soluções, e não aqueles que constrangem, abortam ou asfixiam a emoção e levam as pessoas a ter sentimentos de incapacidade intelectual. O estado emocional, portanto, é fundamental.

A história intrapsíquica, que é o ambiente da memória, é outra variável muito importante que atua na quantidade e na qualidade da construção dos pensamentos. É claro, quanto mais a pessoa expande sua cultura, absorve novas informações, desenvolve e registra novos conhecimentos, mais ela expande a base do córtex cerebral. Nesse aspecto, o ambiente da memória está em contínuo processo de evolução. Por isso, advogamos a tese de que a personalidade está sempre em processo de evolução.

A personalidade tem muita ligação com os primeiros anos de vida, com os mordomos do Eu. Lembre-se: o autofluxo, as janelas e os gatilhos da memória que formam a base de milhares, ou centenas de milhares, de janelas com milhões de informações e experiências, tem muita ligação com os primeiros anos, essa primeira leva de janelas. Entretanto, a construção de janelas ocorre durante toda a vida. Uma pessoa que teve um infarto, por exemplo, ou desenvolve um câncer, começa a registrar janelas múltiplas sobre as limitações da vida, a necessidade de cuidar mais de si mesma, de ter um caso de amor com sua própria história.

A ruptura do orgulho, do individualismo e do egocentrismo interfere na quantidade de janelas e no fenômeno RAM, que vai arquivando, preenchendo os campos do córtex cerebral; por conseguinte, qualquer mudança interfere no ambiente da memória e a personalidade se mantém em evolução. Novas características serão incorporadas, a ansiedade poderá diminuir ou, às vezes, aumentar. A irritabilidade pode diminuir e dar lugar à serenidade. Às vezes, uma doença não trabalhada adequadamente, uma perda ou uma crise podem piorar um quadro emocional. Características que eram saudáveis se tornam doentias. Mas a minha tese é a de que a evolução do *Homo sapiens* ocorre desde a aurora da vida fetal até o último suspiro existencial, porque é um conjunto de variáveis em contínuo processo de evolução.

Citei o ambiente emocional e agora citei o ambiente da memória. Outro ambiente que está em evolução e muda a cada momento é o ambiente social. O fato de um indivíduo estar dentro de um elevador, em seu quarto, numa plateia ou num ambiente de trabalho onde é pressionado para dar boas respostas interfere em seu estado emocional, no grau de abertura da janela da memória e, consequentemente, interfere também no processo de construção de cadeias de pensamentos.

Uma revolução psíquica em curso

O *Homo sapiens* é microdistinto ou macrodistinto a cada momento porque há uma dança de ambientes que interfere na base do inconsciente e, em consequência, no processo de construção de pensamentos. Esse é um dos fenômenos mais complexos e importantes da psicologia. Sem ele, não haveria a evolução das artes plásticas, da arquitetura, da música, da literatura, da política, da economia. Existe uma evolução diretiva, produzida pela consciência crítica do Eu, e uma evolução branca, produzida por variáveis estáticas e dinâmicas que participam do processo de construção dos pensamentos. Mudamos o mundo não apenas porque queremos, mas porque nosso mundo psíquico é mutante. Há uma revolução inevitável em curso. Mesmo pessoas rígidas sofrem mutações emocionais, ainda que lentas.

O metabolismo cerebral é outro ambiente a ser considerado. O ambiente metabólico interfere na construção de cadeias de pensamentos. Há crianças que apresentam hiperatividade genética e importante déficit de atenção. É possível que haja ação de neurotransmissores (mensageiros das sinapses nervosas) que enviam mensagens em velocidade muito mais rápida que o comum, levando determinadas crianças a ser mais agitadas, concentrarem-se pouco no ambiente. Déficit de concentração gera déficit de elaboração de experiências, que gera déficit de registro, que produz déficit de resgate, que conduz essas crianças a repetirem os mesmos comportamentos inadequados com frequência. Eis o mecanismo pernicioso!

Nas crianças com hiperatividade ou com síndrome do pensamento acelerado (SPA), o déficit de concentração não lhes permite registrar adequadamente os erros, as perdas, dificuldades, orientações e informações de seus educadores. Por consequência, não formam janelas para dar sustentabilidade, ou pelo menos não a quantidade e a qualidade adequadas de janelas, à correção de rotas, à reflexão, interiorização, observação e dedução. Por isso, elas repetem os mesmos erros com frequência. Como a variável genética, o metabolismo cerebral também é um fenômeno importante que interfere no processo de construção de cadeias de pensamentos.

Em algumas pessoas, talvez haja déficit de serotonina e, por isso, elas têm tendência à depressão. Em minha opinião, e creio que na opinião de muitos outros pesquisadores, não há condenação genética na psiquiatria. Existe influência genética para a depressão e para alguns outros transtornos psíquicos, mas o Eu como autor da história, como gestor psíquico, pode e deve arquivar e construir plataformas e janelas na psique para, consequentemente, escapar do controle genético do quadro depressivo, por exemplo, e desenvolver uma emoção tranquila e contemplativa, que faz dos pequenos estímulos um espetáculo aos olhos.

A carga genética, portanto, influencia, mas não é determinante. Existem também alterações metabólicas. Uma infecção ou alteração hormonal, hipotiroidismo ou hipertireoidismo, influenciam na construção das cadeias de pensamentos. Uma pessoa com hipotireoidismo tende a ser mais depressiva, menos motivada. Essa pessoa se fadiga com mais facilidade e isso interfere na abertura das janelas da memória no ato da leitura, na construção das cadeias de ideias, nas imagens mentais e em toda a economia intelectual. O hipertireoidismo, ao contrário, produz excitação, ansiedade e irritabilidade. Essas experiências afetam definitivamente o ambiente emocional que, como vimos, também afeta o processo de construção de pensamentos e emoções.

Ansiedade vital é diferente de ansiedade doentia

Há uma ansiedade vital na mente de todo ser humano que movimenta os fenômenos como o gatilho da memória e o autofluxo, e leva o Eu a ler a memória e construir pensamentos e emoções num processo contínuo. Esse tipo de ansiedade é saudável, estimula a motivação, nos impele a sempre procurar algo novo, abre as janelas da nossa mente para buscar novos desafios. A ansiedade vital está presente em todo ser humano e é diferente em cada indivíduo. Algumas crianças prodígio são hiperativas, outras são bem mais calmas e há até algumas que são letárgicas, têm dificuldade para partir para novas conquistas, conversar, dialogar, empolgar-se com desafios ou com novos brinquedos, aprender novos processos e assim por diante.

A ansiedade vital está presente em todo ser humano e é muito importante. Quando intensa, pode gerar alguns transtornos; quando muito retraída, pode bloquear a atividade intelectual. Quando, porém, está presente em dose suficiente para fomentar a motivação e a inspiração, ela nos leva à busca de sonhos, de metas e de projeções para o futuro, o que é muito importante.

O fenômeno da psicoadaptação

Na base do processo de construção de pensamentos há outro fenômeno: a psicoadaptação.

A psicoadaptação é a capacidade de não sentir prazer ou dor diante dos mesmos estímulos. Uma mãe que perdeu um filho pode, no velório, paralisar sua inteligência, sua criatividade e sua inventividade. Se constantemente ler a experiência na janela traumática através do fenômeno do autofluxo, paralisará o prazer de viver. Pode produzir ideias mórbidas e dramáticas sobre a perda e a falta de sentido existencial. Então, vai registrando de volta a dor, pelo fenômeno RAM, e formando plataformas de janelas doentias que encarceram sua psique. Presa, ela será enredada e impedida de realizar uma construção mais bela do pensamento e de ideias e imagens mentais agradáveis. O seu prazer de viver estará asfixiado.

É muito importante que ela se psicoadapte à perda, ou seja, que deixe de produzir esse caldeirão de ideias. Ela precisa se psicoadaptar à perda para oxigenar seu prazer de viver. Psicoadaptar-se à perda não é deixar de ter saudade, não é suprimir o afeto por alguém que perdemos, não é esquecer quanto um filho foi caro. Na traição, não é ignorar quanto uma pessoa com a qual convivemos durante muito tempo foi importante. Mesmo em situações mais cotidianas, como perder um emprego, é preciso psicoadaptar-se. É preciso diminuir o processo de aceleração do pensamento e impedir a usurpação do fenômeno do autofluxo para que o Eu possa ser o gestor psíquico. Desse modo o nível de ansiedade, angústia e dor diminui e, consequentemente, abrem-se as janelas da mente e se produzem sonhos, prazeres, inspiração, motivação e assim por diante. Portanto, se a psicoadaptação não ocorrer, o psiquismo pode ser encarcerado no único lugar em que deveríamos ser livres.

Infelizmente há milhões de pessoas encarceradas em todas as sociedades – na China, na Rússia, no Japão, na Europa, nas Américas. Elas até sorriem com os lábios, circulam nas empresas, nas escolas e em suas casas, mas estão asfixiadas dentro de si mesmas porque não aprenderam a se psicoadaptar, a estimular o seu Eu como autor da própria história; produzem ideias perturbadoras e imagens mentais aterradoras que são continuamente registradas e fazem com que sua emoção se torne um caldeirão de experiências doentias.

Outras variáveis que contaminam a construção de pensamentos

Há outras variáveis importantes que atuam no processo de construção de pensamentos. O ambiente motivacional e o grau de interesse que o indivíduo tem determinam o grau de abertura das janelas da memória ou o estado emocional e, consequentemente, interferem na qualidade e na quantidade dos pensamentos produzidos, das ideias e das soluções encontradas.

O ambiente motivacional também é uma variável importante. Cabe aqui uma observação: o ambiente intrapsíquico, ou seja, o ambiente da memória (quem sou), o ambiente emocional (como estou, qual é meu estado emocional), o ambiente social (onde estou), o ambiente genético e o metabolismo cerebral e endócrino, na realidade, não são variáveis. São fonte de variáveis que evoluem e fazem, como disse e reafirmo, com que sejamos microdistintos ou macrodistintos a cada momento existencial. Se você se queixa de que não é estritamente lógico, que às vezes é incoerente, não entende por que muda de opinião ou muda de estado ou de repente não tem a mesma reação diante de determinados problemas e dificuldades, saiba que a estabilidade psíquica plena não existe.

Nós estamos em contínuo estado de desequilíbrio psíquico. O equilíbrio psíquico é uma falácia da psicologia, não tem base científica. Somos seres que constroem cadeias de pensamentos, ideias, imagens mentais e emoções que estão em contínuo estado de desequilíbrio. Se nos queixamos disso, vamos reclamar da nossa própria natureza, não seremos quem somos, seremos computadores, escravos de estímulos programados. A vida seria um tédio, um cárcere onde chafurdaríamos na lama da rotina. Claro que a flutuação é inevitável, mas a flutuação excessiva, se instável demais, também é um problema, porque isso é sinal de que o Eu não é gestor da psique, não é o autor da própria história, e essa falta de gestão se refletirá em todas as esferas em que o indivíduo atua, seja profissional ou afetivamente.

A maioria dessas variáveis (quem sou, o que sou, como estou, o que desejo, a quantidade de janelas etc.) atua direta e inconscientemente nos quatro fenômenos que constroem os pensamentos – autofluxo, gatilho da memória, janelas da memória e o Eu –, bem como no fenômeno da psicoadaptação. A consequência? O *Homo sapiens* torna-se uma usina de construção de pensamentos e emoções. Até quando dormimos essa usina mental não para e gera o espetáculo dos sonhos.

Capítulo 7

O inconsciente gerando sistema de encadeamento distorcido: pensar é distorcer a realidade

Sistema de encadeamento distorcido no ato de pensar

Vamos entrar numa seara cuja exigência é abrir o máximo de janelas para assimilar alguns elementos que estão nos bastidores inconscientes da nossa psique. Antes, gostaria de dizer que brilhantes teóricos, como Freud, Piaget, Vygotsky, Jung e Adler, usaram pensamentos prontos para produzir teorias – teoria do processo da formação da personalidade, do processo de aprendizado, do processo de formação de traumas –, mas boa parte deles não teve a oportunidade de estudar como se constroem os pensamentos, ou seja, os fenômenos que estão na base dessa construção. Consequentemente, várias lacunas não foram preenchidas, não foram compreendidas. A Teoria da Inteligência Multifocal, que abarca a psicologia multifocal, não compete com as outras teorias porque seu objeto de estudo são essas variáveis, os fenômenos que estão na base de todas as outras teorias. Por isso, dá a elas suporte para que possam avançar, ser alavancadas e recicladas. Os que aderem a essas teorias ou se tornam discípulos delas podem estudar na psicologia multifocal os fenômenos que estudamos na Teoria da Inteligência Multifocal e aplicá-los em sua área de atuação.

As teses deste capítulo necessitam das teses do capítulo anterior, que tratou das variáveis que influenciam o processo de construção de pensamentos. A filosofia, de maneira inteligente, chegou à conclusão de que dois observadores diante do mesmo objeto têm interpretações distintas, porque são dois seres, duas personalidades, dois mundos interpretativos. Isso influenciou também a sociologia, a psicologia e a psicopedagogia, e mostra que jamais devemos desejar que as pessoas sejam iguais.

Aliás, a unanimidade, como dizia o dramaturgo Nelson Rodrigues, não é inteligente. Se todo mundo entendesse as coisas da mesma maneira, isso seria uma afronta à inteligência, porque cada ser humano é um mundo a ser descoberto, tem personalidade, expectativas, interpretações e maneiras de ver e reagir à vida distintas. As políticas educacionais e psicossociais que não levam isso em consideração maculam e impossibilitam a formação de pensadores e podem até comprometer a identidade das pessoas submetidas a elas.

É por isso também que advogo que as provas escolares não podem ser um fim em si mesmas. Cada um tem seu momento, sua maneira de pensar, criar e raciocinar, e os professores deveriam ir além do mundo das provas. Deveriam olhar para o raciocínio esquemático, a inventividade; observar e levar em consideração o debate de ideias, a solidariedade, enfim, deveriam atuar como construtores de relações sociais. Do contrário, avaliarão com dados objetivos um ser humano que é subjetivo e tem complexidade milhões de vezes maior que a mais bela e mais complexa prova. Milhares de alunos são tratados, com o perdão da palavra, como deficientes mentais, e muitas vezes são verdadeiros gênios.

Aliás, todo ser humano tem potencial intelectual para algumas genialidades que, infelizmente, não são desenvolvidas. A genialidade genética está ligada à dimensão do córtex cerebral, à facilidade de armazenamento, ao processo de resgate de informações e à organização de dados.

Os gênios genéticos e os gênios socioemocionais

Algumas pessoas têm uma grande quantidade de informações registradas no córtex e recitam essas informações com grande propriedade. Lembram-se de detalhes com destreza e habilidade incríveis. Essa genialidade, porém, se observa numa minoria. A outra genialidade, a socioemocional, que todos deveríamos procurar e ter como meta no processo educacional, expressa-se por habilidades notáveis, mais importantes que a memorização e o pensamento lógico da genialidade genética. Essas habilidades são: resiliência, generosidade, tolerância social, flexibilidade, ousadia, empreendedorismo, proatividade, capacidade de gerenciar a emoção, de se colocar no lugar do outro, de se pensar como humanidade e não apenas como grupo social, de pensar antes de reagir, de expor e não impor ideias, de expandir o limiar para frustrações etc.

Precisamos produzir milhões de gênios socioemocionais nas escolas de todos os povos e culturas, promover uma educação menos cartesiana que enfatize não apenas as funções cognitivas, como memória e raciocínio, mas também a não cognitiva ou socioemocional. A violência que vemos diariamente nos noticiários é consequência da educação cognitiva-lógico-cartesiana, mesmo quando se trata de conflitos religiosos. Infelizmente, a educação mundial optou, provavelmente devido à falta de conhecimento sobre o funcionamento da mente, por esse tipo reducionista de educação. Na educação lógico-cartesiana, judeus e palestinos têm comportamentos agressivos e se consideram inimigos; na educação socioemocional, um se coloca no lugar do outro e ambos se veem como seres humanos, pertencentes à mesma família.

Ao optar nos últimos cinco séculos pela educação cognitiva-lógica-cartesiana, geramos consequências gravíssimas: aumentamos a violência social, o uso de drogas e os índices de suicídio na infância e na adolescência; desprotegemos a emoção e geramos mais doenças mentais; fomentamos o terrorismo, os conflitos religiosos; expandimos a discriminação e as disputas irracionais entre nações. Somos uma espécie que beira as raias da inviabilidade devido à opção pelas funções lógico-cartesianas e não pelo desenvolvimento das habilidades socioemocionais.

A capacidade de expor pensamentos, debater, imaginar, criar e libertar habilidades geniais é socioemocional ou funcional (passível de evolução) e pode ser desenvolvida pelo traçado educacional; não são mensuráveis em provas escolares, muito menos em testes de Q.I. (quociente de inteligência). O Q.I.S.E. (quociente de inteligência socioemocional) poderia revolucionar a maneira como nossa espécie pensa, se vê e se relaciona.

Devemos, portanto, avançar e conhecer o planeta psíquico, o processo de construção de pensamentos, a multiplicidade de variáveis. Precisamos atentar para os fenômenos que estão na base da construção intelectual, da formação de pensadores. Caso contrário, não contribuiremos com nós mesmos nem com os outros. Seremos, isto sim, carrascos, e poderemos macular as pessoas que amamos.

Com a TIM, podemos pensar não só que dois observadores podem ter duas interpretações distintas e que exigir unanimidade não é inteligente – assim como pensa a filosofia –, mas avançar a ponto de entender que um mesmo observador, diante de um mesmo fenômeno ou de um mesmo objeto, pode ter duas interpretações distintas em dois momentos distintos. Como um pai que, diante de um comportamento inadequado do filho, pode reagir de uma maneira diferente em momentos diferentes: pode ser tolerante e afetuoso e estimular o filho a reconhecer o erro cometido e refazer sua história e, logo depois, diante do mesmo comportamento, pode ser agressivo, comparar o filho com outros jovens e sentenciá-lo como um caso sem solução. Essas flutuações doentias nos destroem como gestores educacionais e como gestores humanos que pensam e sentem.

Flutuações existem. Nós temos reações distintas diante de um mesmo comportamento porque o ambiente emocional, o ambiente motivacional, o ambiente intrapsíquico e até o ambiente social mudam, mas flutuações demasiadas, às quais já me referi, destroem o ser humano em vez de contribuir para sua construção. Portanto, como vimos, somos micro e macrodistintos a cada momento existencial. Em nossa psique há um mundo em pleno processo de evolução. A evolução constante das ideias, seja pela atuação, seja pela ação das variáveis nos fenômenos que processam a construção de pensamentos, é inevitável. A atuação do fenômeno RAM aumenta diária e continuamente a base da memória e nos transforma em história em expansão. O fenômeno RAM armazena, todos os dias, milhares de ideias, dados e informações. A memória, uma vez registrada, não pode ser deletada, apenas reeditada, reescrita.

É impossível controlar a evolução humana

O *sistema de encadeamento distorcido* é formado por todos esses fenômenos que abordei. As variáveis estão em constante mudança; a atuação do fenômeno RAM acrescenta novas informações a cada momento e o grau do Eu e sua habilidade como gestor psíquico também sofrem mudanças. A expansão das janelas da memória enriquece o portfólio do inconsciente. Isso tudo faz com que haja um sistema de encadeamento distorcido: você não é o mesmo que foi ontem e não será o mesmo amanhã. Devemos entender que isso está na base de toda a evolução humana. A arquitetura muda a cada década, a literatura muda a cada geração, a música está sempre em mudança, a apresentação e a dinâmica dos escritores também estão em frequente mutação, a maneira com encaramos os fenômenos políticos também sofre constantes alterações.

O *Homo sapiens* evolui, como comentei, não apenas porque o Eu é diretor do *script* da sua história, mas também porque há um sistema de encadeamento distorcido que ocorre na base da psique dos cientistas, dos escritores, dos políticos, dos pais, dos educadores e assim por diante. Não podemos nos esquecer, contudo, de que somos microdistintos a cada momento, mas, se formos macrodistintos o tempo todo, se houver flutuações muito grandes, essa flutuação deixa de ser construtiva e passa a ser destrutiva. Ninguém sabe como lidar conosco. Sabe aquela pessoa que você nunca consegue prever como vai reagir diante de determinada situação? Ela tem uma flutuação doentia, não consegue ter o Eu minimamente como autor da sua história, e isso afeta o ambiente e o processo de formação da personalidade dos filhos.

Há pais tão imprevisíveis que os filhos nunca sabem como reagir diante deles. Relaxam e são sinceros? Mentem e omitem? Declaram o que pensam e sentem ou não? Uma parte significativa dos pais tem flutuações muito grandes, num momento estão tranquilos; noutro, são intolerantes. Isso dificulta a criação de pontes confiáveis para que os filhos possam cruzar seu mundo com o deles.

Uma parte dos professores também tem uma flutuação emocional enorme, vão do céu do bom humor para o inferno da irritabilidade muito rápido, à mínima contrariedade. Os alunos observam as reações distintas e muito alteradas desses professores, o que gera um bloqueio inconsciente. Mesmo que estejam à beira de uma crise depressiva ou num estágio de depressão tão grande que pensam em se destruir ou até destruir outros, eles não têm confiança para cruzar o seu mundo com o mundo desses professores, porque não se constrói no inconsciente nenhuma plataforma para haver essa troca de experiências mais profundas.

O processo de comunicação dentro da Teoria da Inteligência Multifocal é um processo mediado. Um pai não comunica sua alegria ao filho; um paciente não comunica sua crise fóbica, seu medo ou seu estado de ansiedade ao psiquiatra; um aluno não comunica sua angústia ao professor. Nós comunicamos estímulos sonoros e visuais e não a realidade essencial e concreta das experiências psíquicas – alegria, raiva, fobias etc.

Realidade virtual: próximos e infinitamente distantes

O *Homo sapiens* pensa que está no mundo concreto, lidando com fenômenos psíquicos concretos, mas a realidade é sempre mediada. Isso tem consequências graves nas relações humanas. As sensações são reconstruções feitas pelas interpretações. Temos, por exemplo, a sensação de que uma pessoa nos transmitiu mal-estar. Na verdade, ela não nos transmitiu mal-estar, pois esse mal-estar é nosso. Nós interpretamos o mal-estar com base em códigos físicos, imagens e palavras dela. Se você diz "Nossa, estou me sentindo deprimido depois de conversar com tal pessoa", pode ter certeza de que o seu estado depressivo não veio diretamente dessa pessoa. Através de estímulos dela, você abriu janelas da memória e resgatou, no seu território da emoção, a experiência emocional do mal-estar que sentiu.

A comunicação social não transcorre no campo da realidade essencial da energia psíquica, mas através da mediação dos códigos físico-químicos. Entre pais e filhos, professores e alunos, executivos e funcionários, existe mais que alguns metros de distância; há um espaço intransponível, um espaço que não pode ser resolvido nunca pela realidade essencial.

A não ser que alguém o machuque fisicamente, ninguém poderá ferir machucar, ameaçar, amedrontar ou humilhar você se o Eu decidir protegê-lo, decidir usar ferramentas para não ser escravizado por estímulos estressantes. Palavras, gestos, atitudes, expressões, tudo gera em você uma interpretação.

A realidade interpretada diante dos estímulos do outro determinará a qualidade de sua experiência emocional e intelectual. Portanto, se aprendêssemos desde a mais tenra infância a usar o Eu como ferramenta capaz de proteger a emoção e gerenciar pensamentos, não seríamos escravos do que os outros pensam ou dizem de nós. Não seríamos escravos de humilhações, rejeições, vaias, mazelas e misérias com que temos contato na sociedade. Como, porém, o nosso Eu não aprende a desenvolver tais ferramentas, ele se transforma em marionete, barco sem leme, avião sem manche. Quando não estamos no controle, quando não usamos nossas mãos para conduzir as rotas que queremos, é quase impossível não nos acidentar. A comunicação social sempre é mediada.

A interpretação: uma armadilha em que todos falham

Vivemos no mundo da interpretação, compreendemos o outro através de nós mesmos, dos sistemas de códigos que ele pobremente expressa e que abrem as janelas de nossa memória. Por favor, grave isso. Cometemos atrocidades, erros, atitudes inadequadas nas relações humanas porque atribuímos ao Eu uma capacidade que ele não tem. Nós não somos deuses, nunca incorporamos a realidade do outro. Você nunca vai captar a dor, a angústia, a ansiedade, o medo, a raiva, o sentimento de vingança e os ciúmes do outro. Você vai interpretar a partir dos sistemas de códigos físicos, visuais e sonoros que o outro expressa. Tudo o que você sentir partirá de você mesmo.

O psiquiatra entende o outro a partir de si mesmo; o psicólogo idem. Há muitos profissionais cometendo erros graves; determinando e apontando a direção;

condenando; dando diagnósticos de maneira mágica; encerrando os pacientes dentro de sua teoria de eleição, dentro de seu sistema intelectual e interpretativo. O ser humano dentro de nós é muito maior do que o nosso sistema de interpretação. É por isso que a democracia das ideias é uma das teses da Teoria da Inteligência Multifocal. Democracia das ideias é respeitar o outro, mesmo que o outro pense de maneira diferente da que eu penso, do que sou. A democracia das ideias implica desenvolver algumas habilidades da inteligência, habilidades fundamentais como colocar-se no lugar do outro. A pessoa que não sabe se colocar no lugar dos outros nunca vai entender adequadamente o que um filho, um aluno, um paciente ou um funcionário sentem e pensam. Na verdade, nunca entenderemos a realidade do outro, mas podemos nos aproximar dela se desenvolvermos esta nobilíssima função da inteligência: a empatia.

Os psicopatas, os ditadores, as pessoas autoritárias nas empresas, os professores que causam traumas nos alunos e os pais que reprimem a criatividade dos filhos não desenvolveram os primeiros estágios da ação de se colocar no lugar do outro. Não desenvolveram a capacidade de viver pautados pela agenda da democracia das ideias.

A democracia das ideias é inevitável

Colocar-se no lugar dos outros é um exercício que as crianças, os adolescentes e os adultos deveriam treinar ao longo de toda sua história, porque é muito fácil excluir, julgar, condenar. É muito fácil diminuir os outros. Os fracos julgam, os fortes compreendem. Os fracos, na Teoria da Inteligência Multifocal, excluem, e os fortes abraçam. Os fracos se consideram deuses, os fortes percebem que nada é tão importante quanto reconhecer que somos seres humanos e, portanto, imperfeitos, limitados e mortais. Os fortes sabem que devem respeitar, incentivar e provocar positivamente a inteligência do outro a fim de que ele – filho, aluno, colega de trabalho – se torne autor da sua própria história.

Outra ferramenta fundamental para o desenvolvimento da democracia das ideias é aprender a expor ideias, e não impô-las. Expor as ideias é dar ao outro o direito de nos contrariar, de pensar diferentemente do que pensamos. Muitas vezes achamos que estamos sendo generosos, mas na verdade estamos sendo sutilmente autoritários. Nosso tom de voz e a maneira pela qual expressamos nossas ideias chantageiam, pressionam, diminuem e não dão possibilidade para que o outro aprenda a debater.

Aprender a expor sem medo e sem reservas e nunca impor as próprias ideias é, portanto, outro fenômeno fundamental da democracia das ideias. Isso também dá sustentabilidade ao outro, sustentabilidade, aliás, que vem do pensamento de que a comunicação nas relações sociais é sempre mediada, nunca linear e nunca pura.

Pais, filhos, médicos e educadores devem ter consciência de que não são deuses, não podem julgar nem controlar. Têm de aprender a provocar positivamente a inteligência dos outros. A qualidade da interpretação é que determinará os níveis de aproximação ou distorção das experiências psíquicas do outro. Quem não tem uma excelente qualidade de interpretação não contribui com o desenvolvimento da personalidade nem com a expansão dos horizontes das pessoas com as quais se relaciona. Desse modo, a qualidade da interpretação é fundamental. Se nós não desenvolvermos ferramentas, como pensar antes de reagir, expor e não impor ideias e colocarmo-nos no lugar do outro, cometeremos erros graves.

Nas universidades há muitos intelectuais controlando professores e muitos professores controlando alunos. Nas empresas há muitos executivos que se sentem ameaçados por seus funcionários e tomam atitudes que abortam o potencial intelectual dos subalternos, têm medo de levá-los a debater as ideias igualitariamente. Pensam que ser grande é controlar, quando, na verdade, na Teoria da Inteligência Multifocal, ser grande é fazer-se pequeno para tornar grandes os pequenos.

Capítulo 8

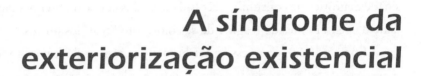
A síndrome da exteriorização existencial

A crise de interiorização

A pessoa que navega pela internet e viaja para o mundo de fora, sem viajar para dentro de si mesmo, nunca saiu do lugar. Vive numa masmorra psíquica.

O excesso de estímulos capitaneado pelo bombardeamento de informações, a sobrecarga de trabalho intelectual, o uso excessivo de computadores, o uso descontrolado de celulares, assim como as drogas, também viciam. Centenas de milhões de jovens e adultos deveriam fazer uma desintoxicação digital. Não conseguem viver sem usar esses aparelhos, pois rapidamente atolam-se na lama do tédio.

O ser humano moderno tem sofrido, pelos excessos da era digital, uma importante síndrome psicossocial, a qual chamo de síndrome da exteriorização existencial. Ela também pode ser chamada de síndrome do comportamento ausente. Ausente de quê? Ausente de sensibilidade, de afetividade e da percepção do que se passa dentro dos filhos, parceiros, amigos, colegas de trabalho. Essa síndrome gera, às vezes, um ensimesmamento grave. Mas esse recolhimento em si mesmo não leva à interiorização, a pessoa fica na superfície do planeta psíquico. Ausente do outro e ausente de si mesma. Uma masmorra sórdida.

A síndrome da exteriorização existencial atingiu enormes proporções nos dias atuais por causa da hiperestimulação ao consumismo e pela utilização excessiva de aparelhos digitais. Ela é caracterizada por dificuldade de interiorização, insatisfação crônica, flutuação emocional, tédio excessivo diante da rotina, necessidade neurótica de consumir, necessidade ansiosa de se manter ocupado, dificuldade de pensar antes de reagir e de se colocar no lugar dos outros.

Essa síndrome arremessa o ser humano para fora de si mesmo, contraindo o processo de reflexão e de consciência crítica. Ela tira o oxigênio da emoção, pois a pessoa precisa de muitos estímulos para sentir migalhas de prazer. Quantos milhões de alunos não foram sequestrados por essa síndrome? Eles são viciados em telefones celulares. Às vezes, estão diante uns dos outros, mas não sabem conversar, enviam mensagens. Mensagens rápidas e vazias.

A participação do sistema educacional

O sistema educacional clássico contribui para criar a síndrome da exteriorização existencial, pois nos ensina sobre as entranhas dos átomos que nunca veremos e discorre sobre o imenso espaço em que nunca pisaremos e nos fornece milhões de informações do que está entre esses dois elementos, mas não nos ensina a conhecer o planeta psíquico. Ficamos na superfície.

Os professores, como sempre defendi, são os profissionais mais importantes da sociedade, mas o sistema educacional está doente, formando pessoas doentes para uma sociedade doente. Não sabemos quase nada sobre nossa mente. Os elementos básicos e fundamentais para conquistar uma mente livre, higienizada e saudável são desconhecidos. A matemática, a física, a química, as línguas e as competências técnicas são supervalorizadas pelo sistema educacional, mas o processo de construção de pensamentos, a formação do Eu como autor da história e as funções complexas da inteligência, como a resiliência, a arte de contemplar o belo e a capacidade de proteger a emoção, são esmagados, jogados na lama. Como formar pensadores se não nutrimos o ato de pensar? Como formar mentes livres sem discorrer sobre suas armadilhas? Quase impossível.

Eu grito em mais de sessenta nações que a humanidade tomou o caminho errado e o sistema educacional contribuiu para isso. Somos vítimas da síndrome da exteriorização existencial. Os jovens preferem horas incontáveis nos shoppings a segundos de interiorização e questionamento sobre si, sobre a vida, a sociedade, a existência. Muitos não conseguem ficar nem alguns minutos sozinhos, não se suportam. Estamos viciados por uma droga altamente controladora: a necessidade ansiosa e irrefreável de consumir o desnecessário.

Esta é a primeira geração que não reclama das loucuras dos adultos. Querem o veneno que produzimos em doses mais altas. Mas os jovens não são culpados, nós somos, pois matamos o potencial criativo deles. E ainda achamos as crianças de 2, 3, 4 anos verdadeiros gênios. Sim são espertas, mas asfixiamos sua infância com o excesso de estímulo.

Falta às crianças ingenuidade, tranquilidade, criatividade nas brincadeiras. A saúde psíquica cobrará seu preço. Não é à toa que os índices de adoecimento psíquico são altíssimos, uma em cada duas pessoas desenvolverá ao longo da vida um transtorno psíquico. Desse número gritante, 20% (quase um bilhão e meio de pessoas), como já comentei na Introdução, cedo ou tarde desenvolverão o último estágio da dor humana, um quadro depressivo. Não culpe a carga genética e, muito menos, o cérebro; culpe a sobrecarga sobre ele.

Atolados na síndrome da exteriorização existencial, os alunos de todas as idades, inclusive universitários e pós-graduandos, não têm a mínima consciência dos fenômenos que os tecem como *Homo sapiens*, seres pensantes. Não sabem, por exemplo, que existe um fenômeno, que chamo de RAM (registro automático da memória), que arquiva cada pensamento, débil ou lúcido, e cada emoção, prazerosa ou angustiante, rapidamente e sem a autorização do Eu, que é o gestor psíquico. E por não deterem esse conhecimento, não desenvolvem as habilidades básicas do Eu para atuar criticamente e com rapidez, no máximo em cinco segundos, impugnando emoções e pensamentos inadequados ou discordando deles no perturbador silêncio mental. Eles não sabem que tudo que é registrado não poderá mais ser deletado, só reeditado ou reescrito. Ninguém convive com lixo azedo e putrefato na cozinha, mas acumulamos lixo em nossa psique e convivemos com isso. Sem saber, desertificamos áreas nobres da memória em completa ingenuidade.

Escravos na era democrática

Não faz muito tempo dei uma conferência no Supremo Tribunal Federal. Disse para o notável grupo de profissionais que a corte máxima era a guardiã da Constituição, assegurando os direitos e deveres dos cidadãos numa sociedade livre. Mas afirmei que não somos tão livres quanto parecemos, que numa sociedade democrática há milhões de pessoas encarceradas no território da emoção, escravas no único lugar que temos o direito pleno de ser livres, em nosso psiquismo.

Freud e outros notáveis pensadores da psicologia acreditavam que uma pessoa adoeceria ao longo da vida se sofresse traumas nos primeiros anos de vida. Hoje, graças à Teoria da Inteligência Multifocal, estendemos esse conceito. Devido à atuação do fenômeno RAM e da inabilidade do Eu, que representa a capacidade de escolha, em proteger a emoção e a memória, em qualquer época podemos adoecer, produzir zonas traumáticas, que chamo de janelas *killer*. *Killer* quer dizer "assassino". Não são janelas que assassinam a vida, o corpo, mas, quando se entra nas zonas *killer*, o volume de tensão é tão grande que bloqueia milhares de janelas que contêm milhões de informações. Não se sabia disso na psicologia, mas hoje temos plena consciência de que as janelas *killer* assassinam a tranquilidade, o raciocínio multifocal, a capacidade de pensar antes de reagir, de se colocar no lugar do outro, de trabalhar perdas e frustrações, e muito mais.

Quem vivencia a síndrome da exteriorização existencial torna-se um peregrino no traçado do tempo, transita pela vida sem criar raízes dentro de si mesmo. Nada é mais angustiante. O portador dessa síndrome tem enorme dificuldade de ser contrariado, suportar críticas, admitir fragilidades, superar fracassos e usá-los para solidificar os alicerces da resiliência e da maturidade.

Ensinar aos nossos alunos matemática, mas não a "matemática" da emoção; a falar bem a língua, mas não a falar consigo mesmo; sobre as partículas atômicas, mas não sobre as "camadas" primordiais da própria mente é acariciá-lo numa face e esbofeteá-lo na outra, é libertar uma mão e algemar a outra.

Capítulo 9

Não há lembrança pura: a educação clássica e seu erro clássico

O sonho da lembrança pura não existe

A memória está no cerne do funcionamento da mente e da construção dos pensamentos. São os tijolos da construção de pensamentos, emoções, imagens mentais, desejos, fantasias. É uma das estruturas mais misteriosas e fundamentais da inteligência humana. O senso comum confunde erroneamente memória com inteligência. Para ele, quem tem mais memória, ou mais capacidade de lembrar, é mais inteligente. Depois que inventaram os computadores com suas incríveis memórias, essa tese superficial caiu por terra.

No nosso sistema educacional, os professores ensinam a matéria, os alunos a assimilam, elaboram, registram e depois a resgatam ou delas se lembram. Portanto, a lembrança é o pilar central da educação. Mas esse pilar está equivocado. Sempre esteve errado, mas funcionava porque dava resultados nas provas escolares e nas aplicações técnicas que desenvolvemos. *Nós não nos lembramos das informações contidas na memória; nós as reconstruímos.* Entre lembrar e reconstruir existe mais mistérios do que imagina a educação.

Uma mãe perdeu o filho. O mundo desabou sobre ela. Milhares de pensamentos essenciais e emoções angustiantes asfixiaram seu prazer de viver. Ela registrou todas essas experiências através do fenômeno RAM (registro automático da memória). Formou inúmeras áreas traumáticas, chamadas de janelas *killer* ou zonas de conflitos. Ela gravita dia e noite em torno da perda. Todo o registro do filho se torna um arranjo eletrônico ou atômico no córtex cerebral. Portanto, é um registro frio, seco, sem realidade emocional. Mas como a mãe sofre a dor da perda? Por que essa dor penetra nas artérias de sua história?

Todos os dias essa mãe resgata, através de sofisticados mecanismos, esse registro e dá a ele vida emocional e intelectual. Ela reconstrói diariamente a experiência da perda, e nenhuma dessas reconstruções é pura, ou seja, nenhuma é exatamente a mesma de quando ela enterrou o filho. Uma série de variáveis concorre para formar novas cadeias de pensamentos e emoções. Por isso haverá dias muito angustiantes, outros menos tristes e ainda outros alegres. A saudade nunca será resolvida, mas a mãe inconscientemente vai sentindo alívio pelo processo de reconstrução e registro de todos os pensamentos e emoções inerentes a tal reconstrução.

Por que a saudade nunca será resolvida? Porque enterrar um filho gera um tipo de janela traumática especial e inesquecível: a janela *killer* duplo P. Essa janela tem duplo poder, o primeiro é o de encarcerar o Eu e fechar o circuito da memória, levando uma pessoa a pensar continuamente no objeto da perda; o segundo é o de deslocar a maneira de ser, reagir e pensar. Se os pensamentos e as emoções decorrentes do primeiro poder forem pessimistas e mórbidos, formarão plataformas de janelas *killer* ao redor do núcleo duplo P, e a personalidade será deslocada, gerando luto crônico, associado à depressão, ao desânimo e à contração do prazer de viver e das atividades sociais.

Mas há duas grandes maneiras de reeditar os efeitos emocionais e intelectuais devastadores das janelas *killer* duplo P, embora essa reedição jamais queira dizer deletar, apagar ou anular. Primeiro, através do processo espontâneo da reconstrução sob a influência das variáveis, capaz de gerar pensamentos e emoções cada vez menos pessimistas. É um processo inconsciente. Segundo, através do desenvolvimento da esperança, consolo e atitude do Eu em honrar o filho que partiu, ou seja, agradecer cada minuto que viveu com ele. É um processo consciente. A perda transformada em solenes agradecimentos poderá acelerar a formação de plataformas que ganharão contornos *light*, superando a síndrome do circuito fechado da memória e oxigenando o prazer de viver e a motivação.

Minha ênfase aqui será sobre o processo inconsciente. Felizmente há mecanismos nos bastidores da memória que fazem com que o resgate não seja puro, mas sujeito a micro ou macrodistorções. Se o resgate fosse puro, exatamente o mesmo, uma mãe que não atua conscientemente poderia paralisar sua psique no velório do filho. Mas milhões de mães são aliviadas espontaneamente. Quais são essas variáveis que distorcem o processo de leitura da memória e fomentam uma criatividade espontânea?

O estado emocional no momento do resgate (como estou), o ambiente social (onde estou), o ambiente da memória (em que janelas estou), a capacidade de gerenciar a perda (quem sou enquanto autor da minha história), somados ao metabolismo cerebral (carga genética), interferem na leitura da memória e consequentemente na multiplicidade de pensamentos e emoções. Lembrar é produzir distorções micro ou macro, em especial das experiências existenciais. Em outras palavras lembrar é criar.

Mesmo as informações lógicas, que supostamente deveriam sofrer um resgate mais puro, sofrem distorções do estado emocional, motivacional, social, intelectual. Milhões de jovens têm dificuldade para resgatar informações nas provas escolares. Alguns deles são verdadeiros gênios, mas têm péssimo desempenho; são traídos por focos de tensão. O medo de falhar, a cobrança dos pais, a autocobrança, a imagem diante dos colegas, a pressão da escola e a ansiedade por uma profissão futura são armadilhas mentais que interferem no grau de abertura das janelas, no acesso às informações e na elaboração dessas informações em cadeias de ideias ou conhecimento.

Professores em todo o mundo moderno, que desconhecem a existência dessas armadilhas e não contribuem para desarmá-las, podem prejudicar drasticamente a formação de mentes livres e pensantes. Distorções sempre existirão na construção de pensamentos, mas distorções excessivas são um problema.

Não há lembrança pura, como a educação sempre acreditou. Portanto, os alicerces da formação dos alunos estão em ruínas. Tenho suplicado em mais de sessenta países onde sou publicado que os professores conheçam o funcionamento básico da mente humana, as armadilhas no processo de leitura da memória e a complexidade da formação dos pensamentos para ter outra postura na avaliação dos seus alunos. Deve-se exigir o resgate puro de informações dos computadores, mas dos seres humanos não, pelo menos não estritamente. As provas escolares que têm exclusivamente esse enfoque podem impedir a formação de pensadores.

Os critérios da formação de pensadores devem contemplar o raciocínio esquemático (encadeado), o raciocínio multifocal (múltiplos ângulos) e a intencionalidade nas provas, bem como a ousadia, a interação social, o debate de ideias fora do ambiente das provas. É possível dar nota máxima para quem errou todos os dados. Que tipo de ser humano queremos formar: autônomos, que pensam e têm opinião própria, ou autômatos, que apenas recitam informações?

Armazenamento: a morte e o resgate do presente

A memória armazena a história intrapsíquica, que é composta por milhões de experiências existenciais de prazer, medo, apreensão, tranquilidade, raiva etc. acumuladas durante toda a vida e que se inicia no útero. A memória também armazena as informações que são experiências secas, sem carga emocional importante, como nomes, números, símbolos linguísticos, símbolos visuais, fórmulas matemáticas.

Mas como as informações e as experiências são armazenadas na memória? Cada informação ou experiência psíquica é armazenada na memória como um sistema de código físico-químico que chamo de *representação psicossemântica* (RPS). As RPS como sistemas de códigos no córtex cerebral representam o significado (semântica) das informações e das experiências existenciais. Dá para perceber que o registro e o resgate de experiências existenciais são muito mais complexos e sujeitos a distorções do que o registro e o resgate de informações secas.

Se as informações são mais objetivas, as RPS que as representam na memória são mais bem organizadas. Essas condições facilitam a leitura e a recordação ou interpretação dessas informações. As experiências existenciais são arquivadas de maneira menos organizada, e sua reconstrução pela interpretação é realizada sob uma forte influencia das variáveis que já citei – quem sou, como estou, onde estou. Medo, atração, perda, ganhos, amor, ódio, aceitação, exclusão, tudo que envolve emoção passa por registro e resgate complexos.

Como organizar adequadamente, em sistemas de códigos físico-químicos uma complexa experiência ligada ao ataque de pânico? Ou uma experiência de compaixão? Ou uma crise de ciúmes? O armazenamento é complexo e limitado! As RPS das experiências emocionais são sempre redutoras e simplistas em relação às experiências originais.

Se o processo de armazenagem é complexo, imagine o resgate e a interpretação, que além de tudo estão sempre sob a influência do sistema de variáveis (quem sou, onde estou, o que sou etc.)! Se achamos que nossa mente é complicada, estamos certos. Desconfie de quem quer ser exato demais. Talvez seja a pessoa que mais distorce, mas, como tem a necessidade neurótica de ser perfeita, nunca admite suas limitações.

Tipos de representações das informações na memória

Nos computadores, procuramos as informações por meio de sistemas de códigos rígidos e engessados, assim como procuramos um livro numa biblioteca. Na memória humana, isso não acontece; a leitura não é unidirecional, mas multifocal.

Ao contrário dos computadores, na memória humana os arquivos têm canais de comunicação entre si. As informações e experiências na memória são arquivadas em áreas chamadas *janelas da memória*. E essas janelas estão interligadas. Umas abrem as outras, e algumas podem fechar as outras. As janelas *killer*, ou traumáticas, por exemplo, podem fechar milhares de outras janelas; fechar, portanto, o circuito da memória, fazendo com que o Eu não tenha acesso a informações importantes para dar respostas inteligentes num foco de tensão. Esse é o caso das fobias, da compulsão pelas drogas, dos transtornos obsessivos. São exemplos da síndrome do circuito fechado da memória. Por que ela gera um cárcere emocional? Porque encarcera o Eu no único lugar que ele deveria ser livre: dentro de si mesmo.

Além disso, o registro das informações é feito por meio de um complexo sistema de significado e conteúdo (a representação psicossemântica – RPS). É como se pudéssemos entrar em diversos livros de uma biblioteca e utilizar o conteúdo deles ao mesmo tempo. O sistema de leitura da memória é tão sofisticado que um estímulo simples, como uma pequena flor, pode abrir múltiplas janelas e nos fazer resgatar momentos ricos de nossa infância que, aparentemente, não têm nada a ver com a anatomia da flor que está diante de nossos olhos.

Nos computadores, o estímulo da flor induziria ao resgate da fauna. Na memória humana, no entanto, ela pode induzir ao resgate de experiências (RPS) imprevisíveis e aparentemente não relacionadas: brincadeiras, momentos pueris, passeios singelos, crises.

Na memória, a história existencial (intrapsíquica) está essencialmente morta, organizada de maneira físico-química. Para que ela possa ser utilizada na confecção das cadeias de pensamentos e nas transformações da emoção, tem de ser reconstituída, reconstruída, em sua essência.

Quem registra automaticamente as experiências do passado é o fenômeno RAM (registro automático da memória). Nos computadores somos deuses porque registramos o que queremos e quando queremos. Na memória humana jamais seremos deuses, pois o registro é produzido por um fenômeno inconsciente, portanto, sem a autorização do Eu. E tudo que tem carga emocional mais alta será registrado com mais intensidade, formando janelas *light* ou *killer*.

As janelas *light* contêm experiências, como veremos, que libertam o Eu e enriquecem o ato de pensar em seus amplos aspectos. As janelas *killer*, por sua vez, aprisionam o Eu e contraem o ato de pensar. Muitos não expressam um brilhante raciocínio não por falta de capacidade, mas pela multiplicidade de janelas traumáticas ou *killer* em seu córtex cerebral. O ódio, a exclusão, a rejeição, o ciúme, a inveja etc. desertificam a memória por causa do alto volume emocional.

As RPS são sistemas de códigos decorrentes, provavelmente, de arranjos eletrônicos ou atômicos em determinados sítios do córtex cerebral, onde se localiza a memória. Esses sítios são o complexo amigdaloide, o hipocampo e o sistema límbico. Há milhares de RPS numa janela ou endereço da cidade da memória. Comparativamente, uma área do tamanho da ponta de uma caneta tem centenas de janelas no córtex cerebral.

É importante recordar: as RPS são sistemas de códigos físico-químicos das experiências psíquicas que passaram pelo caos psicodinâmico, perderam a essencialidade (medo, angústia, apreensão, prazer, motivação) e ganharam representatividade no córtex cerebral ao longo da trajetória existencial. Esse processo ocorre desde o útero materno até o último suspiro no útero social. As RPS, por serem um arranjo físico-químico, sempre serão "pobres" e restritas, se comparadas à experiência original. Quem resgata essas experiências é o processo de interpretação.

O *Homo interpres*

Não apenas duas pessoas podem fazer interpretações distintas de um mesmo comportamento, mas a mesma pessoa em dois momentos distintos também o fará. A ação de inúmeras variáveis flutuantes faz com que o *Homo sapiens* seja *Homo interpres* micro ou macrodistinto a cada momento existencial. Duas pessoas em estado de tranquilidade podem ter reações muito parecidas diante de uma contrariedade, mas, se uma delas passar por uma variação na emoção (por exemplo, vaia pública, rejeição ou ataque de pânico), poderá ter uma reação completamente diferente. O grau de abertura das janelas, o acesso às informações e a organização delas são diferentes em cada momento da existência.

O primeiro beijo, o primeiro diploma, o primeiro desafio, o primeiro salário, a primeira derrota nunca são resgatados de maneira pura e intensa como foram vividos. O presente tem um débito com o passado, e o futuro terá uma dívida com o presente, fomentando assim uma criatividade inevitável. Embora esse assunto raramente seja estudado pela psicologia e pela psicopedagogia, ele está no âmago do processo de formação da personalidade.

Os melhores momentos de prazer, bem como as mais amargas experiências de dor emocional, solidão, desespero e ansiedade, foram registrados friamente e são reconstruídos emocional e intelectualmente pelo processo de interpretação.

Na base do processo da dependência de drogas, das fobias, dos transtornos obsessivos e da síndrome do pânico, existe uma produção contínua de ideias e experiências emocionais, que vão sendo arquivadas em zonas privilegiadas da memória de uso contínuo, ficando assim mais disponíveis para a leitura e, consequentemente, para a reprodução de um desejo compulsivo de usar a droga ou pra ter uma reação fóbica, uma ideia obsessiva ou um novo ataque de pânico.

Assim, tais sistemas de códigos saem da condição física do córtex cerebral para ganhar energia psíquica. Por que a memória reduz e trai as experiências do passado, da história existencial? Porque o objetivo fundamental da memória é produzir continuamente experiências, ideias, pensamentos e emoções novos e, assim, promover, e até provocar, a evolução psicossocial, o desenvolvimento da personalidade e a construção da inteligência.

Tem de haver a morte ou a desorganização do "Eu sou", ou seja, da realidade das experiências psíquicas do presente, tais como o raciocínio analítico, as ideias, as angústias existenciais, as ansiedades, os prazeres, para que surja o "Eu fui" histórico, ou seja, o processo de registro dessas experiências e, consequentemente, a formação da história passada.

A experiência mais bela que temos hoje tem de morrer, desorganizar-se e ser armazenada fisicamente no córtex cerebral. Notem que nem mesmo o momento mais feliz de nossa vida dura mais do que horas ou dias.

O caos do "Eu sou" expande a história intrapsíquica. Ou seja, a descaracterização das experiências do presente expande o registro da memória. Para que possamos enriquecer nossa capacidade de pensar e de sentir do presente, precisamos enriquecer nossa memória.

Todavia, para enriquecer a memória, os pensamentos e as emoções do presente têm de "morrer", têm de se descaracterizar, pois só assim serão registrados. Descaracterizando-se, abrem espaços para novas leituras da memória e para a produção de novos pensamentos e emoções.

A morte do presente é a única possibilidade de expansão do próprio presente, de enriquecimento do "Eu sou", pois o presente se alimenta de informações. Se essas informações não forem acumuladas na memória, a evolução intelecto-emocional se paralisa.

O objetivo da memória não é dar suporte para que se processe a lembrança pura de experiências passadas e de informações acumuladas, mas sim produzir novas experiências e informações a partir da leitura do passado. Por isso, grande parte das informações se perde; o que fica é o significado, que servirá como matéria-prima para novas construções intelectuais.

"Eu sou" torna-se a história intrapsíquica

O "Eu sou" (experiências do presente) sofre o caos psicodinâmico, desorganiza-se e, simultaneamente, o registro é feito na memória, tornando-se o "Eu fui" histórico, ou seja, a história intrapsíquica. Num processo de retomada ou rebote existencial, a história intrapsíquica influencia o "Eu sou", quer dizer, influencia os processos de construção da inteligência no momento existencial do presente.

Porém, o "Eu sou" tem dimensões distintas em relação à história intrapsíquica (o passado); ele representa o "Eu fui" histórico somado às variáveis intrapsíquicas do presente. Assim, a cada momento da existência, o "Eu sou" está experimentando o caos e se tornando a história intrapsíquica, renascendo e reorganizando-se como um novo "Eu sou"; sempre expandindo as possibilidades de construção das experiências e promovendo o processo de evolução psicossocial do ser humano.

A realidade das dores, alegrias e ansiedades do passado findou-se e se tornou história; a história, uma vez lida, renasce e participa da realidade do presente. Nossas ideias, emoções, análises estão sempre evoluindo no processo existencial, ainda que essa evolução não seja qualitativa. Na gênese das ansiedades, há uma leitura contínua de determinadas zonas da memória que produzem reações de ansiedade, descaracterizadas e registradas novamente, retroalimentando as áreas doentias de nossa história.

A leitura das RPS contidas na memória e a organização instantânea delas na formação das cadeias das matrizes dos pensamentos essenciais e, consequentemente, na produção das experiências emocionais e na construção de pensamentos conscientes (dialéticos e antidialéticos) não é a reprodução das experiências originais, não é recordação ou lembrança essencial dessas experiências, mas sim uma interpretação do passado.

As cadeias de pensamentos essenciais, dialéticos e antidialéticos, bem como as experiências emocionais e motivacionais produzidas pelo resgate das RPS, podem ter muita ou pouca relação com a realidade das experiências psíquicas vivenciadas no passado.

A cada vez que resgatamos e reconstruímos uma experiência do passado, nós o fazemos de maneira diferente, com proximidade ou grande distanciamento em relação às dimensões intelecto-emocionais da experiência original.

É por esse motivo que nossas recordações da interpretação reproduzem de maneira diferente as experiências do passado nos diversos momentos em que as recordamos. Em determinado momento, podemos recordar uma experiência de angústia existencial vivenciada no passado, ligada a uma perda, a uma frustração psicossocial ou a uma dificuldade socioprofissional, e ficarmos comovidos com ela; em outro momento, podemos recordá-la sem grandes emoções.

A experiência original e a frequência da reconstrução das experiências passadas e a qualidade desses resgates formam as complexas tramas de RPS que influenciarão na qualidade das novas recordações a ser produzidas no futuro. Esse complexo mecanismo psicodinâmico e psicossocial, associado à atuação do fenômeno da psicoadaptação, causa a diminuição dos níveis de intensidade emocional, seja de sofrimento ou de prazer, no resgate de experiências emocionais.

A qualidade da história intrapsíquica dependerá diretamente da qualidade das RPS, que dependerá diretamente da qualidade das construções psicodinâmicas, que dependerá parcialmente da qualidade dos estímulos socioeducacionais e do gerenciamento do Eu sobre os processos de construção da inteligência.

Capítulo 10

Os três tipos de memória: genética, MUC (memória de uso contínuo ou consciente) e ME (memória existencial ou inconsciente)

Os tipos de memória

Cada tipo de memória que estudaremos nutre o Eu e possui uma série de ferramentas capazes de torná-lo saudável e inteligente. Mas também possuem, de maneira evidente ou subliminar, uma série de emboscadas e armadilhas que podem nos adoecer e diminuir nossa capacidade de ser autores da própria história. Qualquer avanço na incorporação desse conhecimento poderá ser significativo para nosso futuro psicossocial.

A memória global, tanto genética como existencial, é a matriz básica para a formação do Eu. Ela é a fonte da grande maioria das construções que o Eu e outros fenômenos inconscientes realizam diariamente no ambiente psíquico: emoções, pensamentos, imagens mentais, ideias, desejos.

É a partir da memória que o Eu exerce sua liderança sobre a psique. Ele tem facilidade de usá-la para construir pensamentos ao seu bel-prazer, mas não pode construir emoções. Tente construir um pensamento sobre a Primavera Árabe, o levante de povos que querem sair do jugo dos ditadores ou sobre o deserto do Saara. Provavelmente você o construirá com facilidade. Agora tente produzir uma emoção agradabilíssima neste momento que seja tal e qual à do primeiro beijo. Provavelmente não terá grande êxito. Tente dar uma ordem para sua emoção dizendo que de hoje em diante será tranquilo, que não se deixará perturbar com as turbulências da existência. Provavelmente falhará.

Uma pessoa pessimista poderá dizer que não suporta mais o próprio mau humor, que passará a ser otimista, contemplativa e repleta de prazer. Dificilmente terá êxito, ainda que leia todos os livros motivacionais do mundo, seja multimilionária, tenha tudo e todos a seus pés. Frases positivas ou de efeito não mudam a estrutura do Eu, não formam plataformas de janelas que alavancam o processo de formação da personalidade.

Meus livros se embasam numa teoria complexa que democratiza o acesso a ferramentas para que o Eu possa desenvolver suas funções vitais e encontrar sua liberdade. Não há mágicas para mudar o psiquismo. A emoção em particular é difícil de ser governada. Nesse aspecto é democrática. Tanto mendigos como abastados, tanto pacientes depressivos como psicólogos têm dificuldade para estabilizá-la, gerenciá-la, dominá-la.

E por que o Eu não consegue atuar com eficiência no psiquismo humano? Quais as causas de sua fragilidade? Em que fases do processo de formação ele encarcerou seu desenvolvimento, adquiriu defeitos estruturais, debilitou-se, tornou-se doente? A psicologia e a psiquiatria têm grandes teses para responder. É preciso estudar os mecanismos de formação do Eu com detalhes. Um assunto que, infelizmente, mesmo na formação de psiquiatras e nas escolas de psicologia é pouquíssimo estudado. Os atores coadjuvantes são colocados em primeiro plano e o ator principal e o diretor do teatro psíquico são deixados em segundo plano. Erro crasso.

O leitor deve ficar atento, pois mesmo quando achar que estou tratando de um determinado assunto com que já tiveram contato em alguns dos meus livros, aqui a aplicabilidade é direcionada para outro contexto. Esses mecanismos são tão sofisticados que, apesar de ser autor teórico deles, preciso ler com frequência sobre eles para não cair ou, pelo menos, tropeçar menos nas armadilhas que encerram.

Os três tipos de memória

A memória se divide em três grandes áreas: a memória genética, a memória de uso contínuo ou central (MUC), e a memória existencial ou periférica (ME).

Tanto a MUC como a ME são memórias existenciais, adquiridas através das experiências psíquicas vivenciadas desde a aurora da vida fetal. Mas as diferencio porque a MUC, como memória de uso contínuo, é fonte de matéria-prima para realizar atividades intelectuais e emocionais diárias e contínuas, como ler, escrever, falar, pensar, interpretar. A ME, por sua vez, representa todos os bilhões de experiências que foram arquivados ao longo da história de cada ser humano.

Vou usar a metáfora de uma cidade para explicar os três grandes tipos de memória e como ocorrem a coexistência e cointerferência entre eles, como se comunicam ou dançam juntos a valsa do desenvolvimento da personalidade e da formação do Eu.

Nessa metáfora, a memória genética representa o solo da cidade (a estrutura física do córtex cerebral e o metabolismo). Tudo que foi edificado no centro da cidade pertence à MUC e, na imensa periferia, está a ME.

Vamos comentar primeiro a memória genética. Herdada dos nossos pais biológicos, com a união do espermatozoide e o óvulo, a carga genética é única para cada ser humano, tanto na construção do biótipo, expressa por tamanho, forma, peso, altura, cor da pele; como na construção da complexa fisiologia, expressa entre outros elementos por metabolismo, hormônios, neurotransmissores cerebrais (serotonina, adrenalina, noradrenalina, acetilcolina e outros), anticorpos etc.

A memória genética ligada ao comportamento também é única para cada pessoa. Em especial através dos neurotransmissores cerebrais e do metabolismo no interior dos neurônios, ela produz pelo menos onze grandes características que influenciam o processo de formação da personalidade e, consequentemente, do desenvolvimento do Eu:

- níveis de reatividade aos estímulos estressantes;
- níveis de sensibilidade nas relações sociais;

- limiar de resistência às dores física e emocional;
- pulsações ansiosas;
- manifestações instintivas: sede, fome, libido sexual;
- capacidade de armazenamento de informações no córtex cerebral;
- dimensão da área que fará parte da ME (memória existencial);
- dimensão da área que fará parte da MUC (memória de uso contínuo);
- quantidade e qualidade das redes entre os neurônios;
- quantidade e qualidade das conexões entre as janelas da memória;
- qualidade da receptividade de arquivamento das informações pelo fenômeno RAM (registro automático da memória).

Já se foi o tempo em que ser gênio era ter uma excelente memória, uma capacidade de armazenamento espetacular. Hoje qualquer computador medíocre tem mais capacidade que esse tipo de gênio. Já se foi o tempo em que para ter sucesso profissional bastava recitar e reproduzir informações. Também já se foi o tempo em que para construir um grande romance bastava ser gentil e trazer flores. Hoje são necessárias outras habilidades assimiladas e armazenadas na MUC e na ME para se ter sucesso emocional, afetivo, social, profissional e científico.

Mas não há dúvida de que a influência genética pode ser marcante. Cada uma das características genéticas para o comportamento pode produzir uma reação em cadeia que influenciará o processo de interpretação e as experiências emocionais do feto, do bebê, da criança, do adolescente e do adulto. O solo e o clima, ou seja, a carga genética, influenciam os alicerces, a estrutura, os padrão de segurança e acessibilidade das casas e edifícios que representam as informações e as experiências arquivadas na MUC e na ME ao longo da existência.

O centro e a periferia da memória

Na metáfora da cidade, a MUC, memória consciente ou central, representa as ruas, avenidas, lojas, farmácias, supermercados, escritórios – o teatro que o Eu frequenta rotineiramente. A MUC representa talvez menos de um por cento de toda a memória, mas é a memória de uso contínuo, constante. Se você morar numa cidade grande, note que você circula apenas num pequeno espaço. Um grande número de ruas, avenidas, farmácias, lojas etc. não faz parte de sua rotina.

Todos os dias eu e você acessamos as informações da MUC para dar respostas sociais, realizar tarefas profissionais, nos comunicar, nos localizar no tempo e no espaço, resolver operações matemáticas simples. Para assimilar as palavras deste livro, você está usando grande parte das informações da MUC. Os elementos da língua corrente estão no centro da memória. Se você sabe outra língua, mas faz anos ou décadas que não a fala, terá dificuldade para acessá-la porque ela foi para a periferia, a ME. Com o tempo, ao exercitá-la, você traz os elementos dessa língua novamente para o centro, a MUC, e terá fluência.

Todos os dados e todas as experiências novas são arquivados na MUC (memória de uso contínuo) através do fenômeno RAM (registro automático da memória). O fenômeno RAM atua essencialmente na MUC, na região central do córtex cerebral. Quando digo "região central", refiro-me ao centro de utilização e resgate de matéria-prima para a construção de pensamentos, e não ao centro anatômico do córtex cerebral.

Um pai e seu filho tinham um belíssimo relacionamento. Trabalhavam e se divertiam juntos. Eram dois grandes amigos. O pai infelizmente teve um tumor no pâncreas e logo faleceu. O filho, embora casado, ficou perturbadíssimo. Desenvolveu uma depressão reativa frente à perda. Pouco a pouco perdeu o encanto pela vida, o prazer de trabalhar, a motivação para criar. Quanto mais se angustiava com a ausência do pai, mais produzia janelas com alto poder de atração que, consequentemente, agregavam novas janelas *killer*. Adoeceu.

Quando me procurou, expliquei a ele esse mecanismo. Falei da masmorra das janelas duplo P construídas no epicentro da MUC. E disse que seu Eu deveria sair da passividade e ser proativo. Deveria usar a perda não para se mutilar, mas para proclamar diária e continuamente que honrará a história bela que tivera com o pai, e que por amor a ele seria mais feliz, ousado e determinado.

Um Eu lúcido, que se torna autor da sua história, não enfia a cabeça debaixo do tapete de suas crises. Ele gerencia os pensamentos e torna-se um excelente construtor de janelas *light* no centro da memória. Produz sua liberdade. Pais que perdem seus filhos deveriam honrar a história que viveram com eles em vez de se sentirem os mais infelizes dos seres humanos. A dor pode ser indecifrável, mesmo para mais experientes psiquiatras, mas o Eu pode reescrever o centro de sua história, pode voltar a se tornar um sonhador, pode construir um jardim depois do mais cáustico inverno.

A ME, ou memória inconsciente, representa todos os extensos bairros periféricos edificados no córtex cerebral desde os primórdios da vida. São regiões do inconsciente ou subconsciente que o Eu e outros fenômenos que constroem cadeias de pensamentos não utilizam frequentemente. Mas tais regiões não deixam, em hipótese alguma, de nos influenciar.

Fobias, humor depressivo, ansiedade, reações impulsivas, insegurança, emoções que não sabemos de onde vêm ou por que vieram, foram emanadas da ME, memória existencial ou inconsciente. A solidão do entardecer ou do domingo à tarde, a angústia que surge ao amanhecer ou a alegria que aparece sem nenhum motivo aparente também vem dessas regiões.

Quando você jura conhecer uma pessoa que nunca viu antes ou quando tem certeza de já ter estado num lugar a que vai pela primeira vez, está recebendo emanações dos imensos solos da ME. Há milhares de personagens e ambientes arquivados na periferia inconsciente que não são acessados pelo Eu. Quando fazemos uma varredura nessas áreas e resgatamos múltiplas imagens, construímos complexas composições que parecem identificar pessoas e ambientes desconhecidos. Não há nada de supersticioso nesse processo, embora o Eu tenha a tendência de acreditar nisso, pois tem atração pela superstição e pelo sobrenatural.

Sepultando pessoas queridas

Quem forma a ME é a MUC. Todas as experiências adquiridas pelo feto, pelo bebê, pela criança e pelo adulto, que deixam de ser utilizadas de maneira diretiva e constante, aos poucos são deslocadas da MUC para a ME, do consciente para o inconsciente. Boas amizades, se não forem cultivadas, vão para o baú da ME. Por vivermos numa sociedade ansiosa tornamo-nos especialistas em sepultar pessoas queridas.

Há filhos que sepultam os pais em sua memória. Quase não os visitam e quando o fazem nunca perguntam sobre suas aventuras e lágrimas. Colocam-nos na periferia do psiquismo. Alguns pais separados sepultam os filhos. Raramente os visitam e, quando o fazem, não penetram no mundo deles. Por mais inacreditável que pareça, também há pais que, embora morem com os filhos, mesmo assim os sepultam. Claro, não nas regiões escuras e inconscientes da ME, pois diariamente os veem, mas nas escarpas da MUC. Há pais e filhos que dividem a mesma casa, mas estão distantes uns dos outros. Não sabem chorar, se aventurar ou sonhar juntos.

Enquanto eu escrevia este texto, minha filha Cláudia, a mais nova, sempre muito amorosa, entrou em meu escritório e me deu um longo beijo no rosto. Interrompeu meu trabalho e disse que seu beijo iria me inspirar. Em seguida, pediu que almoçasse com ela, mas eu estava num emaranhado de ideias. Disse-lhe que iria em seguida. Passados alguns minutos, ela, sentada à mesa, pediu que eu me apressasse. Toda vez que escrevo fico completamente concentrado e absorto. Rapidamente encerrei o trabalho e fui ter com ela. Afinal de contas, ela é preciosa demais para mim e sei que é muito fácil um pai superocupado enterrar os filhos nos escombros de suas atividades.

Há casais que se tornaram máquinas de trabalhar, sepultam o que jamais imaginaram que um dia enterrariam: o romance. Prometeram se amar na saúde e na doença, na fortuna e na miséria, mas esqueceram de prometer que se amariam também nos períodos de excesso de trabalho. Cito uma série de acidentes entre casais no livro *Mulheres Inteligentes, Relações Saudáveis*.

A ME se torna também um cemitério de sonhos. Adiamos projetos, nos esquecemos daquilo que nos toca e nos motiva. Quem você sepultou? Quem você precisa resgatar e trazer de volta para o centro da sua memória MUC? Que sonhos precisam ser reanimados? É preciso rever sua história? Você deixou pessoas caras pelo caminho, principalmente amigos, mesmo jamais querendo abandoná-los? Talvez você precise fazer alguns jantares.

Mecanismos de interação

Onde estão as apreensões e os prazeres que vivenciamos no desenvolvimento fetal? Estiveram na MUC, no consciente, hoje se localizam na ME, no inconsciente. Onde estão as aventuras, os medos, os riscos, as travessuras dos bebês e das crianças na primeira infância? Também se deslocaram da MUC para a ME. Existe um enorme deslocamento da MUC para a ME e vice-versa.

Um exemplo: uma professora jogou a prova de um aluno no chão por ele ter errado todas as perguntas. Ela errou muitíssimo. O *bullying* na relação professor-aluno, com suas enormes diferenças de poder, traz consequências gravíssimas. Em vez de exaltar o potencial e a ousadia do aluno por escrever, ela o humilhou, plantou uma janela *killer* duplo P na MUC. O Eu do garoto leu e releu a atitude da professora constantemente e arquivou novas janelas, formando uma zona de conflito.

Os anos se passaram e nunca mais foi confortável para ele fazer uma prova. Diante de cada exame, acessava a zona *killer*, que produzia alto volume de tensão, estressava seu cérebro, levava-o a ter taquicardia e suar frio e, pior ainda, bloqueava o acesso às janelas que continham as informações que aprendera. Chorou sem derramar lágrimas. Tinha de estudar o dobro dos colegas para ter um desempenho intelectual razoável. Pagou um preço altíssimo. Muitos pensadores morreram no sistema escolar.

Nosso aluno formou-se na faculdade e logo conseguiu um emprego. Aparentemente, não se lembrava mais do conflito, mas ele não tinha desaparecido. Deslocou-se da MUC para o inconsciente, a ME. Sem que seu Eu tivesse consciência, essa zona de conflito passou a interferir na dinâmica do processo de interpretação. Tornou-se gerente, mas não sabia gerir pessoas. Não suportava ser contrariado; sempre que isso acontecia, reagia com exagero. Uma crítica tinha um impacto enorme nele. Não administrava sua impulsividade. Pautava suas relações pelo binômio bateu-levou. Seu Eu reagia sem pensar, não tinha ginga, flexibilidade.

Certo dia, escreveu um plano de negócios do qual o presidente da empresa não gostou. Embora gostasse de seu gerente, pegou o documento e, na frente de outros gerentes, atirou-o sobre a mesa e, sem que tivesse intenção, os papéis caíram no chão. Seu Eu não se interiorizou e não reagiu com um silêncio proativo, não foi capaz de gritar dentro de si "agora é que vou fazer o melhor plano de negócio. Agora vou dar tudo de mim para surpreender meu presidente e outros colegas".

Agiu como refém do passado. Detonou o gatilho da memória, que abriu a zona de conflito de sua infância, lá estava a atitude grosseira da professora. Trouxe o conflito dos solos ME para o centro da MUC. Sentindo-se aviltado e diminuído, perdeu o autocontrole. Levantou a voz e ofendeu o presidente. Perdeu o emprego.

As experiências com altos impactos dolorosos, como privação prolongada da mãe ou responsável, rejeições, abusos, humilhação social etc. podem gerar janelas poderosas, que estruturam a personalidade. Mas como a construção da MUC é dinâmica, elas podem se deslocar para a periferia, para as regiões inconscientes da ME, mas não se despedem jamais do hospedeiro, a não ser que sejam reeditadas.

Sabe aquelas pessoas calmas, que juramos que nunca perderão a paciência e, de repente, por um estímulo estressante, elas se descontrolam, perdem a serenidade? Elas têm janelas traumáticas na ME, em áreas de difícil acesso, que não foram reeditadas. Há um lado bom nessa história. Algumas janelas não nos perturbam muito; são solitárias e não chegaram a formar zonas de conflitos, por isso só se abrem em situações especiais. Felizmente, a MUC tem preponderância na construção de pensamentos e emoções. Não é uma proteção plena, mas sem dúvida importante.

As janelas que formaram zonas de conflitos, "bairros" com centenas de janelas *killer*, ainda que não sejam resgatadas conscientemente, fornecem matéria-prima para o mau humor, as preocupações descabidas, os medos inexplicáveis, a irritabilidade, a timidez, as obsessões, os transtornos sexuais etc.

Uma pessoa portadora do mal de Alzheimer se lembra muito mais do passado que do presente. Por quê? Porque a quantidade de informações na ME é muitíssimo maior do que na MUC. E também porque essas informações foram arquivadas de múltiplas formas e em diversas áreas ou janelas do córtex cerebral. Os dados da ME não são apagados com o passar dos anos, ficam sublimados pelo fácil acesso à MUC. A degeneração cerebral atinge mais facilmente a ME, mas não é percebida, devido à grande extensão no córtex cerebral. É mais difícil de a doença atingir a MUC, pois talvez ela represente menos do que um por cento de toda a memória. Mas, quando atinge o Eu, este fica confuso e desorientado, perde os parâmetros da realidade, a autoconsciência e a capacidade de identificar as pessoas ao redor.

A técnica da *teatralização da emoção* pode ser muito útil. É fundamental elogiar, valorizar e teatralizar com palmas o sucesso de uma pessoa com comprometimento cerebral quando ela responde e reage; assim, seu Eu vai formando, tanto quanto possível, uma nova MUC ou aprende a encontrar os endereços na cidade da memória que tenha passado pelo terremoto da degeneração cerebral, do tumor cerebral ou do acidente vascular com mais eficiência. Essa técnica leva o fenômeno RAM a formar novas janelas, resgata a autoestima do Eu como piloto da psique e pode até prevenir a depressão.

A carga genética e o feto

Em que estágio o ser humano deixa de ser vítima exclusiva da carga genética e começa a desenhar sua história? A resposta é difícil. A partir da fecundação, se todos os cromossomos tiverem preservados, há uma carga genética completa para construir um ser humano completo. Mas é a partir do primeiro trimestre de desenvolvimento embrionário que o ser humano genético começa a dar espaço ao ser humano existencial. Na verdade, o fenômeno existencial inicia-se a partir da concepção, mas é no primeiro trimestre, quando o cérebro razoavelmente formado é um solo capaz de receber registros, que esse fenômeno se acelera.

É nesse período de iniciação da fase fetal que a MUC começa a receber os estímulos existenciais e a arquivar rápida e intensamente as experiências advindas da contração da parede uterina, da viscosidade do líquido amniótico, do estresse da mãe, dos malabarismos fetais. Tudo é registrado automática e involuntariamente pelo fenômeno RAM na memória central, ou MUC, mas ela ainda não é a memória consciente, pois o Eu ainda não está formado. É um começo simples, mas espetacular.

Inúmeras experiências são vivenciadas no útero materno. Tudo que deixa de ser acessado na MUC é deslocado para a formação da ME. Quando a criança nasce, talvez já tenha milhares de janelas com milhões de experiências nas duas grandes memórias existenciais. Mas devemos lembrar que fatores genéticos, como o grau de resistência à dor, a sensibilidade e as pulsações ansiosas do feto afetam a maneira como ele interpreta os estímulos dentro do útero materno e os arquiva.

Na infância, juventude e vida adulta a carga genética continuará influenciando a construção de experiências. Mas, se o ambiente educacional estimular as funções complexas da inteligência, se o processo de formação da personalidade for saudável e se o Eu for bem formado como gerente da psique, a carga genética não terá prevalência, mesmo se os pais tiverem transtornos psiquiátricos de fundo genético.

Não há condenação genética em psiquiatria. Essa é minha convicção. Pais portadores de depressão, obsessão, psicoses ou psicopatias não condenam os filhos a reproduzir a mesma história psiquiátrica, embora possam influenciar o desenvolvimento dessas doenças. Há mais mistérios entre a influência e a determinação genética do que imaginam nossas débeis psiquiatria e psicologia preventiva.

O maior erro da psiquiatria e da psicologia clínica foi investir mais de um século em tratamentos, mas pouquíssimo tempo em mecanismos preventivos. Esperar o ser humano adoecer para depois tratá-lo é financeiramente caro e emocionalmente injusto. E não há como falar em prevenção psicológica sem passar pelos mecanismos de formação do Eu como gestor psíquico, qualificador dos pensamentos, protetor da emoção, gerente do fenômeno da psicoadaptação, filtrador de estímulos estressantes, editor e reeditor das janelas da memória.

A prevenção, que é a estrela da medicina biológica, sempre foi colocada em segundo plano pela medicina psicológica. Com muita humildade digo que em todos os meus textos, inclusive em meus romances, faço um esforço intenso para produzir ferramentas preventivas. Até mesmo quando abordo conflitos entre professores e alunos, crise na formação de pensadores e a formação de psicopatas, estou procurando fornecer ferramentas preventivas. Não sou movido pela fama, que é tosca, débil e volátil, mas pelo desejo de contribuir, ainda que minimamente, com a humanidade.

Fico felicíssimo com as frequentes mensagens que recebo de pessoas que reciclaram seus conflitos, que estavam à beira do suicídio ou já tinham praticado diversos atos suicidas e aprenderam a estruturar o Eu como gerente da psique. Livros jamais devem substituir o processo psicoterapêutico, quando ele é necessário. Mas é fascinante descobrir que o Eu pode e deve usar ferramentas para deixar de ser vítima e se estruturar como protagonista de sua história.

A educação se inicia no útero materno

Toda vez que um feto ou um bebê vivencia uma experiência existencial, como tocar o palato com os dedos e sentir prazer oral, o fenômeno RAM forma uma nova janela ou expande uma já existente.

Imagine um marido que acabou de brigar com a mulher grávida. Subitamente, o útero materno se contrai. O bebê sofre um impacto. Poder sentir desconforto pelo corte súbito do prazer gerado pela contração acolhedora da musculatura uterina ou receber uma descarga de metabólicos estressantes que atravessem a barreira placentária.

Os educadores devem ter consciência de que a educação não se inicia no útero familiar ou escolar, mas no útero materno. A mãe deve ter consciência de que precisa preparar um ambiente saudável e estável durante a gravidez para que o fenômeno RAM do bebê forme um grupo de janelas na MUC que subsidiem uma emoção tranquila, serena, sem grandes pulsações ansiosas.

Citarei doze atitudes pedagógicas a ser seguidas pelas mães para que o desenvolvimento fetal seja mais saudável, e isso se reflita no desenvolvimento igualmente saudável da criança após o nascimento:

- Nutrir-se bem.
- Dormir bem, no mínimo oito horas diárias.
- Não fumar nem ingerir bebidas alcoólicas ou usar drogas psicotrópicas.
- Preservar-se de estímulos estressantes. A mãe não deve entrar em disputas, atritos familiares, confrontos sociais. Deve evitar ao máximo brigas e discussões com o parceiro.

- Acariciar a barriga com frequência como se estivesse acariciando o bebê em formação.
- Cantar diariamente para o feto. O prazer e a tranquilidade da mãe são sentidos pelo feto através da pressão exercida pelo líquido amniótico, da contração da parede do útero e das substâncias que atravessam a barreira placentária. A mãe deveria continuar a cantar para o bebê depois do nascimento e ao longo dos anos. A música desacelera a agitação mental. Ensinar as crianças a cantar e desfrutar das artes pode ser muito importante para a formação de um Eu tranquilo.
- Conversar com frequência com o bebê.

Ainda que o feto não entenda a mensagem intelectual, sentirá a mensagem emocional da mãe. Após o nascimento, a mãe e o pai, ou os responsáveis, deveriam construir uma pauta de diálogo frequente. Infelizmente, muitos pais só falam com os filhos enquanto eles ainda não aprenderam a falar. Depois, se calam. O diálogo aberto é excelente matéria-prima para a formação de janelas e pontes saudáveis no relacionamento. Algumas ações simples podem ter excelentes resultados no fortalecimento do Eu como gestor psíquico.

- **Passear por jardins, cultivar plantas, sentir o perfume das flores e contemplar o belo**

   É fundamental que a mãe, durante a gravidez, realize atividades que toquem suas emoções e desacelerem sua ansiedade. Os pais ou responsáveis deveriam também estimular as crianças e os pré-adolescentes a descobrir prazer nas pequenas coisas. Desse modo, o fenômeno RAM formará plataformas de janelas *light* na MUC, que futuramente se deslocarão para a ME.

   O resultado desse processo é um financiamento espontâneo do bom humor, capacidade de se alegrar, contentar-se, satisfazer-se. Nunca esqueça que um Eu rico não é o que tem muito dinheiro no banco, mas o que tem notável prazer nas coisas mínimas.

- **Desenhar, pintar, reunir-se com amigos, contar histórias, envolver-se em atividades lúdicas e tranquilizadoras que induzam à introspecção**

É fundamental que durante a gravidez as mães façam atividades que estimulem a observação, a interiorização, o relaxamento, a imaginação e o pensamento abstrato. As crianças a partir do segundo ou terceiro ano também deveriam treinar sua emoção com esses exercícios.

- **Fazer planos com o bebê e construir sonhos saudáveis**

A mãe deve fazer planos para o filho, libertar a imaginação para estimular sua emoção. O Eu das crianças também deve aprender a construir sonhos e saber que estes não são desejos superficiais nem consumistas, mas projetos de vida.

- **Não se submeter ao cárcere dos pensamentos pessimistas e mórbidos**

Durante a gravidez, a mãe deve cuidar não apenas do ambiente social, mas também de seu ambiente mental, pois ele interfere no ambiente uterino. O Eu das grávidas não deve ser passivo, subserviente, permissivo em seu psiquismo. Deve ser forte e gerenciador. Impugnar pensamentos perturbadores e discordar de tudo que controle e asfixie sua tranquilidade.

- **Realçar a autoestima, sentir-se privilegiada e verdadeiramente bela**

É fundamental que as mães se sintam bonitas e encantadoras. Deveriam até proclamar-se assim. Para isso é igualmente fundamental que aceitem as mudanças do corpo não como uma deformação que pode esmagar a autoestima, mas como um presente de inigualável prazer. A depressão pós-parto não decorre apenas de alterações metabólicas, mas também da autoagressão e da autopunição que algumas mães se impõem durante a gravidez.

Quando, nos dias e semanas que se seguem ao nascimento, vemos bebês agitados, irritadiços, insones, ficamos atônitos, sem entender a causa. O parto foi bem, a criança chorou ao nascer, mas, infelizmente, a mãe não se dedicou a práticas pedagógicas adequadas. Claro que fatores genéticos, fisiológicos, metabólicos ou até existenciais que independem do controle da mãe podem ter contribuído para desenvolver esse comportamento. Mas não podemos esquecer que mães tensas, pessimistas, irritadiças, inseguras, cobradoras, ciumentas e com baixa autoestima produzem uma série de estímulos que estressam seus bebês.

Crianças prematuras costumam ser mais agitadas que a média dos bebês, pois a gravidez é interrompida no pico das atividades, quando a criança está se movimentando prazerosamente na piscina de líquido amniótico. Provavelmente, o bebê não conseguiu aquietar seus movimentos nos últimos meses de gravidez. Não conseguiu, portanto, psicoadaptar-se, preparar-se para o ambiente agressivo do meio externo.

O complexo despertar do Eu

Durante a formação psíquica do feto, o centro vai para a periferia da cidade da memória e a periferia volta ao centro. Uma contração uterina súbita num momento em que a mãe tem uma discussão acalorada com o parceiro é arquivada na MUC do feto. Mas, se não for mais reproduzida, poderá ir para a ME. Todavia, semanas ou meses depois, se a crise materna se repetir, o feto poderá detonar o gatilho da memória, resgatar a emoção desagradável e trazê-la novamente para a MUC. Isso poderá ter um impacto emocional maior (medo, apreensão, insegurança), pois essa segunda vez dilata o processo de interpretação e forma janelas estruturais da personalidade.

O feto produz pensamentos, mas não tem consciência de que pensa, não tem autoconsciência, embora já seja uma mente complexa. Seus pensamentos ainda não têm grande complexidade dialética e antidialética, ele não é capaz de abstração ou de reflexão – estudaremos isso mais adiante. O Eu só se organiza como ser autoconsciente no útero social, após assimilar, arquivar e utilizar bilhões de informações.

A dança dos fenômenos inconscientes que leem a memória, em especial o gatilho da memória e o autofluxo, e a dança das janelas entre a MUC e a ME, no feto e depois no bebê e na criança, propiciarão um espetáculo cada vez mais complexo de construção de pensamentos e imagens mentais, acelerando a estruturação do Eu. Seriam necessárias centenas de páginas para mencionar todos os textos inéditos da Teoria da Inteligência Multifocal sobre esse tema. Um dia os publicarei.

Em síntese, o feto, depois o bebê e, posteriormente, a criança expandem a MUC e a ME num processo contínuo e incontrolável. As janelas são lidas e relidas formando pouco a pouco pensamentos que darão voz às necessidades instintivas (sede, fome) e às necessidades afetivas (afeto, segurança, proteção, interações). Aos poucos, surge a racionalidade mais complexa, pautada em ideias, opiniões, compreensão, autoconhecimento, diálogos, autodiálogos.

O bebê começa a dar respostas aos pais e a todos os estímulos ao redor, em especial pela ação do gatilho da memória. Ele sorri, brinca, faz festa, chora, se irrita. Um dos fenômenos mais belos do psiquismo humano e que demonstra o aceleramento da construção do Eu é a utilização espaçotemporal dos signos lin-guísticos (dialética) para expressar uma intenção, ação ou vontade (antidialética). É o grande despertar.

Não é o uso correto do tempo verbal que faz do Eu um brilhante engenheiro psíquico, mas a ousadia de considerar que a palavra expressará seus desejos e, também, a habilidade fenomenal de exercer a leitura multifocal das janelas e manipular dados subjacentes para expressar uma intenção e crer que o outro (pai, mãe ou responsável) compreenderá. É preciso para isso uma fé que nem os religiosos mais ardentes têm ou tiveram. É surpreendente a habilidade do Eu para penetrar no escuro da mais complexa cidade, a cidade a memória; encontrar endereços e acreditar que os encontrou; usar signos linguísticos; acreditar que os está usando adequadamente, para se expressar; e se fazer entender.

Tente encontrar objetos em sua casa quando a energia acabar. Talvez não os encontre. Tente encontrar endereços em partes da cidade que não conhece. Terá grande dificuldade. Mas o Eu encontra endereços na cidade da memória sem esbarrar em nada, e tem certeza de que os encontrou. Qualquer linguista que estudar o processo de construção de pensamentos nessa perspectiva ficará embasbacado.

O adolescente e o adulto realizarão essas notáveis tarefas milhares de vezes por dia, mas, como estamos drogados pela sociedade de consumo e asfixiados por uma existência superficial e ansiosa, não conseguimos nos encantar com a engenhosidade de nosso Eu. Não é sem razão que a autoestima e o prazer estão em níveis baixíssimos na atualidade. Nunca tivemos uma geração tão infeliz nem uma indústria tão poderosa para excitar a emoção.

Para que uma criança diga a sua mãe que quer água, ainda que com a fonação truncada, inúmeros fenômenos conscientes e inconscientes entram em ação. Não é apenas uma informação ou um ensinamento superficial que atuam para a construção do pensamento, mas milhares de dados existentes em diversas janelas na MUC.

Veja algumas das complexas etapas em jogo. A sede, a consciência da sede, a convicção de que a sede emana da criança, a intencionalidade da ação com objetivo de satisfação, a focalização do agente (a mãe) para quem a intencionalidade é dirigida, a expectativa da receptividade e da recompensa. Em todas essas etapas, inúmeras janelas são abertas e lidas para que se construam as múltiplas cadeias de pensamentos.

A criança sacia sua sede de água, e seu Eu sacia a sede de nutrientes intelectuais, emocionais e sociais, pois novas janelas serão formadas durante todo o processo de construção da ação e do mecanismo de recompensa.

Algumas cadeias de pensamentos produzidas em todo o processo não serão verbalizadas, não ganharão sonoridade; por exemplo, os pensamentos que financiam a consciência de necessidades instintivas, como sede, fome, sono. Como já comentei, a convicção de que a sede ou a fome são necessidades vitais, que elas podem ser expressas pela linguagem, que um agente compreenderá essa expressão e que a expectativa será correspondida são frutos da leitura da memória e da construção das cadeias de pensamentos. A memória genética, responsável pelo instinto, atua em conjunto à memória existencial, responsável pela comunicabilidade e pela saciedade. Isso faz com que o *Homo bios* mescle-se com o *Homo sapiens*.

Antes de os pensamentos tornarem-se linguísticos, simbólicos e bem organizados (pensamentos dialéticos), pensamentos extremamente complexos, que refletem a angústia da sede ou da fome – chamo-os de pensamentos antidialéticos (percepção e imagens mentais) – são construídos. O que ganha sonoridade é o pensamento dialético "mamãe estou com fome", que é menos sofisticado, embora seja a classe dos pensamentos mais lógicos e bem recebidos nas relações interpessoais. Todavia, na base deles estão os pensamentos antidialéticos, provavelmente não estudados por outras teorias. Esses pensamentos capturam o instinto da fome ou da sede e, portanto, são mais sofisticados, embora pouco definidos e lógicos.

Estudaremos esses fenômenos, mas, por enquanto, é bom ficar claro que qualquer comunicação social, diálogo, debate, conferência, escrita, cálculo, projeto pertencem à classe dos pensamentos intelectualmente mais "pobres" e restritivos. Os mais complexos ficam no silêncio do psiquismo. Por isso, sentimos dificuldade para encontrar palavras que descrevam certas emoções, observações e sensações. Os contistas, os poetas, os romancistas, todos tentam garimpar signos linguísticos para definir o indefinível. Quando tentamos expressar dialeticamente o universo antidialético temos dificuldade de nos fazer entender. Por isso, muitas vezes dizemos "você não me entende".

O comportamento dos bebês

O bebê nasce num ambiente altamente estressante, por mais cuidado que se tenha. A história intrauterina, logo nos primeiros momentos depois do nascimento, afetará a interpretação das mãos indelicadas dos médicos, os cobertores ásperos dos berços, os estímulos sonoros e visuais agressivos, a dor do instinto da fome, a fermentação dos alimentos no intestino.

O útero social será sempre mais agressivo do que o útero materno, mas é nesse útero que o Eu deve se formar, se adaptar, crescer e não se sentir vítima. É provável que a maior fonte de estresse para o bebê não sejam as frustrações e dificuldades que normalmente enfrentará, mas a sociedade enlouquecida e ansiosa em que vivemos. A sociedade dos excessos.

Submeter as crianças ao excesso de informação e de atividade é quase um crime contra a formação de um Eu saudável. As crianças da atualidade são superespertas, têm atitudes, respostas e reações de verdadeiros gênios. Os pais se orgulham e as exibem. Eles não entendem que essa superinteligência é consequência do excesso de estímulos e de atividades a que as crianças são submetidas. Esse excesso alarga excessivamente a MUC e estressa o Eu e o fenômeno do autofluxo, levando-os a construir cadeias de pensamentos numa velocidade inédita. Isso gera a síndrome do pensamento acelerado e, consequentemente, uma mente estressada.

Algumas das minhas obras são usadas em instituto de gênios para ajudá-los a incorporar habilidades psicossociais que os tornem saudáveis, estáveis, produtivos. O excesso de pensamentos desgasta o cérebro e asfixia a imaginação, a tranquilidade e a sociabilidade.

A maioria das crianças de 7 anos das sociedades atuais provavelmente tem mais informações do que um imperador romano, quando dominava o mundo no auge do Império Romano. Informações empilhadas de modo inadequado na MUC não promovem a construção de pensamentos lúcidos, altruístas, coerentes e úteis para libertar o imaginário.

A dança entre a MUC e a ME

Precisamos avançar e estudar mais a sofisticada dança entre a MUC e a ME, ou seja, os movimentos entre as duas grandes memórias, a consciente e a inconsciente. Esse tema pode contribuir tanto para a psicanálise quanto para a psicoterapia comportamental/cognitiva. Mas não substitui nenhuma delas.

Toda psicoterapia, seja de fundo analítico, comportamental ou cognitivo, reorganiza em especial a MUC, pois intervém diretamente nas janelas traumáticas ou na reconstrução de janelas *light* paralelas, por exemplo, levando uma pessoa que tem claustrofobia para dentro de um elevador. A exposição ao estímulo estressante e a consequente racionalização pode reeditar a janela ou criar janelas paralelas saudáveis.

Na psicanálise, procura-se resgatar do inconsciente (ME), usando-se a técnica de associação livre, janelas *killer* que financiem os conflitos. O objetivo é reeditá-las, e esse é um objetivo nobre, claro. Todo resgate psicanalítico do inconsciente, sua racionalização e a consequente superação são arquivados pelo fenômeno RAM na MUC. Os conflitos, independentemente da técnica psicoterapêutica, acabam reciclados no consciente, ainda que depois retornem para a periferia da memória, o que é desejável, pois a vida precisa seguir seu curso.

É mais importante ter uma MUC saudável do que uma ME saudável, pois ela representa o centro da cidade da memória, a área de maior acessibilidade e circulação do Eu. Uma MUC saudável pode contrabalançar o peso de uma ME, ou memória periférica, doentia. Mas é preciso lembrar que dependendo do número de janelas *killer* duplo P presentes na ME, o psiquismo pode ser encarcerado. O ideal é ter as duas memórias profícuas. Mas enfatizo que quem teve uma infância caótica pode ter uma vida adulta tranquila, em especial se o Eu construir na MUC zonas de janelas *light* que produzam prazer, generosidade, tranquilidade, resiliência, fazendo com que as perdas e decepções sejam encaradas sob novas perspectivas.

Crianças que tiveram histórias dilaceradas por abuso sexual, atos terroristas, sequestros, podem desenvolver uma emoção saudável e, do mesmo modo, crianças que tiveram uma história sem traumas podem desenvolver uma emoção ansiosa, tímida, fóbica. Tudo vai depender da reedição das janelas traumáticas da ME e, como disse, da construção da MUC em especial. Uma pessoa não precisa ter um passado saudável sem traumas e privações para ter um futuro razoavelmente saudável. Se o Eu funcionar como autor da sua história e exercer com maestria seus papéis vitais, ele transformará o caos em oportunidade criativa, fará da sua memória de uso contínuo um jardim.

A ME influencia muitíssimo o Eu, mas grande parte dos nutrientes que financiam a arte da contemplação do belo, a autoconsciência, a capacidade de fazer escolhas, de proteger a psique e de filtrar estímulos estressantes, bem como de pensar antes de reagir, imaginar, ousar, intuir e ser altruísta é extraído da MUC.

A melhor maneira de reescrever o passado é reconstruir o presente. Devemos retornar ao passado apenas para reciclá-lo, reorganizá-lo, não para nos fixar nele. Muitos têm um Eu saudosista, que se fixa nos fatos do passado, seja para se autopunir, seja para reclamar o que perdeu. Reclamar e se culpar são comportamentos que esgotam a energia do Eu, fragiliza-o como arquiteto do presente. Nada mais triste do que ser refém da própria história e nada é tão prazeroso quanto ser o construtor de um novo tempo.

Capítulo 11

As funções vitais do Eu

Usamos a palavra *eu* cotidianamente sem ter compreensão de sua dimensão, habilidades e funções vitais. O Eu é o centro da personalidade, o líder da psique, o desejo consciente, a capacidade de autodeterminação e a identidade fundamental que nos torna seres únicos. Como a definição é ampla e as funções fundamentais do Eu são múltiplas, vou sistematizá-las.

Há pelo menos vinte habilidades vitais que caracterizam o Eu. Não basta que o Eu seja saudável, também tem de ser inteligente e desenvolver suas funções fundamentais. Creio que a grande maioria das pessoas, de todos os povos e culturas, tenha menos de 10% dessas funções bem trabalhadas. E talvez eu esteja sendo generoso nessa estatística.

São estas as funções fundamentais do Eu:

- Ter autoconhecimento, autoconsciência e autocrítica.
- Ser capaz de fazer escolhas.
- Ter identidade psíquica e social.

- Gerenciar os pensamentos.
- Qualificar os pensamentos e as ideias.
- Qualificar as imagens mentais e as fantasias.
- Gerenciar as emoções.
- Proteger e qualificar as emoções.
- Reciclar, como autor da própria história, as influências instintivas e impulsivas da carga genética.
- Reciclar, como autor da própria história, as influências doentias do sistema educacional, como preconceitos, radicalismos, fundamentalismos, dogmatismos.
- Reciclar, como autor da própria história, os conflitos, perdas, privações e características doentias incorporadas na infância e adolescência.
- Ser a fonte gestora da leitura da memória logo após a iniciação do processo de interpretação ser desencadeado pela atuação inconsciente do gatilho ou do fenômeno da autochecagem.
- Ser fonte gestora das janelas *killer* fracas ou duplo P.
- Ser fonte construtora consciente das janelas da memória, em especial das saudáveis janelas *light* duplo P.
- Reeditar o filme do inconsciente.
- Gerenciar o fenômeno da psicoadaptação.
- Gerenciar a lei do menor esforço e do maior esforço.
- Modular o fenômeno do autofluxo
- Desenvolver a história psíquica através das funções intelectuais mais complexas como reação controlada, resiliência, pensamento abstrato, raciocínio esquemático, observação, dedução, indução, dúvida, contemplação do belo.
- Desenvolver a história social através das funções psicossociais mais complexas como solidariedade, altruísmo, generosidade, cidadania, interação social, trabalho em equipe, debate de ideias, pensamento como espécie.

Se uma pessoa tiver um Eu saudável e inteligente, com as funções vitais bem desenvolvidas, terá substancial consciência de si mesmo e da complexidade do psiquismo, e, portanto, jamais se inferiorizará ou se colocará acima dos outros. Mesmo diante de um presidente ou rei não se sentirá diminuído nem terá o impulso de supervalorizá-los. Poderá valorizá-los e respeitá-los, mas não agirá com deslumbramento irracional. A maioria dos jovens que se deslumbram diante de um ator ou de um cantor não tem um Eu maduro, autoconsciente e autocrítico.

O Eu saudável e inteligente sabe que todos os seres humanos são igualmente complexos no processo de construção de pensamentos, embora essa construção tenha diferenças culturais, na velocidade de raciocínio, na coerência, na sensibilidade. Um Eu saudável e inteligente enxerga a complexidade da existência; sabe que todos os seres humanos são meninos brincando no teatro do tempo, comprando, vendendo, relacionando-se, envoltos num mar de mistérios que ultrapassam os limites da compreensão do psiquismo.

O Eu saudável e inteligente pauta sua agenda social pela flexibilidade, pela capacidade de expor seus pensamentos e nunca impô-los. Tem consciência de que todo radicalismo é fruto de imaturidade e insegurança. Por exemplo, sabe que quem defende radicalmente seu Deus ou sua religião depõe contra aquilo que crê, não está convencido daquilo em que crê, pois se tivesse não precisaria pressionar ninguém. Sabe também que quem defende radicalmente o ateísmo é emocionalmente infantil. Precisa de coação para dar relevância às suas convicções.

Um Eu maduro e autoconsciente não precisa de pressão para convencer o outro. Expõe suas convicções religiosas, políticas, científicas e até esportivas sem medo, mas com brandura e generosidade, dando ao outro o direito de aceitá-las ou rejeitá-las. Sabe que não tem poder de mudar o Eu de ninguém. Isso só acontece quando a pessoa permite e quando novas janelas são construídas.

O fascinante mundo da mente humana

Para mim, os processos de construção de pensamentos, formação do Eu e organização da consciência são a fronteira mais complexa da ciência. Quem os estudar e os compreender minimamente terá vontade de conversar com mendigos, doentes mentais, idosos, pessoas humildes, enfim, seres humanos que não chamam a atenção social e a quem ninguém dá importância. Há um universo dentro da mente de cada ser humano.

Nosso Eu, viciado no consumo de produtos, não consegue avaliar que os produtos ou constructos produzidos pela mais complexa das empresas, a nossa mente, são os mais sofisticados e mais importantes do grande mercado da existência. Um Eu mal formado não tem autoconsciência. Deslumbra-se com as vitrines das lojas, mas não com as vitrines de sua psique. Não percebe que é um ser humano único, vivendo uma existência espetacular, apesar das lágrimas e falhas que nos acompanham.

Estamos na era primitiva da compreensão dos mecanismos de formação e das funções vitais do Eu. Você conhece os fenômenos produzidos pelo fenômeno da psicoadaptação que enredam o Eu? Raramente alguém sai sem casaco em dia frio ou sem protetor solar se vai tomar sol. Mas por que saímos sem proteção emocional nas relações com nossos colegas de trabalho ou com nossos filhos? Ninguém em sã consciência compraria um produto sem verificar o prazo de validade e a qualidade. Mas não nos preocupamos com a qualidade de nossos pensamentos e os deixamos vagar soltos por aí.

Muitos não sabem que o pior inimigo nunca esteve do lado de fora, mas é o próprio Eu esquecido de suas funções vitais, principalmente do gerenciamento dos pensamentos. A produção incontrolável de pensamentos desgasta excessivamente o cérebro. Algumas pessoas estão tão fatigadas que não andam, carregam seu corpo.

Qualquer empresa, por menor que seja, precisa de um líder que cuide das finanças e da qualidade de seus produtos e processos, caso contrário, irá à falência. Mas por incrível que pareça, a mais complexa das empresas, a mente humana, não possui um executivo maduro. Não é sem razão que grande parte das pessoas tem uma série de sintomas psíquicos e psicossomáticos.

Brilhantes pensadores como Sócrates, Platão, Aristóteles, Spinoza, Hegel, Marx, Freud, Jung, Skinner, Piaget e Gardner usaram o pensamento como matéria-prima para produzir conhecimentos em filosofia e ciências sociopolíticas, explicar o processo de formação da personalidade e da aprendizagem etc. Não raramente eles tiveram oportunidade de estudar o processo de construção de pensamentos e os papéis vitais do Eu como gerente psíquico; intuitivamente trabalharam em si mesmos algumas dessas funções vitais, libertaram o próprio imaginário e construíram ideias brilhantes.

Desvendar a "anatomia e a fisiologia" do Eu é importantíssimo para que possamos ser pais melhores, educadores que formam pensadores, profissionais mais eficientes, pesquisadores mais criativos; potencializaremos nossas habilidades e teremos mais possibilidades de reciclar nossa história:

- Seremos menos deuses e mais humanos, e como tais conscientes de nossas imperfeições e limitações.
- Teremos menos necessidade de evidência social e mais necessidade de contemplar as pequenas coisas.
- Seremos menos assaltados pela necessidade neurótica de poder e mais envolvidos com o prazer de contribuir com os outros.
- Julgaremos menos, abraçaremos mais e elogiaremos muito mais.
- Cobraremos menos dos outros e seremos mais tolerantes. Exigiremos menos de nós mesmos sem perder a eficiência e seremos mais românticos.
- Seremos mais flexíveis e menos radicais.
- Fugiremos do isolamento e falaremos mais de nós mesmos e de nossos sonhos sem medo de ser tachados de loucos, insanos ou débeis.
- Seremos menos vítimas de angústias, fobias, insegurança e mais protetores e promotores do júbilo, da liberdade, do encanto pela vida.
- Seremos mais ousados e menos escravos do medo de errar.
- Andaremos por trajetórias jamais percorridas, teremos mais prazer de nos aventurar.
- Libertaremos mais o imaginário e construiremos mais ideias, seremos mais criativos e proativos. Dançaremos a valsa da existência com a mente desengessada.
- Pensaremos mais como espécie e como humanidade e menos como grupo social e muito menos ainda como indivíduos.

Paradoxos de um Eu imaturo

Ambientalistas, que não admitem a degradação do meio ambiente, podem degradar o meio ambiente de suas mentes e conviver com a poluição de pensamentos angustiantes e emoções devastadoras. Líderes religiosos equilibrados, serenos, acostumados a cuidar dos outros, podem colocar-se em último lugar em sua agenda, tornar-se máquinas de trabalho, ser vítimas de decepções com os pares mais íntimos e arquivar janelas *killer* poderosas que os encarceram. Brilhantes psiquiatras, eficientes ao tratar seus pacientes, podem não saber administrar os próprios pensamentos, proteger a emoção e gerenciar focos estressantes.

Esses paradoxos sempre fizeram parte da pauta humana. Felizmente, o Eu pode e deve reciclar suas mazelas e reescrever as janelas da memória em qualquer época. Estudaremos esse tema. Apenas me antecipo dizendo que ninguém é obrigado ou está condenado a conviver com conflitos, fobias, impulsividade, ansiedade, humor depressivo, pessimismo, comportamento autopunitivo. O Eu deve ganhar musculatura, deixar de ser inerte, passivo, frágil, conformista. Como está a musculatura do seu Eu?

Se o Eu não se estrutura e não desenvolve algumas de suas habilidades fundamentais poderá viver os seguintes paradoxos:

- Poderá adoecer, ainda que tenha vivenciado o processo de formação da personalidade sem importantes traumas na infância e na adolescência.
- Poderá ser um escravo, ainda que viva em sociedades livres.
- Poderá viver miseravelmente, ainda que seja rico e possa viajar o mundo.
- Poderá ser frágil e desprotegido, ainda que tenha guarda-costas e faça todo tipo de seguro: residencial, de vida, empresarial.
- Poderá bloquear a produção de ideias e de respostas inteligentes no ambiente socioprofissional, ainda que tenha um potencial criativo excelente.
- Poderá ser autodestrutivo, ainda que seja bom para os outros.
- Poderá causar bloqueios no psiquismo de seus filhos e alunos, ainda que seja um professor bem-intencionado ou pai e mãe dedicados.

- Poderá constringir seu romance, ainda que proclame ter encontrado o parceiro ou a parceira de sua vida.

Quando vemos pessoas inteligentes em ação, como um médico discutindo um diagnóstico, um intelectual expondo uma área do conhecimento, um empresário gerindo pessoas, uma celebridade dando uma entrevista, podemos ter a falsa impressão de que eles são bons dirigentes de sua psique. Mas o Eu, como piloto, não é seriamente testado sob o clamor dos aplausos ou em assuntos lógicos.

Ao analisá-los diante de perdas materiais, decepções, desafios profissionais, críticas e frustrações conjugais é que poderemos aferir o nível de gerência do Eu. Talvez fiquemos decepcionados.

E se mapearmos a nós mesmos, passaremos nessa análise? Será que temos um Eu nobre, capaz de atravessar o caos, de refletir e não reagir agressivamente? Um Eu imaturo é rápido em enxergar a pequenez dos outros, mas um Eu inteligente enxerga primeiramente a própria pequenez. Um Eu imaturo dá as costas para quem o decepciona, um Eu inteligente procura compreender os motivos do outro. Um Eu imaturo se enraivece quando é criticado, um Eu inteligente agradece as críticas e procura utilizá-las para crescer. Um Eu imaturo não abre mão de suas convicções, um Eu inteligente é um caçador de novas ideias.

Capítulo 12

A construção do Eu e os mordomos inconscientes que o nutrem

As sociedades humanas não precisam de pessoas interessadas na organização social ou no poder político, mas de pessoas que sejam grandes como pensadores humanistas, grandes na percepção de seus limites, grandes na capacidade de se colocar no lugar do outro e perceber suas dores e necessidades psicossociais.

O ser humano é um engenheiro que constrói grande quantidade de ideias, porém frequentemente constrói ideias sem qualidade e não administra essa construção com coerência e humanismo.

Se o ser humano não aprende a gerenciar seus pensamentos e suas emoções, torna-se marionete dos estímulos estressantes, vítima do meio em que vive e dos focos de tensão criados por ele mesmo no palco de sua mente e que se devem à rigidez, ao sentimento de culpa, ao perfeccionismo, à ansiedade diante de situações futuras.

Infelizmente, a grande maioria das pessoas é vítima e não agente modificador de sua personalidade. A construção do mundo das ideias, que promove toda racionalidade dialética, toda ciência, toda produção de arte, toda comunicação social, enfim, toda consciência existencial do Eu sobre o mundo que somos e no qual estamos, é produzida por processos inconscientes ocorridos nos bastidores da psique.

Grande parte das ideias, dos pensamentos, das emoções e da motivação produzidos na mente não é determinada de maneira lógica e consciente pelo "rei-Eu", mas pela ação espontânea dos três fenômenos inconscientes que leem a história intrapsíquica e produzem as matrizes dos pensamentos essenciais desde início da vida fetal.

Esses fenômenos, que eu chamo de mordomos, contribuem para produzir o Eu em determinados momentos da existência. À exceção de uma parcela dos pensamentos essenciais, que não chegam a sofrer um processo de leitura virtual, o Eu se conscientiza de todos os pensamentos, dialéticos e antidialéticos, produzidos pelos fenômenos psicodinâmicos, embora não determine consciente e logicamente a construção deles.

Os mordomos são fenômenos que leem continuamente a memória e reorganizam o caos da energia psíquica. Portanto, são fenômenos que promovem os processos de construção da inteligência.

O fenômeno da autochecagem da memória, o fenômeno do autofluxo e a âncora da memória funcionam como três mordomos psicodinâmicos que, associados a outras variáveis, organizam, nutrem e educam o Eu como o grande gerenciador e redirecionador dos processos de construção da inteligência.

O Eu pode administrar seletivamente determinadas leituras da memória, mas grande parte dessa leitura é involuntária. Quando ela é realizada pelos mordomos da mente, o Eu tem grande dificuldade para administrá-la e, muitas vezes, isso é mesmo impossível para ele.

Depois que nascemos, as matrizes de pensamentos essenciais históricos produzidas pelos mordomos da mente durante a vida intrauterina passam por leituras geradoras de riquíssima produção de pensamentos dialéticos e antidialéticos. Mas a produção das matrizes de pensamentos essenciais históricos – e consequentemente a posterior produção dos pensamentos dialéticos e antidialéticos derivada da ação dos mordomos da mente – não se submete a uma administração histórico-crítica que questione as informações da memória, como acontece com a produção de matrizes de pensamentos essenciais e à produção dos pensamentos dialéticos e antidialéticos produzidos pelo Eu.

Nos sonhos, nos delírios e nas alucinações, por exemplo, há uma rica construção de pensamentos realizada pelos mordomos da mente, principalmente pelo fenômeno do autofluxo. O gerenciamento dessa construção de pensamentos não é histórico, pois a cadeia psicodinâmica dos pensamentos, expressa pela identidade dos personagens, pelas circunstâncias psicossociais, pela conjunção espaçotemporal dos verbos, enfim, pelos discursos teóricos e antidialéticos dos pensamentos, não se submete a análises e reciclagem críticas que levem em consideração os parâmetros da história intrapsíquica e da realidade extrapsíquica.

Tudo isso quer dizer que, apesar de os mordomos psicodinâmicos da psique produzirem uma rica construção de matrizes de pensamentos essenciais históricos e uma rica construção de pensamentos dialéticos e antidialéticos, somente o Eu tem capacidade, ainda que parcial, de gerenciar, reciclar, reorganizar e reorientar criticamente a construção de pensamentos, com base em parâmetros históricos da memória e da realidade extrapsíquica.

Cumpre à consciência do Eu atuar no processo de construção de pensamentos e na administração deles; caso contrário, será sempre vítima da construção de pensamentos dos três fenômenos psicodinâmicos da psique.

Ao entrarmos em contato, auditivo ou visual, com uma palavra de uma língua que dominamos, a definição da palavra torna-se um processo automático e inevitável, pois é checada automaticamente na memória. Não é atributo do Eu definir a maioria das imagens e sons que sensibilizam nosso sistema sensorial; eles simplesmente são checados na memória e compreendidos automaticamente. O Eu só entra em ação segundos depois, para discorrer, discursar, enfim, produzir cadeias de pensamentos mais complexas.

O gatilho da memória: fenômeno da autochecagem

O gatilho da memória, ou fenômeno da autochecagem, lê automaticamente a memória. Trata-se do primeiro fenômeno que entra em ação na leitura do córtex cerebral e na construção de pensamentos. Sem ele não conseguiríamos ler um texto ou conversar com alguém. A autochecagem é inconsciente, complexa e precisa.

O gatilho da memória é tão fascinantemente eficiente que sua tarefa equivale a deflagrar uma arma em Tóquio e acertar uma mosca num prédio em Nova York. Imagine acertar esse tiro milhares de vezes por dia. E mais: todos os dias bilhões de pessoas, psicóticos e mentalmente saudáveis, intelectuais e iletrados, ricos e pobres, ateus e religiosos, todos acertam o tiro inumeráveis vezes. E fazem isso graças ao fenômeno da autochecagem.

Se entendermos a dança de fenômenos nos bastidores do funcionamento da mente, veremos que a loucura e a sanidade estão muito próximas; e que um anônimo tem tanta complexidade quanto o maior ganhador de Oscar de Hollywood. Por isso o culto a celebridades é atitude de pessoas infantis, massificadas. Não devemos supervalorizar os ícones sociais, mas todos os anônimos do teatro social.

Cada vez que identificamos automaticamente uma poltrona, uma mesa, um pássaro, uma pessoa, temos de reconhecer que essa identificação automática não foi produzida num passe de mágica nem aconteceu graças ao desejo do Eu, mas sim pela ação do gatilho da memória.

Grande parte dos movimentos musculares, inclusive os responsáveis pelo meneio de cabeça, que fazemos quando concordamos ou discordamos das palavras que ouvimos é frequentemente produzida espontaneamente por esse fenômeno e sem a autorização do Eu.

As reações impulsivas têm a mesma origem; toda vez que reagimos sem pensar somos dirigidos não pelo Eu, mas pela autochecagem espontânea e automática da memória.

Ao contemplarmos uma criança, um veículo, uma residência, a cor das roupas, um barco pintado num quadro, enfim, qualquer estímulo extrapsíquico que tenha RPS (diretivas e associativas) em nossa história intrapsíquica, esse estímulo será lido automaticamente pelo gatilho da memória. Essa autochecagem da memória produz cadeias de pensamentos essenciais que, lidas virtualmente, geram os pensamentos antidialéticos e dialéticos, estabelecendo, assim, a consciência existencial do estímulo.

O fenômeno da autochecagem atua na etapa inicial do processo de interpretação. A primeira etapa do processo é a percepção do estímulo pelo sistema sensorial; imediatamente a seguir acontece a autochecagem na memória. A partir daí inicia-se a definição histórica do estímulo.

Pela definição histórica, desencadeamos a produção intelectual. Apesar da importância fundamental do gatilho da memória, ele pode inadvertidamente colocar num cárcere o estímulo observado, por submetê-lo exclusivamente às dimensões das informações contidas na memória. Uma pessoa preconceituosa checa seus comportamentos e produz reações automáticas, sem submetê-las a uma análise posterior. A atuação do gatilho da memória gera as mais diversas formas de preconceito. Mas agir preconceituosamente não é um defeito de personalidade, é só uma reprodução inevitável. O preconceito, por outro lado, esse sim representa um defeito de personalidade, pois reflete a ausência do Eu na gestão dessa construção. Se o Eu não gerenciar os preconceitos, sejam quais forem, então viveremos numa ditadura que impedirá a democracia das ideias.

Uma pessoa que só gravita em torno dos pensamentos produzidos pelo gatilho da memória é incapaz de repensar suas ideias e gerenciar seus pensamentos, portanto, vive sob a ditadura das reações automáticas.

O gatilho da memória autocheca o estímulo na memória e produz os primeiros pensamentos, mas cumpre ao Eu refletir sobre eles e criticá-los. Quando os pensamentos dialéticos e antidialéticos são formados, o Eu entra em cena e, dependendo de sua capacidade de gerenciamento, exerce uma revisão crítica das ideias e das reações emocionais desencadeadas e produzidas pelo fenômeno da autochecagem.

A construção da inteligência ocorre frequentemente através dos mordomos psicodinâmicos da mente, sem a participação do Eu. Porém, cumpre a ele ser o agente modificador de sua história psicossocial e redirecionar esses processos de construção que se desencadearam sem sua determinação consciente e lógica.

Ao longo do processo existencial, o gatilho da memória dispara psicodinamicamente bilhões de vezes, expandindo a história da personalidade, pois cada experiência gerada por ele é registrada automaticamente pelo fenômeno RAM.

A leitura da história produzida pelo fenômeno da autochecagem e as cadeias de pensamentos geradas por ele contribuem, paulatinamente, para educar o Eu, orientando-o inconscientemente a utilizar a memória e, ao mesmo tempo, estimulando-a a percorrer as mesmas trajetórias psicodinâmicas.

O fenômeno do autofluxo

A palavra *autofluxo* aqui tem o seguinte significado: um fluxo que se dá por si mesmo, um fluxo espontâneo e contínuo. O autofluxo ocupa um lugar de destaque como mordomo da mente. É responsável pela leitura da história intrapsíquica, pela reorganização do caos da energia psíquica, pela construção inconsciente das ideias e, consequentemente, pela educação, orientação e organização do Eu.

O fenômeno do autofluxo lê contínua e diariamente inúmeros territórios da memória, como uma usina de emoções e de pensamentos cotidianos.

Ninguém consegue interromper a construção dos pensamentos e as transformações da energia emocional, porque ninguém consegue interromper a atuação psicodinâmica do fenômeno do autofluxo.

O ser humano vive para pensar e pensa para viver. Pensar não é uma opção do homem; pensar é seu destino inevitável. O que ele pode escolher é gerenciar essa construção inevitável de pensamentos. Quem forma o Eu não é a educação escolar ou familiar, como até hoje pensávamos, mas principalmente o fenômeno do autofluxo. A educação social apenas dá um pequeno empurrão num processo belo e inevitável.

O fenômeno participa decisivamente do ciclo psicodinâmico da construção da mente, participa decisivamente da construção de pensamentos e de experiências emocionais. É multifocal, pois é composto por um conjunto de fenômenos, ou seja, variáveis intrapsíquicas da mente. Entre as variáveis que participam da composição e da ação psicodinâmica do fenômeno do autofluxo, estão a ansiedade vital, o fenômeno da psicoadaptação e a energia emocional.

O autofluxo representa um conjunto de fenômenos que atuam nos bastidores da mente humana e financiam o fluxo espontâneo e inevitável da energia psíquica, gerando continuamente uma série de pensamentos, ideias, motivações, emoções.

Leitura multifocal

O fenômeno do autofluxo lê de maneira multifocal a história intrapsíquica, produzindo, em grande parte do processo existencial diário, inúmeras matrizes de pensamentos essenciais históricos. Essas matrizes atuarão no campo de energia emocional e motivacional, produzindo uma usina psicodinâmica de emoções e motivações. Além disso, as matrizes passam por um processo de leitura virtual, que gera a construção dos pensamentos dialéticos e antidialéticos. Portanto, a construção de pensamentos gerada pelo fenômeno do autofluxo ocorre, frequentemente, sem a determinação consciente do Eu, ou seja, por meio de mecanismos psicodinâmicos espontâneos que envolvem a ansiedade vital, a estimulação da energia motivacional, a leitura da história intrapsíquica, a formação das matrizes dos pensamentos essenciais, a leitura virtual dessas matrizes e a produção de pensamentos dialéticos e antidialéticos na esfera virtual ou perceptível.

O mundo de pensamentos e emoções produzido pelo fenômeno do autofluxo e pelos demais fenômenos intrapsíquicos que fazem a leitura da história intrapsíquica é um dos maiores mistérios da mente humana, um mistério que está no âmago da inteligência.

Ao observar uma pessoa, por exemplo, (estímulo extrapsíquico), produzimos o primeiro grupo de pensamentos por meio do gatilho da memória. O segundo grupo de pensamentos será fruto do gerenciamento do Eu ou do autofluxo.

O fenômeno do autofluxo contribui decisivamente para gerar o fluxo vital da energia psíquica.

Um excelente mordomo da mente humana

Aprendemos, com os mordomos da mente, a percorrer os caminhos psicodinâmicos que leem a memória e que formam as matrizes dos pensamentos essenciais históricos. Porém nem sempre assumimos a administração da inteligência; por isso, tendemos a gravitar em torno de uma produção de pensamentos não autorizada por nós.

Cabe à nossa vontade consciente, ao Eu, redirecionar a construção das ideias e das emoções para a produção das artes, da ciência, das relações interpessoais qualitativas, da tecnicidade, dos mecanismos de superação das intempéries existenciais e dos estímulos estressantes.

A qualidade do gerenciamento do Eu sobre o mundo dos pensamentos e das emoções é que determinará a capacidade do ser humano, como agente modificador da sua história intrapsíquica e social. A tendência natural do homem é ser vítima de suas misérias psíquicas, devidas à má formação do Eu no processo educacional.

Se o fluxo vital de energia psíquica não for conduzido para a produção de pensamentos e experiências emocionais saudáveis e enriquecedores, ele será conduzido inevitavelmente para a produção de experiências angustiantes, tensas, agressivas, autopunitivas.

O fenômeno do autofluxo lê as RPS mais disponíveis da história intrapsíquica arquivada na memória e, embora eu não queira entrar em detalhes neste livro, digo que a ordem da disponibilidade dessas RPS dependerá de vários fatores, tais como o período do registro (tempo em que foi vivenciada e registrada a experiência psíquica como RPS no córtex cerebral); da qualidade da experiência emocional original (angústia, ansiedade, raiva, ódio, amor, prazer, desejo de destrutividade, complacência); do eco introspectivo na mente da experiência original (quanto gerou de autocrítica, reflexão, intolerância, indignação); da frequência da leitura da mesma e da qualidade da reinterpretação desse resgate.

Dependendo da disponibilidade das RPS lidas, sem direção consciente e lógica, por meio do fenômeno do autofluxo teremos a qualidade da construção dos pensamentos e das reações da energia emocional e motivacional.

O fenômeno do autofluxo é um importantíssimo mordomo intrapsíquico que contribui para o processo de formação do Eu. Sem ele, que desde a aurora da vida fetal enriquece a história intrapsíquica, provavelmente jamais chegaríamos a desenvolver na vida extrauterina a consciência existencial, o que faria de nós seres impensantes e inconscientes.

Porém, apesar de ser fundamental para o desenvolvimento do Eu, o fenômeno do autofluxo não deve, à medida que se forma, adquirir a preponderância qualitativa da produção dos pensamentos, pois essa é a tarefa intelectual do Eu, embora inevitavelmente tome a preponderância quantitativa, pois ele é quem promove o fluxo vital da energia psíquica.

A ansiedade vital

Já comentei sobre a ansiedade vital. Neste momento, depois de ter visto os tipos de pensamentos e seus processos construtivos, precisamos expandir nossa compreensão sobre essa ansiedade. A ansiedade vital é uma variável intrapsíquica que participa do fenômeno do autofluxo. Está ligada psicodinamicamente a outras variáveis intrapsíquicas, tais como o fenômeno da autochecagem, a âncora da memória, o Eu.

O campo de energia psíquica nunca se equilibra, mas vive continuamente um desequilíbrio psicodinâmico que estimula o processo de organização dos microcampos de energia psíquica, expandindo, assim, continuamente, suas possibilidades de construção.

O conceito de desequilíbrio psicodinâmico é extremamente importante e está ligado ao fluxo vital da energia psíquica. Chamo esse desequilibro psicodinâmico de ansiedade vital. O fluxo vital da energia psíquica possui intrinsecamente uma ansiedade vital, ou desequilíbrio psicodinâmico contínuo durante toda a trajetória da existência humana.

Todo ser humano vive continuamente, nos bastidores de sua mente, uma ansiedade vital; ninguém pode se livrar dela. Na verdade, a ansiedade vital é diferente da ansiedade patológica, da tensão emocional doentia, que normalmente é angustiante e muitas vezes vem acompanhada de sintomas psicossomáticos.

A energia psíquica está continuamente fluindo ou se transformando em pensamentos e emoções novos. Cada pensamento ou emoção produzidos no campo da energia psíquica se desorganiza e se reorganiza continuamente. Ninguém consegue interromper a transformação da energia psíquica. Ela sofre a ação contínua e inevitável do fenômeno do autofluxo. É impossível interromper a produção de pensamentos. Todos viajam nas avenidas dos pensamentos e se desligam, ainda que por instantes, do mundo concreto. Alguns viajam muito, estão sempre flutuando em pensamentos. Outros viajam menos, mas mesmo assim fazem constantes viagens intelectuais. Uns sofrem muito com pensamentos traumáticos, outros se alegram com suas ideias, pois elas estimulam seus projetos. Uns pensam e logo se concentram nas suas tarefas. Outros pensam tanto que se desligam do que estão fazendo, por isso têm grande dificuldade de concentração e consequentemente se esquecem facilmente dos fatos cotidianos.

Essa tendência ao esquecimento não é um dado neurológico, mas psicodinâmico; portanto não é grave. É fruto da hiperprodução de pensamentos, situação que ocorre quando alguém vive intensamente o fenômeno do autofluxo. As pessoas hiperativas e as estressadas frequentemente apresentam esse déficit de atenção psicodinâmico.

Em síntese, a ansiedade vital é fundamental no processo de leitura da história intrapsíquica e da construção da inteligência. Ela anima e provoca psicodinamicamente os processos de construção dos pensamentos e da consciência existencial e as transformações da energia emocional e motivacional.

Embora todo ser humano tenha essa ansiedade vital, ela é qualitativamente diferente em cada pessoa. Está intimamente relacionada aos níveis de desorganização e reorganização pelos quais as experiências passam no campo da energia psíquica. A ansiedade vital também está ligada psicodinamicamente tanto à qualidade quanto à velocidade da leitura da memória e, consequentemente, à qualidade e velocidade dos processos de construção da psique. Está ligada, em síntese, à qualidade do processo de formação da personalidade.

A maior fonte de entretenimento humano: o fluxo vital da energia psíquica

O fenômeno do autofluxo é acionado por meio dos estímulos extrapsíquicos, intraorgânicos e intrapsíquicos. Porém, independentemente desses estímulos, ele é acionado também pela atuação psicodinâmica da ansiedade vital, que gera um fluxo por si mesmo, um fluxo vital e espontâneo de energia psíquica.

A ansiedade vital provoca um processo de leitura espontânea, sem motivação consciente da memória, gerando pensamentos essenciais que transformam a energia emocional e motivacional e que servirão de base para a produção de pensamentos dialéticos e antidialéticos sem a autorização do Eu, promovendo assim o autofluxo vital da energia psíquica.

Os estímulos extrapsíquicos provocam primeiramente o gatilho da memória, que produz cadeias de pensamentos essenciais, dialéticas e antidialéticas e, em seguida, aciona o fenômeno do autofluxo.

Os estímulos intraorgânicos também acionam primeiramente o gatilho da memória. Se esses estímulos forem decorrentes de distúrbios metabólicos graves ou se forem resultado do uso de drogas psicotrópicas alucinógenas, a autochecagem da memória será totalmente bizarra, incoerente e ilógica, gerando cadeias de pensamentos alucinatórios e delirantes, que não possuem um sistema de relação com as realidades extrapsíquica e intrapsíquica (memória).

Depois de o fenômeno da autochecagem da memória e, consequentemente, da produção das primeiras cadeias de pensamentos e das primeiras reações emocionais, o fenômeno do autofluxo é acionado. Uma vez acionado, ele dará prosseguimento à construção das cadeias de pensamentos e de experiências emocionais. Mas a qualquer momento o Eu pode se conscientizar de que não está gerenciando a construção de pensamentos e retomar essa função, dando coerência a essa construção.

Muitas vezes fazemos viagens intelectuais absurdas em nossa mente e, de repente, conscientizamo-nos desse processo; então, interrompemos a produção das fantasias e das cadeias incoerentes e redirecionamos a construção dos pensamentos.

Nos transtornos obsessivos, há uma hiperconstrução de ideias de conteúdo negativo que, segundo os teóricos da personalidade, não é explicada por nenhum princípio que governe o processo de formação da personalidade.

O princípio do prazer de Sigmund Freud, o *self* criador de Carl Gustav Jung, a busca da superioridade de Adler, a busca do sentido existencial de Viktor Frankl não explicam a hiperconstrução de ideias fixas de conteúdos negativos ocorrida nos transtornos obsessivo-compulsivos (TOC), a quais não são administradas pelo Eu.

Mas os transtornos obsessivos podem ser explicados pelo fluxo vital da energia psíquica, que é o princípio dos princípios da psique, pois ele mostra que ocorre um processo vital e inevitável de autotransformação da energia psíquica.

O fluxo vital da energia psíquica é o princípio vital que anima e promove o processo de formação da personalidade e o desenvolvimento da história psicossocial do ser humano. Os fenômenos psíquicos estão imersos no fluxo vital da energia psíquica; por isso leem continuamente a história intrapsíquica, produzindo as cadeias de pensamentos; é um ciclo psicodinâmico de construção, expresso por um processo contínuo e inevitável de organização, desorganização e reorganização.

Quando estudamos os processos de construção dos pensamentos, compreendemos a riquíssima atuação dos fenômenos que estão na base do funcionamento da mente, bem como a imensa participação das variáveis intrapsíquicas que se manifestam nessa leitura. É impossível interromper o fluxo vital da energia psíquica; por isso, como eu disse, é impossível interromper a construção das ideias e as transformações emocionais.

Se fosse possível interromper o fluxo vital da energia psíquica, a vida humana seria um tédio insuportável, uma solidão angustiante, pois a construção das ideias e a produção das emoções e motivações, geradas sem a autorização do Eu, são as mais importantes fontes de entretenimento humano.

Passamos, diariamente, grande parte de nosso tempo mergulhados em nosso mundo intrapsíquico, envolvidos na construção contínua e inevitável de ideias, emoções e desejos produzidos à revelia do Eu.

Toda a indústria do turismo e todas as demais fontes de entretenimento, tais como o cinema, a TV, as artes, a literatura, produzidas pelo ser humano são restritas se comparadas à verdadeira fábrica de ideias e emoções produzidas espontaneamente no campo de energia psíquica.

O fenômeno do autofluxo contribui significativamente no processo contínuo de transformação da energia psíquica, que conduz o ser humano em toda a sua trajetória existencial, seja dormindo ou em estado de vigília, e o leva a viver sob o regime dos pensamentos e das emoções.

Capítulo 13

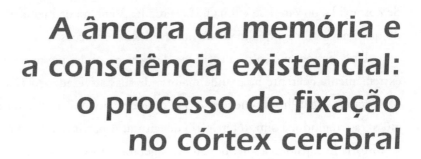
A âncora da memória e a consciência existencial: o processo de fixação no córtex cerebral

Somos livres?

A âncora da memória não é um fenômeno em si, mas um movimento intrapsíquico inconsciente que desloca e é deslocado psicodinamicamente por três outros fenômenos que fazem a leitura da história intrapsíquica: o gatilho da memória, o autofluxo e o Eu.

Ela é difícil de ser definida, mas, em síntese, refere-se à fixação de um foco ou território de leitura da memória num determinado momento da existência. A âncora da memória fornece um grupo de informações psicossociais que ficam disponíveis para ser utilizadas pelos fenômenos que leem a memória e constroem os pensamentos.

Trata-se, portanto, da fixação psicodinâmica da leitura da história intrapsíquica em determinados territórios da memória. Em cada ambiente em que nos encontramos, a âncora da memória dirige o território da leitura da memória para um grupo de informações básicas, que ficam mais disponíveis. Por isso, temos frequentemente uma construção de cadeias de pensamentos e de reações emocionais particulares nos diversos ambientes e em cada circunstância.

Os deslocamentos da âncora da memória direcionam a qualidade das ideias e das reações emocionais que produzimos num determinado momento da existência. Parece que somos livres para pensar o que quisermos em cada momento de nossa vida, porém, isso é uma meia verdade. A âncora da memória dirige mais do que imaginamos a qualidade de nossas ideias e emoções.

Uma pessoa que sofre um ataque de pânico, ainda que possa ser sensata e extremamente coerente na grande maioria de suas atividades sociais e profissionais, aciona o gatilho da memória, que desloca a âncora para determinadas regiões, restringindo, assim, o território de leitura. A partir daí, produz-se a leitura da história intrapsíquica que, por sua vez, gerará emoções intensamente ansiosas e pensamentos qualitativamente mórbidos que, canalizados para o córtex cerebral, gerarão uma série de sintomas psicossomáticos.

O deslocamento da âncora da memória nos ataques de pânico é rápido e dramático, gerando no paciente a construção de ideias de que vai morrer ou desmaiar e uma reação fóbica tão angustiante que as palavras do médico, dizendo que ele não tem nada de grave, não o confortam.

Uma espécie que ama a liberdade, mas que não é plenamente livre

A liberdade plena de pensamento nem sempre é conquistada pelo Eu; é, muitas vezes, dirigida inconscientemente pelos deslocamentos da âncora da memória, que restringe o território de leitura da memória. Quando produzimos pensamentos, nem sempre temos liberdade para escolher as informações que serão utilizadas; estamos sujeitos à restrição da "disponibilidade histórica" imposta pela âncora da memória. Esse fenômeno é um dos mais fundamentais para as ciências humanas.

A ONU defende os direitos humanos, as constituições modernas garantem os direitos de ir, vir e se expressar. Mas somos livres por viver em sociedades democráticas? Sim, mas nossa liberdade não é plena, pois não controlamos todo o processo do ato de pensar. Nossa espécie ama a liberdade; por ela cavam túneis, atravessam desertos, fazem revoluções. Mas nos bastidores da mente humana há fenômenos que diariamente conspiram contra a liberdade, a âncora da memória é um deles.

Se por um lado a âncora asfixia nossa liberdade, por outro, sem ela, todos os arquivos ou janelas da memória estariam disponíveis, bilhões de dados seriam acessados para produzir uma simples cadeia de pensamento. O resultado? Teríamos um desgaste cerebral enorme, implodiríamos nossa qualidade de vida.

Grande parte dos pensamentos gerenciados e produzidos pelo Eu não foi, na realidade, gerenciada e produzida com plena liberdade de escolha, mas dentro dos limites da âncora da memória. Por isso é necessário aprender a conquistar na ciência, bem como na vida cotidiana, o máximo de liberdade possível no processo de construção de pensamentos.

Muitas vezes achamos que somos livres na produção das ideias, mas somos prisioneiros da âncora da memória. A âncora da memória é um fenômeno fundamental na construção dos pensamentos e na produção das reações emocionais, mas devemos aprender a gerenciá-la, reciclá-la criticamente e deslocá-la com liberdade, principalmente quando ela se alojar em áreas da memória que promovem uma construção de pensamentos rígida, fechada, autoritária.

Todos os estímulos que geram tensões emocionais e prazeres intensos deslocam a âncora da memória e, consequentemente, restringem a liberdade da produção de pensamentos. Quando alguém nos ofende, os estímulos extrapsíquicos ligados ao conteúdo da ofensa, à pessoa do ofensor e ao ambiente em que ele expressou a ofensa (ambiente público ou privado) deslocam a âncora para determinadas regiões da memória, restringindo a "disponibilidade histórica" das RPS, que levarão a pensamentos com liberdade reduzida. Por isso, passado o momento de tensão, quase sempre achamos que deveríamos ter tido outro tipo de reação naquela circunstância.

Todo e qualquer estímulo extrapsíquico ou intrapsíquico que acione o gatilho da memória e produza cadeias psicodinâmicas de pensamentos geradores de tensão emocional é capaz de deslocar a âncora para determinados territórios da memória, restringindo sua leitura num determinado momento existencial.

Inicialmente, o gatilho da memória desloca a âncora e, posteriormente, ele mesmo e todos os demais fenômenos que leem a memória tornam-se vítimas desse deslocamento.

Os deslocamentos da âncora da memória

A âncora da memória fixa-se em determinados territórios e torna disponível um determinado grupo de RPS diretivas (diretamente ligadas ao estímulo) e associativas (de alguma maneira relacionadas ao estímulo) que serão usadas pelos fenômenos que leem a história intrapsíquica.

Nessa perspectiva conceitual, a âncora da memória facilita o processo de seleção das informações que servirão de matéria-prima para a produção das cadeias psicodinâmicas dos pensamentos essenciais históricos e, consequentemente, dos pensamentos dialéticos e antidialéticos.

O Eu tanto dirige os deslocamentos como é dirigido por esses deslocamentos, por meio do resgate da disponibilidade das RPS produzidas por eles. Nos momentos de tensão, de estresse psicossocial, de angústia existencial, de ofensas e de perdas, a tendência do Eu é ser controlado pela âncora da memória e submeter sua construção de pensamentos aos limites da memória em que ela está ancorada.

Se Eu não tiver êxito em levantar a âncora e alargar os territórios de leitura da memória, a produção de pensamentos e reações emocionais pode ser insegura, fóbica, agressiva e, acima de tudo, restrita.

Se a âncora da memória restringir muito o território de leitura diante dos estímulos estressantes, a inteligência trava, ou seja, o Eu fica paralisado em sua capacidade de pensar. Quem determina o caráter intelectual é a âncora da memória; nos focos de tensão, podemos ter reações totalmente contrárias às que teríamos se estivéssemos tranquilos.

Se aprendermos a fazer uma parada introspectiva, ou seja, aprendermos a pensar antes de reagir, teremos condições de gerenciar a construção de pensamentos nos focos de tensão, o que nos prepara o caminho para a liberdade. Dessa maneira não nos submeteremos ao jugo da âncora da memória; pelo contrário, nós a expandiremos, o que nos permitirá realizar uma construção de pensamentos sóbria e coerente, capaz de dar respostas maduras e inteligentes. Aqueles que reagem sem pensar são livres apenas externamente, por dentro, estão encarcerados.

Todos os seres humanos deveriam conhecer o funcionamento da mente à luz da Teoria da Inteligência Multifocal. Não digo isso porque a teoria é minha, sou um mero mortal que, como tal, em breve irá para a solidão de um túmulo. É que estudar a mente humana nessa perspectiva muda completamente a maneira como construímos relações sociais. Esse conhecimento pode ser mais poderoso do que aderir a uma ideologia capitalista, social-democrática ou marxista.

A compreensão dos processos de construção dos pensamentos, ligados aos deslocamentos da âncora da memória e à leitura da memória, leva-nos a fazer considerações a favor dos direitos humanos e contra toda e qualquer forma de discriminação. Todo ser humano lê a história intrapsíquica e resgata com extremo acerto, em pequenas frações de segundo e em meio a bilhões de opções, cada RPS diretiva e associativa que constituirá as cadeias psicodinâmicas das matrizes dos pensamentos essenciais históricos e as cadeias psicodinâmicas virtuais, que constituirão suas ideias, análises, conceitos, discursos teóricos.

Mais uma vez reitero: somos diferentes em termos culturais, intelectuais, sociais, econômicos, genéticos e sexuais, mas no que tange aos processos de construção dos pensamentos, somos uma espécie mais homogênea do que imaginamos.

A Europa vai implodir nas próximas décadas pela rejeição ao islamismo ou invasão de outros imigrantes. Mas se todos estudarmos os intricados processos que nos torna *Homo sapiens*, faremos a mais excelente inclusão social, pois pensaremos como humanidade e não somente como franceses, alemães, ingleses ou qualquer outro grupo social ou nação. Ficaremos, então, apaixonados por nossa espécie.

Se as ciências da cultura incorporassem o conhecimento relativo à leitura intrapsíquica, às matrizes dos pensamentos essenciais históricos, ao caos da energia psíquica, aos sistemas de cointerferência das variáveis intrapsíquicas, ao processo de construção dos pensamentos, ao processo de construção da consciência existencial, ao processo de construção da história intrapsíquica, ao processo de transformação da energia emocional e motivacional, à revolução das ideias, à atuação psicodinâmica do fenômeno da autochecagem da memória e do autofluxo, do Eu e da âncora da memória poderiam mergulhar nas trajetórias do humanismo e da democracia das ideias.

Mas a educação clássica mundial está muito distante de estudar e transmitir sistematicamente esses fenômenos para os alunos. É preciso um novo amanhecer nas escolas e universidades deste belo planeta azul. Sem conhecer o planeta psíquico, o planeta Terra não se torna sustentável, tornamo-nos nossos maiores predadores e predadores das demais espécies.

Capítulo 14

Os três complexos tipos de pensamento

Os pensamentos dialéticos, antidialéticos e essenciais

Vamos entrar em mais uma área extremamente complexa que deveria ter sido estudada sistemática e intensamente pelas demais teorias das ciências humanas, em destaque a psicologia, a sociologia e a psicopedagogia, mas infelizmente não foram. Todos os dias produzimos milhares de pensamentos. Mas o que é o pensamento? Quais são seus tipos? Pensamos com tanta facilidade que ignoramos a "loucura" do ato de pensar, os incríveis processos que constroem os pensamentos. Além disso, cremos superficialmente que há apenas um tipo de pensamento, que apenas um tipo de tijolo é usado para construir todo o nosso raciocínio. Não é sem razão que milhões de seres humanos represam seu potencial intelectual, asfixiam sua capacidade criativa de dar respostas brilhantes em situações estressantes. Frequentemente não temos a mínima ideia de que o pensamento que utilizamos na comunicação verbal é o mais engessado de todos, o mais pobre intelectualmente.

As classes de raciocínio simples/unifocal, complexa/multifocal, indutiva/ dedutiva/abstrata produzidas pelo Eu utilizam os tipos de pensamentos para se expressar, expandir-se ou restringir-se. Os tipos ou formas de pensamento produzidos desde a aurora da vida fetal, através da atuação do gatilho da memória e do fenômeno do autofluxo, são importantes mecanismo de construção do Eu. O Eu é construído pelas ferramentas do pensamento e, posteriormente, utiliza-as para realizar suas próprias construções, suas classes de raciocínio. O criador se torna obra da criatura. Usar de forma inteligente o universo dos pensamentos como instrumento vital de comunicação significa melhorar a criatividade, a capacidade de resolver conflitos, a capacidade de reagir adequadamente, a qualidade das relações sociais e intrapsíquicas.

Algumas pessoas, inclusive intelectuais, podem estranhar a afirmação de que os pensamentos têm formas distintas. Como disse, por não pensarmos sobre o pensamento, imaginamos que só existe um tipo de pensamento para ler, escrever, falar, pesquisar e se expressar. Em meu processo de construção de conhecimento na Teoria da Inteligência Multifocal (TIM) descobri que há pelo menos três tipos fundamentais de pensamento: o pensamento essencial, o dialético e o antidialético.

Aqui tratamos de uma das mais clássicas armadilhas que deformam a estruturação do Eu. Professores transmitem milhões de informações para que seus alunos aprendam a pensar, mas raramente tiveram a oportunidade de estudar e analisar criticamente o material mais básico da educação, o próprio pensamento (classes, tipos, natureza, bem como a utilização nos vários tipos de raciocínio). E o mais preocupante, muitos não estudaram em sua formação o resultado final do processo educacional, a construção do Eu.

Milhões de professores ministram aulas para centenas de milhões de estudantes da pré-escola à pós-graduação em todas as nações, mas não sabem como o Eu se organiza, quais seus papéis, como e por que ele adoece. Os currículos acadêmicos não os levaram a perceber sequer que o Eu pode e deve proteger a emoção e gerenciar os pensamentos, muito menos a conhecer as técnicas psicodinâmicas para efetivar essa proteção e esse gerenciamento. Quanto pior a qualidade da educação mais importante será o papel da psiquiatria e da psicologia clínica, pois continuaremos a adoecer coletivamente. Sonho que nas próximas décadas e séculos eu não seja mais uma voz solitária proclamando as funções fundamentais do Eu.

Entulhar a memória com milhões de dados no córtex cerebral é como amontoar materiais de construção num terreno. Por mais nobres que sejam se tornarão inúteis com o tempo. Nesse processo, as chances de o Eu não ser bem formado são grandes; as de não ser autor de sua história, não ter autonomia, não saber se colocar no lugar do outro, não pensar antes de reagir e não reciclar suas mazelas psíquicas, como fobias, ansiedade, humor depressivo, impulsividade, autopunição, são enormes. Sem falar que as relações sociais e profissionais também ficam comprometidas. Em minha opinião a educação do século XXI exige muitas respostas novas. O que proponho é a mudança de paradigma da educação mundial: passar da era da informação transmitida e assimilada pela memória à era do Eu como gestor da mente humana...

Usamos à exaustão uma matéria-prima desconhecida

Brilhantes teóricos da psicologia, que mais uma vez cito com todo meu respeito, usaram o pensamento como produto pronto para produzir conhecimento e desenvolver teorias sobre o processo de formação da personalidade, dos transtornos psíquicos e de aprendizagem. Mas há um vácuo enorme, faltou estudar o processo de construção do pensamento, sua natureza e suas formas. Quais são os limites, o alcance e a validade do conhecimento? Não estou me referindo a levantamento de dados, análise e metodologia de pesquisa. Refiro-me aos fenômenos que constroem o conhecimento na mente do pesquisador, à natureza e à validade desse conhecimento e às armadilhas que ele encerra.

O conhecimento expressa a verdade? Essa é uma grande questão. E o que é a verdade? Essa é outra grande questão. O conhecimento que um psicoterapeuta produz sobre um paciente é matéria-prima para o trabalho do terapeuta ou expressa a realidade do pânico e ansiedade do paciente?

A psicologia é uma das mais belas ciências, mas sem estudar os tijolos que alicerçam toda sua complexa produção de conhecimento, poderá formar profissionais sem consciência de que, entre eles e seus pacientes há um antiespaço, que não entendem que o pensamento como instrumento de comunicação entre eles e os paciente jamais incorpora a realidade do objeto pensado e, por isso, jamais devemos colocar o paciente dentro da teoria abraçada e nem a teoria dentro do paciente. Errar nessa área é facílimo. Discutirei esse assunto quando estudar a TIM e a psicoterapia multifocal.

Perdi a conta de quantas vezes fiquei confuso e percebi que sou apenas um pequeno aprendiz com sede de conhecimento sobre o conhecimento. Foi e tem sido uma bela aventura. A melhor maneira de tratar o nosso orgulho não é sendo humilde, mas reconhecendo nossa ignorância. A humildade só é consistente com o reconhecimento concreto de nossa pequenez. Tive belas noites de insônia nesses trinta anos de produção teórica.

Pais usam o pensamento como ferramenta fundamental para educar de acordo com sua cultura e religião, seu código de ética sua experiência de vida. Executivos usam o pensamento para conhecer a empresa, as limitações e vantagens competitivas dos produtos, o potencial dos funcionários. Mas provavelmente nem um nem outro usa o pensamento para entender o próprio pensamento.

Doutores defendem teses, professores ensinam alunos, todos usam a cada instante os pensamentos. Mas não se perguntam se sua natureza é real ou virtual; se são produzidos de maneira pura ou se sofrem inúmeras contaminações. Os pensamentos são confiáveis? Podem ser usados para fundamentar a verdade ou são destituídos de realidade? O Eu incorpora a essência intrínseca do objeto pensado ou vive numa solidão insuperável?

Embora, vamos estudar neste capítulo os tipos de pensamento e só no capítulo seguinte a natureza deles, gostaria de me antecipar e dizer que os pensamentos conscientes não são reais/concretos, mas virtuais. Usamos os pensamentos com alta taxa de confiança, *status* que eles não merecem. Por incrível que pareça, eles não incorporam a realidade do objeto pensado e, além disso, estão sujeitos a múltiplas contaminações; por isso, jamais poderiam ou deveriam servir como matéria-prima para fundamentar a verdade irrefutável. Afirmo, portanto, que tanto intelectuais quanto iletrados, escritores e críticos literários, professores e alunos, líderes religiosos e fiéis, psiquiatras e pacientes usam frequentemente o pensamento sem conhecer as inumeráveis armadilhas de sua forma, natureza e construção. Todos nós cometemos erros sutis e grosseiros sem saber.

Nenhum cozinheiro de bom senso usaria ingredientes que não conhece para fazer seus pratos. Mas o Eu, como cozinheiro da mente humana, desconhece os ingredientes que utiliza para julgar, criticar, excluir, irritar-se, dialogar, entender, sofrer, amar. Por desconhecer os instrumentos de navegação da aeronave mental, o Eu pode se tornar um piloto inconsequente, e por desconhecer os ingredientes que nutrem o psiquismo, acaba sendo um mau cozinheiro do conhecimento.

Por exemplo, uma celebridade pode achar-se acima dos mortais porque está em evidência social. Um político pode acreditar que é poderoso porque está na liderança social. Um multimilionário pode se considerar autossuficiente porque pode comprar tudo que quer. Todos foram traídos pela superficialidade intelectual, por desconhecerem que os pensamentos que financiam seu orgulho são irreais, produzidos por mecanismos incontroláveis e contaminados por uma série de variáveis inconscientes. Só temos essa tendência de nos sentir superiores, como semideuses, porque desconhecemos a inimaginável mente que nos torna humanos...

Se há uma área do conhecimento que pode mudar o modo como interpretamos a existência e enxergamos a nós mesmos, essa área é o processo de construção de pensamentos. Estudá-lo é fundamental para entender como se formam pensadores. Um pensador que pensa no modo como pensa entenderá que as diferenças nos alicerces do psiquismo entre ricos e miseráveis, religiosos e ateus, cientistas e alunos quase não existem; são mínimas.

Os pensamentos dialéticos

Os pensamentos dialéticos são conscientes, lógicos, bem organizados, bem definidos, gerenciados com facilidade pelo Eu e, por isso, utilizados com frequência na análise, na síntese das ideias, nos discursos teóricos, na produção científica, na produção tecnológica, nas relações sociais.

Os pensamentos dialéticos são expressos com facilidade na comunicação social e interpessoal, pois são facilmente codificados pelo sistema nervoso central e pelo aparelho fonador. Eles surgem a partir do processo de leitura virtual das matrizes dos pensamentos essenciais, que são pensamentos inconscientes, e pela mimetização psicodinâmica dos símbolos físicos. Por isso, são psicológica e linguisticamente bem definidos e bem traduzidos na verbalização. O nascedouro dos pensamentos dialéticos, que são os pensamentos mais conscientes da mente, está na leitura dos pensamentos essenciais inconscientes.

Os pensamentos dialéticos podem ser gerados tanto à revelia do Eu, ou seja, sem a autorização dele e sem sua inclusão na história intrapsíquica, como podem ser construídos pelo determinismo do Eu, pelo gerenciamento que exerce sobre os processos de construção dos pensamentos.

Os pensamentos dialéticos reduzem as dimensões dos pensamentos antidialéticos quando os traduzem dialeticamente e os canalizam por meio da verbalização. Essa abordagem mostra que a consciência humana é construída por um intrincado sistema de códigos psicolinguísticos, um sofisticado sistema de leitura desses códigos e um complexo processo de cointerferência entre os tipos de pensamento.

Todos temos dificuldade para expressar dialeticamente os sofisticados e quase indescritíveis pensamentos antidialéticos. Frequentemente, as cadeias psicodinâmicas dos pensamentos antidialéticos são associadas e até mesmo mescladas às cadeias psicodinâmicas dos pensamentos dialéticos. Por isso, temos dificuldade para expressar toda a arquitetura psicodinâmica dos pensamentos que produzimos e também temos frequentemente a sensação de que, apesar de termos abordado dialeticamente, com tanto empenho, um determinado assunto, ainda ficou algo por dizer. Essa sensação é produzida, muitas vezes, pelos pensamentos antidialéticos que são difíceis de expressar. Quando construídos sob a autorização e controle do Eu são mais organizados, mais administráveis, possuem uma base analítica mais profunda, têm uma cadeia psicodinâmica que considera mais os parâmetros da lógica e os referenciais históricos.

Os pensamentos antidialéticos

Os pensamentos antidialéticos são conscientes, mas nem sempre plenamente conscientes. Eles não são bem formatados psicológica e linguisticamente, ultrapassando muitas vezes os limites da lógica. Devido à linguagem psíquica difusa, que advém mais da perceptividade da consciência do que da mimetização psicodinâmica dos signos linguísticos sonoros ou das imagens visuais definidas, muitas vezes são traduzidos por impressões, sensações e intuições. Os pensamentos antidialéticos se expressam por meio de imagens mentais, fantasias e percepções; eles influenciam as experiências emocionais e motivacionais, mas também são influenciados por elas.

No processo de formação da personalidade, primeiro se desenvolvem os pensamentos antidialéticos e depois, pouco a pouco, o Eu vai se organizando e aprendendo a produzir e a gerenciar a construção de pensamentos dialéticos; assim, pode exercer a difícil tarefa de traduzir e expressar dialeticamente os pensamentos antidialéticos produzidos diariamente na mente.

Esses pensamentos são produzidos por uma leitura virtual difusa, por isso são indefinidos ou pouco definidos. Os pensamentos antidialéticos são utilizados para criar fantasias e desenvolver a consciência do tempo, das dores emocionais, das inspirações, das angústias existenciais e dos prazeres.

Ele define o indefinível, produz a consciência dos fenômenos que escapam à definição lógica dos pensamentos dialéticos. Sua produção frequentemente fica represada na mente e outras vezes é traduzida pelas artes – pintura, escultura, música, teatro, dança. Também pode ser traduzido pela comunicação verbal, porém nesse caso, as imagens mentais, as fantasias, a consciência das emoções têm de ser formatadas pelos pensamentos dialéticos para depois serem verbalizadas.

Os pensamentos essenciais

Os pensamentos essenciais são os pensamentos inconscientes que dão origem aos conscientes, ou seja, aos dialéticos e antidialéticos. Recebem esse nome porque são constituídos pela essência intrínseca da energia psíquica e são produzidos pelo

Eu e pela leitura da história intrapsíquica realizada pelos fenômenos da autochecagem, do autofluxo, da âncora da memória.

Toda vez que a memória é lida, formam-se as matrizes dos pensamentos essenciais. A leitura da memória não é simplesmente um resgate de informações, mas a organização dessas informações, e essa organização não é virtual, é real. Portanto, as matrizes dos pensamentos essenciais são formadas pelos milhares de leituras da memória realizados diariamente.

Os fenômenos inconscientes que leem a história intrapsíquica produzem continuamente inúmeras cadeias psicodinâmicas formadas pelas matrizes dos pensamentos essenciais; essas cadeias geram diariamente tanto a revolução das ideias dialéticas e antidialéticas como centenas ou milhares de reações emocionais e instintivas, além dos movimentos musculares que não são apreendidos conscientemente.

As matrizes dos pensamentos essenciais têm de produzir diversos sistemas de relação lógica para financiar o desenvolvimento dos processos de construção dos pensamentos e da consciência existencial.

Sem os sistemas de relação das matrizes dos pensamentos essenciais com os estímulos extrapsíquicos, com a história intrapsíquica e com o processo de leitura virtual que forma as cadeias psicodinâmicas dos pensamentos dialéticos e antidialéticos não seria possível produzir os processos de construção dos pensamentos e da consciência existencial.

As matrizes de pensamentos essenciais são produzidas inconscientemente e em milésimos de segundo. Depois de serem produzidas, elas sofrem um processo de leitura virtual que gera os pensamentos dialéticos e antidialéticos na esfera da virtualidade, desencadeando a formação da consciência existencial num determinado momento.

As formas dos pensamentos

O pensamento dialético e o antidialético são as duas formas fundamentais de pensamentos conscientes. Cada um deles tem múltiplas subformas. Eles representam a matéria-prima primordial das mais variadas classes de raciocínio, das simples às complexas, das dedutivas às indutivas, das lógicas às abstratas.

Os pensamentos dialéticos e antidialéticos são os tijolos do conhecimento. Todo conhecimento que produzimos sobre nós mesmos – medos, angústias, prazeres, intenções, segundas intenções –, sobre o mundo social – filhos, amigos, atividades profissionais –, sobre nosso corpo e sobre o universo físico é expresso através dos pensamentos conscientes dialéticos e antidialéticos.

Como vimos, há outro tipo fundamental de pensamento, o essencial, que é inconsciente e está na base da formação dos pensamentos dialético e antidialético. Na realidade, ele é o primeiro resultado da leitura da memória. Quando o gatilho da memória abre uma janela no córtex cerebral e posteriormente o Eu ou o fenômeno do autofluxo a lê, o primeiro resultado, que ocorre em milésimos de segundos, não é a produção de pensamentos dialéticos ou antidialéticos, mas do essencial. Antes de surgir um pensamento consciente que expressa medo ou alegria, lucidez ou estupidez, aparece o pensamento essencial, que é inconsciente.

O dialético e antidialético são virtuais e o virtual não pode surgir ao acaso, do contrário seria um delírio. Ele tem de ser produzido por uma base real e essa base é o pensamento essencial. Como o mundo dos pensamentos é um assunto que geralmente suscita dúvidas, inclusive quando dou aulas para alunos de pós-graduação, usarei uma metáfora que pode ser reveladora para explicar as formas de pensamentos. Imagine uma pintura na qual se veem árvores, um lago, uma casa e montanhas. O que representa nesse quadro o pensamento essencial, o dialético e o antidialético?

O pensamento dialético é a descrição do quadro: o número e a forma das árvores, as dimensões e cores do lago, o estilo arquitetônico da casa, o relevo das montanhas. Todo discurso, tese, análise, síntese sobre o quadro representa a classe dos pensamentos dialéticos.

O pensamento antidialético representa o corpo das imagens que contemplamos sem a descrição. É a arquitetura que agride e encanta os olhos, as nuances, as linhas gerais, o pano de fundo. Lembre-se de que tanto o pensamento dialético como o antidialético são duas formas de pensamentos conscientes.

E o pensamento essencial, inconsciente, como está representado no quadro? É o pigmento da tinta, todas as moléculas e átomos que foram pincelados e impregnados na tela. A tela representa a psique ou mente.

Como se formam os pensamentos conscientes?

O pensamento dialético é produzido na infância através do processo de mimetização ou cópia sistemática dos signos da linguagem, por isso nosso pensamento é como uma voz inaudível. O fenômeno RAM (registro automático da memória) tem de arquivar milhões de palavras para formar milhares de janelas na MUC. O Eu pouco a pouco começa a utilizar os signos sonoros arquivados nas mais diversas situações espaçotemporais. Desse modo, a criança começa a pensar dialeticamente em seu psiquismo e, pouco a pouco, coordena o aparelho de fonação para se expressar verbalmente. O aparelho de fonação é um mero instrumento para canalizar a complexa produção dialética de pensamentos.

Como o pensamento dialético é formado por um jogo de signos linguísticos lógicos e, portanto, reproduzíveis, tudo que se relaciona a ele tem também de ser um jogo de símbolos, caso contrário, não há compreensão. Por isso, a leitura, o diálogo interpessoal, as atividades profissionais, a condução de um carro, a operação de um computador são tramas de símbolos. E as pessoas sem audição? Como se forma nelas o pensamento dialético? A sistematização se dá pela linguagem dos sinais, ou libras.

Aprender a ler é aprender a linguagem dos símbolos. Interpretar a leitura é outra história, depende de uma abertura muito maior de janelas da memória e entra na esfera do pensamento antidialético, a mais complexa forma de pensar. Há pessoas que repetem informações como computadores, parecem notáveis, mas são ingênuas, não inferem, não enxergam além dos fatos, nem têm nenhuma flexibilidade para lidar com situações novas. Sabem pensar dialeticamente, mas não antidialeticamente.

O pensamento antidialético, diferente do dialético, surge espontaneamente no psiquismo sem a necessidade de intervenção educacional. A educação, entretanto, pode enriquecê-la ou restringi-la. E, infelizmente, como veremos, normalmente o restringe.

O pensamento antidialético como o próprio nome indica é antilógico, antilinguagem, antissimbólico. É o pensamento que alicerça as múltiplas formas de imaginação, percepção, intuição, abstração, indução, análise multifocal. Todos os pensamentos mais complexos têm de ter elevadas doses de pensamentos antidialéticos, embora eles nunca se expressem adequadamente no palco da linguagem. Esse palco pertence ao pensamento dialético. As palavras não traduzem com justiça os pensamentos abstratos e imaginários, e tampouco os conflitos. Por isso, o tratamento psicoterapêutico não é simples. O paciente tem de traduzir o intraduzível. O senso comum sabe que mil palavras não traduzem uma imagem.

O pensamento dialético surge no útero social, mas o antidialético já está presente na mente do feto. Não há ainda imagens mentais, mas há um rico imaginário, induzido e estimulado através das leituras das janelas que contêm as experiências fetais. Quem lê essas janelas? Como vimos, os dois fenômenos inconscientes: o gatilho da memória e o autofluxo.

Quando a criança nasce e começa a ter contato com o mundo das imagens físicas, o pensamento antidialético começa a ser excitado e estimulado por elas. Por isso, nosso imaginário se traduz frequentemente por imagens mentais. Através do pensamento antidialético imaginamos o futuro, resgatamos o passado, construímos personagens nos sonhos.

E será que as pessoas com deficiência visual total pensam por imagens? Elas também possuem um riquíssimo imaginário, embora ele não seja estimulado por imagens físicas. O imaginário delas é fluído, multifocal, multiangular, surpreendente. Algumas pessoas cegas afirmam que têm sonhos coloridos, mesmo sem nunca terem visto uma cor. Sua produção de pensamento antidialético pode ser mais rica do que a produção dos que têm visão preservada, porque não estão sujeitas à poluição visual. O excesso de imagens produzido pela TV e pela internet pode comprometer, e muito, a criatividade.

Artistas plásticos, escultores, atores e ficcionistas costumam ter uma rica produção de pensamentos antidialéticos, e não é comum que sejam bons oradores. Pessoas tímidas, devido a sua introspecção, também têm frequentemente uma razoável produção de pensamentos antidialéticos, mas, diante de plateias, passam por uma contração na produção dialética.

O pensador pensa e elabora dados

Toda vez que falamos, discutimos, descrevemos ou estudamos, estamos usando o mais lógico e bem formatado dos pensamentos conscientes, o dialético. Embora seja o mais manipulável, não é o mais profundo dos pensamentos conscientes.

O processo de formação de pensadores exige a utilização não apenas do pensamento lógico-dialético, mas especialmente do antilógico-antidialético. A matéria-prima que diferencia mentes comuns de mentes brilhantes é o pensamento antidialético. Os pensadores, ainda que não tenham estudado as formas de pensamentos, aprenderam a usar intuitivamente o pensamento antidialético para enxergar por múltiplos ângulos os fenômenos que estudam, bem como para questionar paradigmas e verdades científicas. Enfim, usam o pensamento antidialético para desenvolver o raciocínio multifocal/indutivo/dedutivo/abstrato. Como é difícil explicar a imaginação e o pensamento antidialético, já que a explicação é frequentemente dialética, não poucos deles foram tachados de loucos, insanos, estranhos.

Einstein não brilhou nos bancos escolares e nem como professor universitário. Suas notas sem destaques e sua oratória frágil eram expressão solene das dificuldades de produção dialética. Foi trabalhar numa firma de patentes para sobreviver, um lugar que poderia ter sido um cemitério para sua inteligência.

Mas algo, que certamente já havia se iniciado anos antes, aconteceu naquela firma de patentes: ele se sentiu instigado, provocado, perturbado por pensamentos antidialéticos. Seu Eu exercitava continuamente essa forma rebelde e transgressora de pensar, embora não tivesse conhecimento científico sobre ela. Saía das raias do pensamento linguístico, imaginava-se sentado num raio de luz e observava o que acontecia com o tempo e o espaço. Loucura? Sim, loucura de um Eu que libertou sua imaginação, insanidade de um pensador. Não é sem razão que intuitivamente acertou ao dizer que a imaginação é mais importante do que a informação.

Quem usa excessivamente o pensamento dialético pode repetir conhecimentos, aplicá-los com sucesso, mas raramente os criará. Professores, executivos, arquitetos, psicólogos, médicos etc. que são demasiadamente lógicos, dialéticos, encolhem sua criatividade, veem o mundo unifocalmente e não multifocalmente. Libertar o imaginário é essencial em todas as atividades profissionais. Até mesmo nas relações amorosas a imaginação é fundamental. Casais excessivamente lógicos começam com beijos e flores e terminam digladiando-se num ringue.

É provável que Einstein, logo após se formar, tivesse, em termos quantitativos, menos conhecimento do que a maioria dos físicos e matemáticos da atualidade. Não é a quantidade de tijolos que determina a beleza e a sofisticação de uma construção, mas a inventividade do engenheiro ou do arquiteto. Com 27 anos, ainda imaturo, o jovem Einstein produziu os pressupostos básicos da Teoria da Relatividade.

Os erros da educação mundial

O Eu não sabe como exatamente lê a memória. Não tem consciência de como os pigmentos emocionais e intelectuais (pensamentos essenciais) são formados nem como são construídos, a partir deles, os pensamentos dialético e antidialético. São processos completamente inconscientes. Apesar disso, manipula com destreza incrível fenômenos que estão além de seus limites de compreensão.

Um exemplo: tente sair de olhos vendados de onde está e sem nenhuma ajuda procure encontrar a casa de um amigo num bairro do outro lado da cidade. Realize essa tarefa sem esbarrar em nenhuma parede, carro ou pessoa. Uma tarefa impossível, não é? No entanto, entramos na cidade da memória, que é mais complexa que todas as cidades juntas, e encontramos endereços em bairros completamente distintos dos tijolos que constituem nossos pensamentos conscientes; e sabemos como juntar e reorganizar esses tijolos em frações de segundos. Só não fica deslumbrado com essa cadeia de fenômenos quem nunca desenvolveu um raciocínio abstrato mínimo para penetrar em camadas mais profundas da mente.

Quem se arriscar a entrar em seu psiquismo ficará assombrado com a complexidade que existe ali. Terá vontade de conversar com as pessoas nas ruas, explorar o inimaginável mundo psíquico. Verá que todos, inclusive mendigos, doentes mentais e anônimos sociais são seres humanos fascinantes, planetas incríveis a ser explorados. Você tem essa vontade? Eu jamais perdi essa vontade. Acho que cada ser humano esconde segredos admiráveis, mesmo quando tropeça, claudica e recua. Escrevi o livro *O Vendedor de Sonhos* sob essa perspectiva. O livro conta a história de um multimilionário que perde tudo e sai à procura de si mesmo. Nessa trajetória encontra os miseráveis da sociedade e fica simplesmente deslumbrado com cada um deles.

A mídia está doente; exalta uma minoria em detrimento da complexidade da grande maioria. Induz a formação de um Eu que se deprecia, perde a própria órbita e se torna facilmente manipulável. Os ditadores precisam do culto à celebridade, mas uma sociedade saudável precisa de mentes livres.

Capítulo 15

A TIM e sua aplicação na sociologia: as dificuldades do gerenciamento do Eu

Uma espécie que tem dificuldades para ser viável!

Você nunca se perguntou o que nos leva, os seres humanos, cuja característica mais definitiva é a finitude, a agir insanamente como se fôssemos imortais, supra-humanos? Nosso cérebro grita que somos extremamente limitados fisicamente, através de dores de cabeça, dores musculares, taquicardia e outros sintomas, mas não ouvimos sua voz. Vivemos perigosamente como se não corrêssemos riscos. Dormimos mal, tornamo-nos máquinas de trabalhar e resolver problemas, sem nos preocupar com a nossa saúde. Perdemos tempo valorizando ofensas, problemas que não produzimos, deixando-nos ser invadidos por estímulos estressantes.

Perturbo-me ao tentar entender por que numa existência brevíssima, na qual o tempo, tal qual um carrasco cruel, grita que em breve fecharemos os olhos para a vida, fabricamos armas. Por que há tantos homicídios? Fazemos guerras como se a vida fosse banal, embora todos saibamos que ela vale mais do que todo ouro do mundo. Muitos se julgam deuses e passam a vida excluindo minorias. Por que tantos praticam o *bullying* sem nenhuma compaixão e sem se dar conta de que diminuir, humilhar, ferir, zombar causa rombos emocionais às vezes irreparáveis? Por que se praticam atos terroristas? Por que há homens-bomba, incapazes de ouvir suas mais de três trilhões de células clamarem agonizantes para que preservem a própria vida?

A cada quarenta segundos uma pessoa morre pelas próprias mãos e a cada quatro segundos uma pessoa comete atos suicidas. Aumentamos, na era digital, em 40% o índice de suicídio entre jovens de 10 a 15 anos, uma fase de explosão hormonal que deveria ser irrigada com prelúdios, aventuras, conquistas. Nenhum suicida quer de fato morrer, excluir-se do teatro da existência, o que querem é estancar a dor. Por que o Eu não consegue ser líder de si mesmo nos focos de tensão, por que se torna tão autodestrutivo a ponto de atentar contra a própria existência, quando no fundo tem sede e fome de viver?

Por que os meios de comunicação estão manchados de notícias que veiculam sangue, mazelas, acidentes e teimam em não mostrar milhares de notícias encantadoras que acontecem todos os dias no tecido social? Por que os ganhos de audiência vêm na frente da necessidade de contribuir com a sociedade? Por que a exclusão social e a discriminação percorrem nossas artérias sociais desde os primórdios de nossa existência? O que há de errado com nossa espécie?

Será que as causas decorrem apenas das falhas do sistema educacional ou de problemas sociais como fome, pobreza, injustiças sociais, castração da liberdade, fundamentalismo político e religioso? Mas os ricos também cometem atrocidades. Há intelectuais que também agem como deuses, controlando seus pares. Há religiosos que, destituídos de generosidade, também não respeitam os diferentes. Há filósofos humanistas que chafurdam na lama do egoísmo e punem pessoas inocentes quando estão sob tensão. Talvez existam nos bastidores da mente humana alguns fenômenos que, quando não compreendidos e não utilizados adequadamente, nos tornam carrascos de nós mesmos, predadores de nossa própria espécie, autoagiotas e autoflagelados. Essa é uma questão gigantesca, e pensar sobre ela talvez seja uma das mais importantes contribuições da Teoria da Inteligência Multifocal.

Será que os fenômenos atuantes no funcionamento da mente humana e nos tornam *Homo sapiens* são tão difíceis de monitorar a ponto de nos tornar inviáveis? Será que há falhas no processo de construção de pensamentos que nos tornam algozes de nós mesmos? Pois bem, o que quero mostrar é exatamente isso. Muito provavelmente se Kant, Marx, Darwin, Nietzsche, Sartre, Comte, Freud ou Piaget compreendessem esses fenômenos ficariam perplexos. Teriam de revisar algumas nobres partes de suas notáveis teorias.

Competição predatória, violência social, *bullying*, discriminações, guerras, genocídios, suicídios, homicídios, transtornos psíquicos etc. são frutos de múltiplas causas sociais, mas também são decorrentes da complexidade dos fenômenos mentais que atuam em frações de segundo e que nos tornam *Homo sapiens*. Estudando esses fenômenos, podemos perceber que a mente humana é altamente sofisticada, e suas inúmeras armadilhas podem sequestrar o ser humano no único lugar em que ele deveria ser continuamente livre.

O que vou comentar neste capítulo resulta numa grande quebra de paradigmas na sociologia, nas ciências jurídicas, na psicologia e na educação. Somente uma educação profunda, não cartesiana e que extrapole os limites da educação cognitiva, que chamei de educação socioemocional, pode abrandar, educar e domesticar os "fantasmas" mentais. Precisamos de uma educação na qual o Eu passe a ser gestor da mente.

Como abordo no livro *Gestão da Emoção*, se o Eu não assume seu papel de gestor psíquico, ele eleva facilmente o índice GEEI (gasto de energia emocional inútil); criamos um cérebro não sustentável que nos torna consumidores irresponsáveis de nossa energia vital. Tive o privilégio de ser o primeiro pensador a desenvolver o índice GEEI; seus altos valores atingem frontal e perigosamente quase todos os seres humanos das sociedades modernas.

O que é o índice GEEI? Ele mede o sofrimento por antecipação, a ruminação de perdas, as frustrações, a autocobrança, a necessidade neurótica de evidência social, a preocupação excessiva com a imagem social, o detalhismo, o perfeccionismo etc. Antes de o planeta ser sustentável, nosso cérebro deveria sê-lo. Mas do mesmo modo que espoliamos o planeta Terra, esgotamos o planeta cerebral.

Vamos investigar com mais detalhes os entraves da atuação do Eu como gestor psíquico e o que o leva a adoecer emocionalmente com facilidade e a desenvolver uma grande pauta de conflitos sociais.

As técnicas inadequadas do Eu como gerente psíquico

Quantos pensamentos relacionados ao futuro, que imprimem dramáticas preocupações, ou ao passado, que promovem marcantes culpas, são produzidos pela "fábrica" psíquica sem passar pelo controle de qualidade do Eu? Muitos. E que técnicas são normalmente utilizadas pelo Eu para qualificar os pensamentos e eliminar o lixo psíquico? As mais ineficientes e inadequadas. Não poucos excelentes professores ou psicólogos eficientes são incapazes de dar um choque de governabilidade em sua mente e se proteger.

As técnicas que o Eu usa frequentemente para administrar a psique e remover o lixo psíquico são as mesmas que nossos ancestrais usavam no início da civilização. Elas são frequentemente pouquíssimo ou nada eficazes. Vamos comentar algumas delas.

Tentar interromper a construção de pensamentos

É impossível para o Eu desligar e interromper a produção de pensamentos. A própria tentativa já é um pensamento em si. Além disso, o que é de uma engenhosidade sem precedente, não apenas o Eu lê a memória e produz pensamentos numa direção lógica e consciente, mas, como já estudamos, há outros fenômenos inconscientes, como o gatilho da memória e o autofluxo, que produzem cadeias de pensamentos, imagens mentais e fantasias.

A grande tese é: pensar não é uma opção do *Homo sapiens*, mas uma inevitabilidade. Pensar não é apenas um desejo consciente do Eu, é o fluxo vital da psique. As técnicas de meditação, de relaxamento ou de psicoterapia ajudam, mas não interrompem o processo. Mesmo no sono, quando o Eu tira férias, esses fenômenos permanecem extremamente ativos, criam personagens, ambientes e circunstâncias com performances tão realistas que podem nos fazer sorrir ou podem nos aterrorizar.

O gatilho da memória é o fenômeno que inicia o processo de interpretação. Ele abre as janelas, ou áreas de leitura do córtex cerebral, a partir de um estímulo físico, social ou psíquico e produz as primeiras reações, emoções, impressões, pensamentos.

Todavia, o gatilho da memória torna-se um problema para o Eu quando abre, em frações de segundo, uma janela *killer*. Essa classe de janelas sequestra e aprisiona o Eu, produz claustrofobia, fobia social, insegurança, reações impulsivas, angústias, falta de transparência, intolerância, radicalismo, individualismo.

O fenômeno do autofluxo ancora-se na janela que o gatilho abriu e começa a produzir inúmeros pensamentos e imagens mentais com dois grandes objetivos: entreter o *Homo sapiens* através de sonhos, inspirações, aspirações e prazeres mentais e alargar as fronteiras da memória, pois tudo que ele produz é novamente registrado. Esse fenômeno também se torna um sério problema para o Eu quando o domina ou controla. Ele pode, por exemplo, fomentar uma mente hiperacelerada e hiperpreocupada, expandindo os níveis de ansiedade. Estudaremos esse assunto quando discutirmos os mecanismos de formação do Eu.

Quantas vezes nosso Eu tenta não pensar numa pessoa que o ofendeu, mas falha em seu intuito? Essa falha ocorre porque o gatilho da memória abriu uma janela do córtex cerebral onde está arquivado o ofensor e sua ofensa. Em seguida, o fenômeno do autofluxo se ancora nessa janela e constrói milhares de pensamentos e imagens mentais relativos a ela. Se o Eu for ingênuo e permanecer como mero espectador desse processo, ele se alimentará de um prato psíquico produzido pelo inconsciente, o qual ele não elaborou e, ainda por cima, detesta. Esse é um dos mais notáveis mistérios do funcionamento da mente humana; ele demonstra que existe uma ponte entre o inconsciente e o consciente.

Concluindo, a técnica de interromper o pensamento é uma atitude infantil de um Eu que desconhece o planeta psíquico. O ser humano pode dirigir uma empresa ou uma nação, mas definitivamente não é fácil dirigir o planeta psíquico que, à semelhança do planeta Terra, nunca para de se movimentar, mas com um sério agravante, nem sempre segue a mesma órbita e costuma traçar rotas surpreendentes. Não reclame se você ou as pessoas que o rodeiam são imprevisíveis, ilógicas e complicadas. Isso se deve ao complexo e belo aparelho psíquico. O problema são os excessos.

Tentar desviar o pensamento ou se distrair

Tentar se distrair para não pensar em conflitos, frustrações ou inimigos é uma técnica muito popular, mas tão ingênua quanto ineficiente, pelo menos em muitos casos. Assistir a um filme quando se está tenso, tirar férias quando se está estressado, sair do clima agressivo são atitudes que podem aliviar o Eu. Até quando estamos de olhos fechados na cama, assaltados por algum pensamento perturbador, podemos sentir alívio ao abrir os olhos, pois as imagens do ambiente deslocam o território de leitura para outras janelas.

Desviar os pensamentos ou tentar se distrair para superar o estresse e os conflitos é a pérola das técnicas populares utilizadas pelo Eu. É a técnica mais usada por chineses, coreanos, russos, europeus, americanos. Mas ela tem baixo nível de eficiência. Infelizmente, milhões de pessoas que foram vítimas de *bullying*, sofreram perdas, traições e rejeições ou atravessaram crises de depressão ou ansiedade tentaram usar essa técnica e falharam.

Há complexas causas, com diversas subdivisões, que justificam essa ineficiência. Para compreendê-las, temos de analisar as áreas que estão no epicentro do funcionamento da mente e que dificultam o gerenciamento psíquico.

As janelas duplo P

O alto poder de algumas janelas estruturais da memória, em especial as janelas *killer* duplo P, dificultam o gerenciamento do Eu e impõem a ele modos ineficientes de escrever sua própria história. Janelas *killer* duplo P são tão traumáticas que têm duplo poder: poder de atração do Eu e poder de agregação de novas janelas.

O poder de atração é a capacidade de fixar o Eu; o poder de agregação é a capacidade de agregar novas janelas ao redor de seu núcleo, formando plataformas.

Quando há uma janela *killer* solitária, chamo-a de janela pontual ou puntiforme; quando há uma plataforma de janelas, temos uma zona de conflito. As zonas de conflito podem financiar espontaneamente uma característica da personalidade. As pessoas expressam irritabilidade, impulsividade, afetividade, tolerância, ponderação ou radicalismo porque possuem essas plataformas de janelas. Para um trauma ser capaz de adoecer alguém, ele tem de gerar uma zona de conflito, ou seja, agregar inúmeras janelas ao redor do núcleo de uma janela *killer* duplo P.

As janelas *killer* duplo P têm alto poder de ancoragem. Elas ficam no epicentro da memória. Quando o Eu faz um mínimo mergulho introspectivo, ele as encontra em meio a centenas de milhares de janelas. O poder de capturar o Eu dessas janelas é como o de um buraco negro, que atrai, com sua altíssima força gravitacional, planetas e estrelas que estão a seu redor.

Veja um exemplo: um garoto de 6 anos foi zombado na escola por um adolescente na frente de outros meninos por ter um pênis pequeno. Ficou chateado, sentiu-se diminuído, humilhado. Vivenciou o *bullying*, e o fenômeno RAM (registro automático da memória) arquivou de maneira privilegiada a experiência dolorosa como uma janela *killer* duplo P. Passado certo tempo, nunca mais encontrou seu agressor, mas isso não era necessário para continuar enfermo.

Essa janela sequestrou seu Eu inúmeras vezes, gerando ideias constrangedoras e agregando novas janelas, tornando-se uma zona de conflito. Não conseguia mais ir ao banheiro confortavelmente. Achava que os outros garotos estavam observando e zombando dele. O tempo passou, mas toda vez que precisava fazer um exame médico, entrar num banheiro de aeroporto ou de restaurante, abria justamente a janela duplo P e ficava perturbado. Só conseguia urinar se estivesse totalmente sozinho. Até suas relações sexuais perderam a espontaneidade e ficaram comprometidas.

Lembro-me de um caso interessante e hilário. Um homem me disse que toda vez que ia urinar dava um pulinho. Eu nunca tinha visto isso. Pedi que contasse a história de sua infância; finalmente chegamos a um ponto em que compreendemos a origem daquele comportamento. Quando menino, ele estava urinando num terreno baldio, aliviando prazerosamente sua bexiga, quando de repente um cachorro veio por trás dele e latiu raivosamente. O menino interrompeu o jato de urina e deu um pulo. Ele registrou na mesma janela o prazer de urinar e o medo do cão. A partir daí, toda vez que ia urinar, seu Eu ancorava naquela janela e reproduzia o comportamento, dava um pulinho. Isso parece engraçado e nesse caso não gerou um trauma grave, mas em muitos casos formam-se extensas áreas de janelas traumáticas que geram graves acidentes psíquicos e sequestram o Eu, tornando-o vítima de sua história.

Todas as escolas do mundo deveriam ensinar esses processos a seus alunos. O Eu tem o direito de obter conhecimento sobre os mecanismos básicos da própria formação e das emboscadas que podem aprisioná-lo; só assim poderá desenvolver habilidades para se proteger, amadurecer, tornar-se resiliente. Caso contrário, esperaremos as pessoas adoecerem para depois tratá-las. Nada mais injusto.

O registro na memória não depende do Eu

Nos computadores, temos controle da qualidade do registro das informações. O Eu é o deus da memória dos computadores; ele arquiva o que bem entende. No córtex cerebral, o Eu não tem essa liberdade. O arquivamento não está sob sua responsabilidade, é feito involuntária e inconscientemente pelo fenômeno RAM. Nunca esqueça que seu Eu não seleciona o que quer registrar.

Há muitas pessoas, inclusive pesquisadores, que já ouviram falar do fenômeno RAM, mas ainda insistem na técnica errada. Tudo que você ansiosamente evita será arquivado intensamente. Saber disso é fundamental para que o Eu aprenda a operar certas ferramentas e a não agir estupidamente. Uma pessoa foi caluniada injustamente. Odiar o caluniador asfixia o Eu, forma janelas duplo P que o escravizarão. Compreendê-lo, considerá-lo imaturo, dar desconto a ele e não gravitar em sua órbita, ainda que o caluniador não mereça, alivia o caluniado, liberta-o, recicla as janelas da memória.

Um Eu maduro dá aos outros o direito de abandoná-lo ou criticá-lo, um Eu imaturo tem ataques de raiva quando isso acontece. Parece um herói, mas é um péssimo dirigente de sua psique, vende sua tranquilidade por um preço vil. A que preço você vende sua tranquilidade? Você dá às pessoas o direito de o contrariarem? É extremamente relaxante não ter a necessidade de ser perfeito ou inatacável.

Infelizmente, os alunos ficam anos nas escolas e saem sem que o Eu deles aprenda as técnicas básicas para promover a liberdade psíquica. Eles estudam sobre os escravos do passado – as loucuras cometidas por reis que venceram guerras e dominaram com mão de ferro os vencidos ou a insanidade dos senhores de engenho que escravizaram os negros –, mas continuam escravizados por eles mesmos no território da emoção.

O suicídio é uma das formas de cárcere psíquico e, como eu disse, está aumentando nas sociedades de consumo, nas quais as pessoas vivem marcadamente solitárias. Falamos o trivial, mas não o essencial, sobre nós mesmos. Se o Eu aprendesse a criar pontes com os outros e consigo mesmo, os índices de suicídio despencariam. Se o Eu deixasse de ser passivo e aprendesse a gritar e discordar dos pensamentos perturbadores e das emoções angustiantes, certamente formaria janelas *light* que iluminariam suas habilidades e o tirariam da condição de servo.

Um Eu passivo e frágil é pior do que uma grave doença psíquica. Não é recomendável gritar fora de nós, mas é recomendável fazê-lo dentro de nós.

Não é possível apagar os arquivos

O Eu tem muitas habilidades, mas não tem o poder de apagar os arquivos da memória. Ele desconhece o endereço das janelas traumáticas no córtex cerebral, porque penetra na cidade da memória no escuro, sem mapa ou orientação espaço-temporal. Elas estão pulverizadas em múltiplos bairros do córtex cerebral.

Mesmo que o Eu soubesse exatamente onde estão arquivados as fobias, o humor depressivo, as apreensões, a raiva, a timidez, o ciúme, os sentimentos de inferioridade, os comportamentos autopunitivos, ele não teria ferramentas físicas para apagar os arquivos. Nos computadores, você apaga o que bem entende, mas na sua memória nunca.

Essa falta de ferramenta é tanto uma grave limitação como uma grande proteção. Já pensou se você pudesse apagar as pessoas que o aborrecem? Num momento, seus filhos, parceiro ou parceira deixariam de participar de sua história; em outro, decepcionado consigo mesmo, você se apagaria, mataria sua história, voltaria a ser um bebê. Nenhum ser humano é maduro o suficiente para usar com sabedoria uma ferramenta assim.

Muitos intelectuais, desconhecendo o funcionamento da mente e os papéis básicos do Eu, tentam deletar os arquivos da memória. São cultos no mundo social, mas toscos e frágeis no mundo psíquico. Lembro-me de um filósofo que tinha certeza de que os professores de sua universidade conspiravam contra ele. Seu Eu, no começo de sua doença, queria se livrar das ideias paranoicas, extingui-las ou esquecê-las. Ele passou anos tentando deletar o inapagável. E quanto mais tentava, mais entrava nas janelas *killer*, mais seu Eu sentia-se perseguido, mais expandia seu trauma e mais dava crédito às pessoas que falavam mal dele. Usou uma função inadequada do Eu e adoeceu muito.

Grande parte do esforço que executivos, médicos, psicólogos e pacientes fazem para se livrar de seus focos de tensão (inimigos, desafetos, dificuldades) não tem grande eficácia. Só conseguem adoecer mais ainda, formando janelas duplo P que os aprisionam e ampliam as zonas de conflito. Colocam, desse modo, mais combustível nos fantasmas que os assombram. Você nutre os seus fantasmas?

Quanto mais uma pessoa que foi traída tenta anular a pessoa que a traiu, mais raiva sentirá e, consequentemente, mais a traição será arquivada no centro de sua memória. Quanto mais uma pessoa tenta esquecer a crise financeira que atravessa, mais penetrará nas janelas que financiam sua hiperpreocupação, mais se perturbará, perderá o sono e descarregará a ansiedade no corpo físico, gerando sintomas psicossomáticos. Essas defesas do Eu não apenas são ineficientes, mas também aumentam os níveis de estresse.

Uma mente complicadíssima

Qual seria sua reação se, ao dirigir seu carro, você virasse à esquerda e ele se movesse para a direita? Você ficaria completamente confuso. E se quisesse desacelerar o carro e ele, em vez disso, fosse ainda mais rápido? Talvez você entrasse em pânico. Lembro-me de que uma grande empresa automobilística fez um *recall* de dezenas de milhares de seus carros nos Estados Unidos. O acelerador emperrava, fazendo com que os proprietários não tivessem controle da velocidade. Uma mulher, ao depor no congresso americano sobre esse defeito, relatou aos prantos o pavor que sentiu.

Esse fenômeno, que num automóvel parece mais com um filme de terror, acontece frequentemente na mente humana. Quantas vezes você quer frear ou desacelerar seus pensamentos e não consegue? Quantas vezes queremos negar ou esquecer nossos pensamentos angustiantes, mas nosso Eu se sente impotente?

Não é fácil dirigir a mente, ela é muito mais complexa que qualquer empresa, aeronave, computador ou máquina que o homem já produziu ou produzirá. É possível ser um executivo altamente eficiente e inovador, que administra milhares de funcionários, que sabe qualificar seus produtos e serviços e que leva sua empresa a lucrar todos os anos bilhões de dólares e, ao mesmo tempo, ser péssimo dirigente da própria mente e manter a emoção à beira do colapso: fatigada, exaurida, instável, lábil, irritadiça, com baixíssimo limiar para a frustração.

Para ser líder de si mesmo o Eu usa pensamentos conscientes

Para gerenciar sua mente, o Eu usa mais os pensamentos dialéticos e antidialéticos, que são de natureza virtual, do que os pensamentos essenciais, que são de natureza real. Não podemos nos esquecer de que são os pensamentos dialéticos que formam a consciência humana. Precisamos compreender as limitações do Eu para entender suas potencialidades. O Eu faz a ponte entre o virtual e o real, entre os pensamentos (virtuais) e as emoções (reais), entre as ideias (natureza virtual) e as vontades (natureza real).

Como o virtual pode atuar no real? Como a consciência virtual pode atuar na realidade essencial intrínseca dos processos de construção da inteligência, por exemplo, o processo de transformação da energia emocional? Através do Eu. Como os pensamentos dialéticos e antidialéticos podem transformar as emoções? Através do Eu, substancializando os pensamentos virtuais. Por exemplo, você imaginou que um ladrão o está espreitando. O ladrão é um pensamento, uma criação virtual de sua mente. Mas o Eu, se der crédito, materializará o pensamento virtual em sua emoção essencial, concreta. O medo, então surgirá. Essa materialização ultrapassa muitas vezes os limites da lógica. Por isso, sofremos por antecipação ou fazemos o velório antes do tempo.

Os pensamentos conscientes (dialéticos e antidialéticos) têm uma dificuldade intransponível de materializar intrapsiquicamente sua intencionalidade. Na realidade, os pensamentos conscientes, ao contrário do que pensamos, não atuam por si mesmos na essência da energia psíquica; eles apenas criam um ambiente consciente, um ambiente dialética e antidialeticamente iluminado para que o Eu administre inconscientemente o processo de leitura da história intrapsíquica e das matrizes de pensamentos essenciais. Esse mecanismo é um dos mais complexos e importantes da inteligência humana.

Embora seja paradoxal e difícil de entender, usamos os pensamentos dialéticos, que são conscientes e virtuais, para administrar os pensamentos essenciais, que são inconscientes e essenciais, e que estão na base da construção dos próprios pensamentos dialéticos. Quando entro numa sala para realizar algumas tarefas, a luz do ambiente permite que eu me locomova e realize essas tarefas.

A luz não foi responsável pela realização das tarefas, mas criou um ambiente propício para que elas fossem realizadas. Esse exemplo, embora deficiente, pode demonstrar o trabalho do Eu. Os pensamentos dialéticos e antidialéticos, embora não se materializem na realização das tarefas psicodinâmicas, criam um ambiente consciente para que o Eu leia a memória e realize suas tarefas psicodinâmicas inconscientes.

A dificuldade intransponível da materialização intrapsíquica dos pensamentos dialéticos faz com que o Eu não exerça uma grande liderança administrativa sobre os processos de construção do mundo intrapsíquico, como exerce sobre os processos de construção do mundo extrapsíquico. O que se materializa psicodinamicamente não são os pensamentos conscientes, mas os pensamentos essenciais inconscientes.

Os pensamentos essenciais se materializam e atuam psicodinamicamente com mais eficiência no córtex cerebral e, consequentemente, no sistema motor, do que no próprio campo de energia psíquica. Podemos coordenar cada movimento muscular, que tem milhões de detalhes metabólicos, por causa da eficiente materialização das matrizes dos pensamentos essenciais no córtex cerebral, mas não temos a mesma eficiência de materializar os pensamentos essenciais para administrar nossas emoções e modificar nossa angústia, dor ou ansiedade. O resultado é que o homem sempre foi um grande líder do mundo extrapsíquico, mas nunca o foi do mundo intrapsíquico.

A substancialização dos pensamentos

O Eu nem sempre consegue fazer com que o processo de transformação da energia emocional, bem como os outros processos de construção da inteligência, submeta-se diretamente a sua liderança. Se houvesse uma liderança plena sobre o processo de transformação da energia emocional, os problemas relacionados ao sofrimento psíquico (angústias, humor deprimido, tensão, desespero, solidão, farmacodependência) estariam resolvidos. Os psiquiatras e psicólogos estariam desempregados. Se o Eu fosse senhor pleno da emoção, os conflitos psicossociais (sofrimento decorrente de discriminação, perda, ofensa pública, exclusão social) também estariam resolvidos, pois todo ser humano viveria num oásis de prazer, livre de suas misérias extrapsíquicas.

O Eu também não é muito eficiente ao atuar na história intrapsíquica arquivada na memória. A história intrapsíquica guarda os segredos inconscientes e conscientes do processo existencial. A impotência em gerenciar o registro e a leitura automática da história intrapsíquica representa uma importante proteção contra a destruição socioeducacional e a autodestruição da história intrapsíquica.

O Eu não pode apagar nem destruir as RPS registradas na memória. No máximo – e esse é o seu papel fundamental no gerenciamento da história intrapsíquica –, ele pode reciclar criticamente essas RPS, produzindo ideias críticas sobre o processo de interpretação e analisando os estímulos que geraram essas RPS.

O gerenciamento inicial criará novas RPS, que por sua vez alterarão a qualidade da história intrapsíquica, que, lida pelos fenômenos inconscientes, gerará novas cadeias psicodinâmicas de matrizes de pensamentos essenciais, novas transformações da energia emocional e novas cadeias psicodinâmicas virtuais de pensamentos dialéticos e antidialéticos. Há muito o que dizer sobre esse assunto, pois podemos extrair dele importante conhecimento psicológico e filosófico.

O ser humano, que é senhor do mundo em que está, é pouco senhor do mundo que ele é. Se fôssemos senhores do mundo que somos, certamente faríamos uma grande faxina intelectual em nossa mente; até mesmo os psicopatas fariam isso. Quantos pensamentos, ideias, recordações, fantasias, angústias, humores deprimidos, sentimentos de solidão iríamos querer deixar de produzir. Contudo, eles são produzidos independentemente da determinação do Eu.

A revolução das ideias independe do Eu; ela é financiada, principalmente, pelo fenômeno do autofluxo e pela âncora da memória. Nós todos gostaríamos de parar de sofrer por antecipar situações futuras ou ruminar situações passadas, certo? Ou, ainda, parar de pensar sobre o que os outros pensam e falam de nós e sobre problemas sociais e profissionais. No entanto, frequentemente nos sentimos incapazes de controlar plenamente o universo psíquico.

Temos de revisar nossos dogmas

Temos de começar a revisar os paradigmas intelectuais das teorias da personalidade e compreender que a inteligência não é unifocal nem unidirecional; ela é multivariável. A construção de pensamentos se dá por meio de diversos fenômenos e está sujeita a complexos processos de cointerferências, que são difíceis de administrar. O gerenciamento da capacidade de pensar é, assim como a própria construção de pensamentos, microdistinto em cada momento da existência.

Temos de usar procedimentos de investigação, derivados da busca do caos intelectual, para compreender a leitura e a construção dos pensamentos. Não adianta usar jargões psicológicos simplistas para explicar por que o ser humano não tem pleno controle sobre a produção de pensamentos. É simplificar e generalizar demais dizer que isso se deve ao fato de ele sofrer de neuroses, de conflitos psíquicos, de transtornos obsessivo-compulsivos, de estresse. É preciso ir além.

Os diagnósticos na psiquiatria são úteis para traçar caminhos farmacoterapêuticos e psicoterapêuticos, mas também podem funcionar como véus que encobrem nossa inteligência e ressaltam nossa dificuldade de compreender os segredos da mente. Mesmo que houvesse um homem dotado da mais plena sanidade intelectual, ele não exerceria pleno controle sobre sua mente, sobre a construção de seus pensamentos, sobre a transformação de sua energia emocional.

Se não compreendermos, ainda que parcialmente, os complexos processos de construção de pensamentos e de formação da consciência existencial, não chegaremos a entender nem mesmo como o autoritarismo das ideias e a ditadura dos discursos teóricos são utilizados, não só por ditadores políticos, preconceituosos e pessoas que respiram discriminação, mas por todos nós em nossas relações interpessoais.

Quando abordo as limitações do Eu, não estou dizendo que ele não seja responsável por nossas atitudes não humanistas, destrutivas ou autodestrutivas. Se ele consegue estabelecer, ainda que parcialmente, os parâmetros das realidades extrapsíquica e intrapsíquica, torna-se responsável, pois toma consciência da construção de pensamentos iniciada pelo gatilho da memória ou pelo autofluxo. Nesse caso, ele passa a ter condições de gerenciar os processos de construção de pensamentos e o consequente comportamento humano.

É mais fácil explorar o planeta físico do que o psíquico

O comportamento humano, que é a manifestação dos pensamentos, é mais fácil de ser controlado do que os próprios pensamentos. Em relação ao gerenciamento dos pensamentos, não vale de nada o desejo de fazer uma impossível faxina intelectual, ou seja, eliminar os pensamentos débeis, o importante é ter consciência crítica deles, reciclá-los, desorganizá-los e descaracterizá-los intelectualmente.

É mais fácil o *Homo sapiens* conquistar os territórios do mundo que o circunda do que conquistar os territórios do mundo que ele é. É mais fácil o homem explorar o universo do que seguir a trajetória do seu próprio ser. Por isso, humanismo, cidadania, democracia das ideias, análise multifocal, contemplação do belo, funções intelectuais nobres da inteligência, só serão de fato praticadas se houver um processo educacional de interiorização que estimule o ser humano a pensar, a desenvolver a consciência crítica, a expandir o mundo das ideias, a se tornar um pensador humanista.

Não podemos compreender a violação histórica dos direitos humanos e, consequentemente, propor soluções psicossociais humanistas, se não levarmos em consideração a construção dos pensamentos e os limites do Eu no gerenciamento da mente. Nas sociedades modernas, essas soluções são uma utopia, pois temos vivido um intrigante paradoxo intelectual: exploramos e conhecemos muito o imenso espaço e o diminuto átomo, mas exploramos e conhecemos pouco o mundo intrapsíquico, o nascedouro das ideias, as origens de nossa inteligência.

O gerenciamento do Eu inicia-se a partir da quinta etapa do processo de interpretação

Quem não consegue se esvaziar de suas verdades não consegue abrir as possibilidades do pensamento. O Eu não tem o poder de controlar as quatro primeiras etapas da interpretação nem a atuação do fenômeno da psicoadaptação, que ocorrem antes de sua formação e envolvem a leitura da história intrapsíquica pelo gatilho da memória e pelo autofluxo (primeira etapa); a formação das matrizes dos pensamentos essenciais históricos (segunda etapa); a atuação psicodinâmica dessas matrizes no campo de energia emocional e motivacional (terceira etapa); e o processo de leitura virtual que essas matrizes sofrem para gerar os pensamentos dialéticos e antidialéticos (quarta etapa). O Eu é formado na quinta etapa da interpretação, logo após a formação dos pensamentos dialéticos e antidialéticos.

Os processos espontâneos de construção dos pensamentos dialéticos e antidialéticos, financiados pelos três mordomos intrapsíquicos, dão-nos a impressão de que o Eu atua continuamente. Na realidade, a âncora da memória produz um grupo de informações para fornecer os subsídios que sustentam a consciência de quem somos num determinado momento existencial.

Quando estamos num determinado ambiente, numa escola, numa empresa, num ambiente frequentado por pessoas estranhas ou por pessoas de nossa intimidade, a âncora se desloca na memória selecionando um grupo de informações que nos identificam e identificam o ambiente.

Assim, ainda que não nos preocupemos em controlar as reações que devemos ter em determinado ambiente, mudamos o nosso comportamento automaticamente devido ao deslocamento da âncora da memória e, consequentemente, do grupo de informações que financiam a consciência instantânea, um acessório valioso do Eu.

Apesar de a consciência instantânea ser um acessório fundamental do Eu, paradoxalmente ela não é produzida nem administrada por ele, pelo menos não inicialmente, mas pelo deslocamento da âncora da memória, propiciado pelo gatilho da memória. Ficamos inibidos num ambiente público, mas somos espontâneos num ambiente familiar; somos brincalhões entre amigos e sérios nas reuniões de trabalho.

Essas mudanças de postura nem sempre acontecem porque programamos nossa inteligência para isso, mas devido à construção espontânea de cadeias de pensamentos dialéticos e antidialéticos que geram a consciência instantânea. Se temos a sensação de vazio intelectual ou ausência de memória é porque houve um deslocamento brusco da âncora da memória, causado por uma situação estressante ou pela influência de substâncias psicotrópicas. Esse deslocamento brusco causa a perda da consciência instantânea de quem somos, de onde estamos, do que fazemos ali.

Deslocamentos bruscos da leitura da memória

O deslocamento brusco da âncora da memória nos tira da órbita da consciência instantânea, desorganiza nossa identidade e compromete todo o processo de interpretação num determinado momento existencial.

O Eu não tem o poder de gerenciar os processos de construção da inteligência nas quatro primeiras etapas da interpretação. Depois que é formado, na quinta etapa, por meio da produção dos pensamentos dialéticos e antidialéticos, ele passa a ter condições para intervir nos fenômenos da inteligência, inclusive na consciência instantânea gerada pelo gatilho da memória e nos consequentes deslocamentos da âncora da memória. Esses mecanismos estão entre os segredos mais importantes da inteligência humana.

A liberdade criativa e a plasticidade construtiva dos pensamentos, gerenciadas pelo Eu, são sofisticadas e importantíssimas e têm de ser conquistadas nos territórios sinuosos da própria psique. Muitos são exteriormente livres, porque vivem em democracias políticas, mas são intrinsecamente prisioneiros dentro de si mesmos. Muitos têm sucesso social, econômico e profissional, mas não têm sucesso em desenvolver as funções mais nobres da inteligência, em expandir o mundo das ideias, em trabalhar focos de tensão, em administrar a ansiedade e as frustrações.

Dar um choque de gerenciamento na ansiedade, reinventar-se diante das crises, adaptar-se às constantes mudanças, transformar perdas em ganhos, filtrar estímulos estressantes, libertar o imaginário nos focos de tensão, tudo isso exige solene aprendizado e técnicas muito mais complexas do que as utilizadas para pilotar grandes aeronaves. A aeronave mental é mais complexa do que milhares de aeronaves interligadas. No próximo capítulo estudaremos a mais insidiosa síndrome, a do circuito fechado da memória, uma síndrome que tem grandes implicações para a psicologia, a pedagogia e a sociologia.

Alguns querem ser os mais ricos de um cemitério. Nada tão irracional. Tiveram sucesso financeiro, mas não sucesso emocional. Outros têm a necessidade neurótica de poder. Nada tão viciante. São escravos do poder, nunca o abandonam, vivem entrincheirados, não sabem descansar, sair de cena, fazer as pazes com a saúde. Pessoas inteligentes também reagem estupidamente, pessoas calmas também têm seus ataques de irritabilidade. O que ocorre dentro de nós para sermos tão ambíguos?

Há uma batalha intrínseca e subliminar em nosso cérebro: os instintos querem prevalecer sobre o pensamento, o animal quer controlar o racional, o *Homo bios* quer dominar o *Homo sapiens*. E no meio desses conflitos aparece o Eu para apaziguar os ânimos. Vamos, portanto, continuar a ver as enormes dificuldades que o Eu tem para gerenciar a psique. Talvez entendamos por que precisamos de novos conceitos educacionais que nos ajudem a ser uma espécie minimamente viável.

Capítulo 16

Síndrome do circuito fechado da memória e síndrome do pensamento acelerado: o jogo entre o *Homo sapiens* e o *Homo bios*

Emoção, um veículo desgovernado: acidentes inevitáveis

Somos uma espécie belíssima, poética, mas estranha e, por vezes, superficial e estúpida. Temos o privilégio de pensar e ter consciência existencial, mas não honramos esses insondáveis privilégios. Para dirigir um veículo, somos treinados à exaustão e avaliados. Só depois temos direito a uma carteira de habilitação. Mesmo assim, se ultrapassarmos o limite de velocidade, invadirmos a faixa de pedestre ou se trafegarmos por uma via proibida, seremos advertidos e multados. Mas não passamos por qualquer treinamento para dirigir o veículo da emoção, e para nosso espanto nem a psiquiatria nem a psicologia nem a sociologia nem a psicopedagogia se dão conta disso. As ruas e avenidas das relações interpessoais estão repletas de curvas imprevisíveis, relevos acidentados, buracos perigosos, mas não nos ensinam a trafegar nelas.

Deveria haver escolas para habilitar os seres humanos a gerir a emoção, preservar a integridade psíquica, não gastar energia emocional inutilmente e proteger a mente como sua mais valiosa propriedade.

Os limites para nosso comportamento são os determinados pelos direitos humanos, garantidos pela constituição de nosso país. Mas a lei é cega e completamente falha no que diz respeito ao território da emoção. Eu posso me punir, chafurdar na lama do ciúme, me embriagar de inveja e de sentimentos de vingança, me atropelar e atropelar os outros a duzentos quilômetros por hora com meu veículo emocional, enfim, posso infringir todas as regras sem nunca receber uma única advertência. Posso ser indiferente à minha parceira ou ao meu parceiro, posso eliminar radicalmente o diálogo com meus filhos e ter a necessidade neurótica de mudá-los, enfim, posso atropelar quem mais amo e simplesmente ninguém se importará com isso, a não ser aqueles que sofrem com meus erros.

A lei simplesmente não pune os gravíssimos acidentes provocados pelo Eu e, tampouco, os prevê. Não estou dizendo que deveríamos ser controlados por um sistema de monitoramento social ou judiciário, mas estou bradando convictamente que, na era da democracia, a escravidão não terminou, apenas mudou de endereço; que deveríamos ser educados de modo inteligente e maduro para dirigir o veículo psíquico. Liberdade sem responsabilidade é cárcere disfarçado. Lembro-me de que um dos meus pacientes, um brilhante juiz federal, quase se atirou do alto de um edifício porque não conseguia proteger sua emoção e nem filtrar estímulos estressantes. Sua emoção não tinha dono, era terra de ninguém, seu Eu não aprendera a ser gestor de sua mente nos focos de tensão. Pequenos problemas tinham um impacto muito grande sobre ele.

Você não permitiria que um estranho invadisse seu apartamento ou sua casa. Seria uma grave invasão de privacidade. Mas é provável que todos os dias permita que estímulos estressantes invadam o terreno de sua emoção. Algumas pessoas depositam lixo na porta de nossa mente e, ingênuos, colocamos o lixo para dentro. Pagamos caro por ofensas, críticas, olhares atravessados. Compramos o que não queremos. Não compraríamos um produto por um preço absurdo ou com prazo de validade vencido. Mas no mercado da emoção somos consumidores irresponsáveis. Não reclame dos outros. Os maiores vampiros que sugam nossa tranquilidade são produzidos por nós mesmos.

A dança do gatilho e das janelas da memória

Um dos fatos mais importantes sobre o processo de construção de pensamentos é que não só o Eu lê a memória e os produz; há três fenômenos inconscientes que realizam a mesma tarefa: o gatilho da memória, as janelas da memória e o autofluxo. O gatilho dispara milhares de vezes diante de um estímulo extrapsíquico (imagens, sons, toque, paladar) ou intrapsíquico (pensamento, imagem mental, fantasia, desejo). Em cada disparo ele abre as janelas da memória, levando-nos à interpretação imediata das palavras, dos gestos, das reações das pessoas, dos objetos e dos animais.

O autofluxo, por sua vez, lê a memória inúmeras vezes para gerar a maior fonte de deleite, prazer, entretenimento, inspiração, motivações possível. Sem ele, a humanidade viveria no tédio e haveria depressão coletiva. Se ele não for um bom engenheiro de pensamentos e emoções, as pessoas serão tristes, irritadiças e mal-humoradas mesmo que tenham todos os motivos para ser felizes. O autofluxo dessas pessoas ancora-se em múltiplas janelas *killer* e faz da história emocional delas um filme de terror.

É fundamental para o *coaching* emocional que entendamos claramente o primeiro ato do teatro mental: ele não é consciente, mas inconsciente; é produzido pelos magnos fenômenos do gatilho da memória e das janelas que ele abre. Só segundos depois, o Eu entra em cena e exerce ou deveria exercer seu papel de gestor da mente humana. Como ele não entra em cena, o autofluxo começa a ler a memória e se torna o diretor do *script* mental.

Como o Eu não é educado para entender que tudo começa pelos fenômenos inconscientes, ele não gere os pensamentos, não dá neles um choque de lucidez, não impugna, não confronta, torna-se consumidor irresponsável de tudo o que eles geram. Embarca como passageiro e não como piloto, fica plantado como espectador passivo assistindo aos pensamentos mórbidos, pessimistas, fóbicos, impulsivos que ele não produziu conscientemente. Como nosso Eu não faz *coaching* da gestão da mente, não é equipado para liderá-la, torna-se um fantoche, uma marionete dos fenômenos inconscientes.

Todos ficamos abalados ao saber do trágico acidente provocado por um copiloto alemão que, num ataque suicida e homicida, levou à morte mais de cem pessoas nos Alpes franceses. Esse fenômeno tão chocante ocorre com muita frequência na aeronave mental; claro, guardadas as devidas proporções. O copiloto do Eu pode fechar o circuito da memória no primeiro ato da construção de pensamentos, levando-o a ser escravo da claustrofobia, à perda de memória diante de uma plateia, a reações violentas, à autopunição. O gatilho da memória arma um complô vital para que possamos interpretar instantaneamente milhares de estímulos diários, mas ele pode seguir uma carta de voo perturbadora, encerrando-nos em masmorras.

Seu Eu não está pilotando a aeronave mental sozinho. Há copilotos importantes. Em muitos momentos, eles dominam a aeronave mental, mas eles não podem controlar o Eu; se conseguem, provocam acidentes gravíssimos.

A síndrome do circuito fechado psicoadaptativa (SIFE-p)

As bases do mais excelente *coaching*, seja de gestão do tempo ou da carreira, de qualidade de vida ou de relacionamentos, têm de contemplar a mais insidiosa síndrome, uma síndrome que quase inviabiliza a espécie humana, responsável por guerras, discriminação, exclusão social, suicídio, homicídio, atos violentos de todas as ordens. Estou me referindo à síndrome do circuito fechado da memória *killer* e psicoadapativa.

A síndrome do circuito fechado psicoadaptativa (SiFe-p) está ligada intrinsecamente ao fenômeno da âncora da memória. Pessoas com grande potencial intelectual limitam esse potencial por ancorar a leitura da memória em áreas restritas do córtex cerebral, o que dificulta a superação de limitações, a ousadia, o raciocínio complexo, o pensamento estratégico. A SiFe-p pode ser metaforicamente chamada de síndrome do apertador de parafuso. Representa o profissional que sempre faz a mesma coisa, sem saber que pode aperfeiçoar a máquina que usa ou reinventá-la. Enfim, são os executivos, profissionais liberais ou não, bem como os educadores que, apesar de poderem construir novas pontes, novos processos para realizar seu trabalho intelectual de maneira mais inteligente, rápida e eficiente e terem ganhos emocionais, sociais e financeiros mais expressivos, se aprisionam no cárcere da mesmice. Vivem chafurdando na lama do conformismo. Alguns são especialistas em reclamar, gastam energia inutilmente, não a usam para se reinventar.

Muitos que nunca estudaram o processo de construção de pensamentos e de gestão do Eu não sabem que a memória não apenas se abre por janelas, mas que também podemos fechar o acesso à leitura em algumas matrizes, alguns "bairros". Todos sabem que as drogas, como cocaína e heroína, viciam, mas saiba que a memória também vicia-se em determinados arquivos.

Profissionais liberais, como médicos, psicólogos, advogados, e colaboradores nos mais diversos cargos, nas mais diversas empresas, não entendem que, às vezes, sutilmente fecham o circuito da memória e, por isso, não conseguem ser impactantes, encantadores, proativos, recicladores do conhecimento. Vivem e acordam do mesmo modo. Caminham e reagem sempre tediosamente. Dão sempre respostas semelhantes aos mesmos problemas. Recordem os fenômenos emocionais vitais do *coaching* emocional para formar pensadores. Eles não andam fora da curva, têm medo dos ricos, não são apaixonados pelo conhecimento, não possuem qualquer intimidade com a arte da dúvida e das perguntas, detestam o caos e muito mais a solidão criativa. Não sabem ficar sós. Têm endereços, mas não encontraram o mais importante endereço, o da sua alma.

Provavelmente mais de 90% dos seres humanos nas sociedades modernas viciaram o processo de leitura da memória. Mas nem mesmo o conforto da mesmice está livre de acidentes. Uma pessoa que vive a síndrome do circuito fechado da memória psicoadaptativa pode ser um grande egoísta, só pensar em si, não perceber as lágrimas das pessoas a seu redor, não fazer quase nada para irrigar seus romances. A SiFe-p gera pessoas egoístas, individualistas, egocêntricas, totalmente acomodadas.

A síndrome do circuito fechado da memória *killer* (SIFE-*killer*)

Não entendemos o jogo de janelas da memória que ocorre nos solos do inconsciente. Não sabemos pensar antes de reagir. Somos especialistas em apontar falhas nos outros e fechar o circuito da memória. Temos dificuldade de libertar nossos filhos, alunos, amigos e colegas das fronteiras das janelas *killer*. Não os deixamos respirar o ar da liberdade.

As janelas traumáticas, ou *killer*, têm uma particularidade: levam a emoção a produzir um volume de tensão tão alto que bloqueia milhares de outras janelas, fechando, portanto, o acesso do Eu a milhões de informações e experiências que poderiam dar respostas inteligentes em situações estressantes. Você nunca se perguntou por que nossa espécie é ao mesmo tempo tão lógica e tão incoerente? Por que cultivamos flores e construímos armas de destruição em massa? Por que produzimos vacinas e fomentamos guerras? Por que religiões que financiam a solidariedade são usadas por pessoas inescrupulosas para excluir os diferentes?

Esses comportamentos contraditórios não se explicam apenas pelos erros, falhas, egocentrismo, individualismo humanos, mas também pela própria sofisticação do psiquismo. Uma mulher pode dirigir uma empresa com milhares de funcionários e pode se sentir totalmente segura de sua competência, mas quando vê uma barata pode perder drasticamente o autocontrole. Um executivo pode comandar com maestria uma equipe de centenas de gerentes, mas se tiver claustrofobia perderá seu ponto de equilíbrio ao entrar num elevador e poderá ter uma crise. Quando ocorre o fechamento do circuito da memória (SiFE-*killer*), capitaneado por uma janela traumática, o *Homo sapiens* deixa de ser pensante e se torna *Homo bios*, reage por instinto, reage sem pensar, tal qual um animal.

Precisamos entender a SIFE-*killer* e os acidentes graves e frequentes que ela causa. A memória não é um arquivo único, mas um emaranhado de milhares de arquivos interligados. Ao longo do processo de formação da personalidade, todos, inclusive as pessoas aparentemente "saudáveis", vivenciam experiências angustiantes, que são arquivadas em janelas especiais, que chamo de *killer*. Elas são armadilhas que aprisionam o Eu. Mas não são armadilhas visíveis no córtex cerebral, são invisíveis e sofisticadíssimas.

Vou lhe propor um teste. Imagine que eu lhe peça para se sentar num sofá numa sala escura. Vou colocá-lo para assistir a um filme de terror. Como você sabe, o filme é uma obra de ficção. Por trás de cada cena estão o diretor, os câmeras, iluminadores, maquiadores, figurinistas etc. Vou lhe garantir que houve nos bastidores muito humor e gargalhadas. O diretor zombou do ator, pedindo que ele repetisse várias vezes as cenas e afirmando que aquela interpretação não assustaria nem a uma criança. Portanto, vou lhe pedir que não tenha nenhuma reação de medo quando assistir ao filme. E você, depois de tudo o que eu lhe disse, promete não se assustar, dizendo que seu Eu administrará toda a emoção.

O filme começa. Minutos depois, num ambiente de penumbra, a porta range e subitamente um zumbi aparece. Você se assustaria? Muito provavelmente sim, ainda mais se não gostar desse gênero de filme ou se seu passado for permeado de fobias. Faça esse teste e você verá que tenho razão. Por que nossa emoção trai nossa intenção? Por que o Eu não tem pleno controle da mente nos focos de tensão? A resposta é uma das mais complexas no âmbito das ciências humanas. É tão importante que revela não apenas quanto nossa mente é sofisticada, mas também explica por que somos uma espécie que manchou toda sua história com erros crassos.

Vejamos. No primeiro ato do teatro mental não é o Eu que entra em cena, mas dois fenômenos inconscientes: o gatilho da memória (fenômeno da autochecagem) e a janela da memória. Eles operam em frações de segundo. Quer dizer que o Eu não é o único condutor da aeronave mental? Quer dizer que ele tem copilotos que podem dirigi-la sem sua autorização? Exatamente.

Grande parte de nossas loucuras não foram cometidas pela insanidade do Eu, mas por sua falta de governabilidade, porque ele não entrou em cena no segundo ato do teatro psíquico para retomar as rédeas da emoção. Não é uma tarefa simples, mas se torna quase impossível se não houver educação. No teste que lhe propus, quando a porta começa a ranger, o gatilho dispara e abre uma janela *killer*. O circuito da memória se fechou. Quando o Eu entra em cena segundos depois, ele já está amordaçado, sequestrado, asfixiado; não consegue acessar as informações para tomar o controle e se torna refém do medo. Só depois nosso Eu se dá conta da armadilha em que entrou. Somos reféns da ansiedade, da impulsividade, do mau humor, das fobias.

Um Eu que não se mapeia e não se reinventa

Toda vez que você altera o tom de voz, age impulsivamente, julga rapidamente, não se coloca no lugar dos outros, perde a paciência, é intolerante, você fecha o circuito da memória. Momentos depois você se arrepende, sente que carregou nas tintas, se precipitou, teve uma reação exagerada. Quem não tem consciência mínima, ainda que intuitivamente, de que fechou o circuito da memória não se arrepende; quem não se arrepende é sociopata.

Quem diz "Eu nunca me arrependo do que faço" ou é emocionalmente imaturo ou tem algum tipo de sociopatia. Os computadores jamais se arrependerão de seus comportamentos. Não tenha medo de se arrepender, tenha medo, isto sim, de se posicionar como um deus. Nos focos de tensão, quando se fecha o circuito da memória, a melhor resposta é não dar resposta. É ficar em silêncio proativo. Calamo-nos por fora, mas devemos gritar por dentro. Silenciamos a voz, mas por dentro exercemos a arte da pergunta, que é o princípio da sabedoria na filosofia.

Voltemos ao nosso teste. Se no ato da cena de terror, o Eu começasse a se bombardear de perguntas e questionamentos, provavelmente retomaria o gerenciamento da emoção. Quem está por trás da cena? Por que devo ser escravo do medo? Quantas vezes o diretor advertiu o ator? Desse modo, ele voltaria a escrever sua própria história.

Lembre-se de que nos focos de tensão, sejam eles quais forem, ofensas, traição, rejeição, perdas, conflitos sociais etc., o Eu é refém de dois fenômenos inconscientes, o gatilho da memória e as janelas *killer*. Não existem heróis. Se não aprendermos a gestão da emoção, sucumbimos. Portanto, a conclusão é que a gestão da emoção não pode ser superficial, exige conhecimento profundo dos bastidores do funcionamento da mente. Exige que possamos abrir o circuito fechado da memória e pensar antes de reagir. Exige que façamos a oração dos sábios, o silêncio proativo. Caso contrário, nos primeiros trinta segundos de tensão, cometemos os maiores erros de nossa vida.

Casais se separam, embora tenham vivido um lindo romance no passado. Pais perdem seus filhos, embora tenham lhes dado bens materiais, presentes e a melhor escola. Executivos são despedidos, embora tenham se sacrificado por sua empresa. Não basta amar; o amor tem de ser inteligente para ser sustentável. O amor inteligente requer que o Eu seja gestor da emoção, que entenda as armadilhas sutis da síndrome do circuito fechado da memória.

A síndrome do pensamento acelerado (SPA)

Pensar é bom, pensar com senso crítico é ótimo, mas pensar sem gerenciamento esgota o cérebro. Mas, como estudamos, é impossível interromper a construção de pensamentos. Quando não pensamos conscientemente, os outros três atores pensam por nós. Mesmo o mais profundo relaxamento não paralisa completamente a produção de pensamentos, apenas o desacelera. Reitero, pensar é saudável e inevitável, o problema é pensar excessiva e ansiosamente, gerando a SPA (síndrome do pensamento acelerado). Infelizmente, nossa mente tem se tornado uma fonte de preocupação, tensão e atividade.

Uma das grandes descobertas da Teoria da Inteligência Multifocal é que a velocidade excessiva do pensamento provoca uma importante síndrome: a SPA. Ela é uma bomba contra a saúde psíquica, a tranquilidade, a inventividade, a estabilidade emocional, o prazer de viver. Quem tem essa bomba na mente precisa aprender a desarmá-la, como ensino no livro *Ansiedade: como Enfrentar o Mal do Século*. Escrevi também uma versão *para filhos e alunos* por estar preocupadíssimo com a saúde emocional dos jovens.

Quem pensa excessivamente, sem qualquer gerenciamento por parte do Eu, pode sofrer um desgaste cerebral altíssimo, que gera uma grave sintomatologia. Você faz ideia de quantas pessoas têm essa síndrome? A maior parte da população das sociedades modernas: bilhões de pessoas. São mentes inquietas, que pensam descontroladamente, aumentando o índice GEEI, quer dizer, expandindo o gasto de energia emocional inutilmente. Mal estão resolvendo um problema, outros dez aparecem no teatro de suas ideias. Devemos estar alertas. A SPA aniquila a criatividade de cientistas, abate o ânimo de religiosos, destrona o poder de reis.

Muitas pessoas têm muitos motivos para sorrir, mas sua agitação mental as torna ansiosas, irritadiças e mal-humoradas. Não descansam, vivem fatigadas. Às vezes, têm um caráter nobre, são especialistas em resolver problemas dos outros, mas se autodestroem. Lideram o mundo exterior, de empresas a processos, mas são péssimos gestores de seus pensamentos.

Mentes aceleradas são mentes ansiosas

Não apenas o conteúdo ruim dos pensamentos é um problema que afeta a qualidade de vida, mas a velocidade dos pensamentos também o é. Tudo se complica quando os pensamentos são acelerados. Mesmo se o conteúdo for positivo, a aceleração dos pensamentos gera um desgaste cerebral intenso, que produz ansiedade e outros sintomas.

Podemos acelerar com vantagem tudo que há no mundo exterior: os transportes, a automação industrial, a velocidade das informações nos computadores; mas nunca deveríamos acelerar a construção de pensamentos. Infelizmente, mexemos na caixa preta da inteligência humana, causando grandes prejuízos e levando nossa mente a níveis de estresse perigosos.

O excesso de informações, o uso descontrolado de *smartfones*, internet e computadores, o excesso de trabalho, a paranoia do consumismo são grandes causas de expansão da ansiedade vital; estimulam o fenômeno autofluxo, o gatilho da memória e o Eu a lerem a memória numa velocidade absurda, gerando uma série de sintomas, gerando, enfim, a SPA.

A SPA tem níveis de gravidade. Ela se caracterizada por ansiedade, mente agitada, insatisfação, falta de concentração, inquietação, cansaço físico exagerado (acordar cansado), flutuação emocional, baixo limiar para suportar frustrações (pequenos problemas causam grandes impactos) e sintomas psicossomáticos (dor de cabeça, dor muscular, queda de cabelo, taquicardia, aumento da pressão arterial etc.). Um dos sintomas mais clássicos da SPA é o esquecimento, ou déficit de memória.

Talvez mais de 80% das crianças e adolescentes na era digital apresentem sintomas dessa síndrome. Infelizmente, em todo o mundo, médicos, psicólogos e psicopedagogos estão confundindo a hiperatividade com a SPA. Somente de 1% a 2% são hiperativos, têm fatores genéticos na base, o restante são crianças com uma mente acelerada por fatores psicossociais.

Mexemos na caixa preta do funcionamento da mente, causamos o assassinato coletivo da infância com videogames, celulares, consumismo. Os sintomas da SPA e da hiperatividade são frequentemente os mesmos, mas as causas e o tratamento são distintos. Não se deve tentar controlar a agitação de uma criança com SPA por meio de medicamentos. Elas precisam desacelerar, praticar esportes, pintar, tocar instrumentos, participar de atividades lúdicas, ter estreito contato com a natureza, ler. Elas precisam da história dos pais e professores como seus maiores presentes. Uma criança ou um jovem com hiperatividade precisa também dessas ferramentas.

Em mais de setenta países em que publico meus livros, alerto sobre essa síndrome epidêmica. Mas ainda estamos dormindo. Todos os professores no mundo sabem que, de vinte anos para cá, embora não entendam a causa, as crianças e os adolescentes estão cada vez mais agitados, inquietos, sem concentração, sem respeito uns pelos outros, sem prazer de aprender. A causa é a SPA.

Grande parte das pessoas acorda cansada porque gasta muita energia pensando, e o sono não consegue repor a energia na mesma velocidade. Por isso, o cérebro começa a gritar através de uma série de sintomas psicossomáticos, como dores de cabeça e nó na garganta. Mas elas não ouvem a voz do próprio corpo.

Os esquecimentos corriqueiros são um clamor positivo do cérebro nos avisando de que a luz vermelha acendeu, que estamos sem qualidade de vida, esgotados. Mas também não ouvimos esse grito. O esquecimento corriqueiro é uma proteção e não um problema, como muitos médicos pensam. O cérebro bloqueia certos arquivos da memória numa tentativa de diminuir o excesso de pensamentos produzidos pela SPA. Pense nisso! Uma pessoa muito estressada e com SPA pode gastar mais energia do que "dez" trabalhadores braçais. Sábio é o que faz muito gastando pouca energia, é quem diminui o índice GEEI.

Melhorar o desempenho intelectual

A SPA é o grande mal da humanidade. A depressão atinge no máximo 20% das pessoas, mas dificilmente um adulto não tem atualmente alguns dos sintomas que descrevi. A SPA causa uma série de transtornos, não apenas emocionais e físicos, mas também sociais. Muitos casais não cultivam seus romances devido à SPA. Profissionais comprometem seu desempenho devido a essa síndrome bloqueadora da criatividade. Um ambiente mental tenso, agitado e ansioso também pode ser responsável pela violência social, em que as pessoas não suportam contrariedades, têm déficit de paciência, pouco elaboram suas experiências e têm dificuldade para libertar seu imaginário.

De que adianta ser uma máquina de pensar e de trabalhar se perdemos as pessoas que mais amamos? Se não contemplamos o belo, não relaxamos, não temos uma noite de descanso maravilhosa? As pessoas que vivem sob a pressão de um trabalho intelectual excessivo, como executivos, médicos, psicólogos, advogados, professores, estão desenvolvendo níveis mais altos da SPA. O baixo limiar para frustração decorrente da SPA potencializa a síndrome do circuito fechado da memória. Pequenos problemas geram reações intensas.

As pessoas mais responsáveis no teatro social e profissional são frequentemente as mais irresponsáveis com sua saúde emocional, pensam muito nos outros, mas se esquecem de si. Os que são hiperpensantes não se fixam muito no presente, geralmente estão viajando para o passado ou para o futuro, o que asfixia a tranquilidade e o encanto pela vida. Muitos vivem em função dos problemas do passado. Algumas pessoas remoem seus erros, suas falhas, suas inseguranças e se culpam intensamente. A culpa controla seu prazer de viver e sua liberdade. Elas perdoam os outros, mas não sabem se perdoar, não dão trégua a si mesmas. São seus maiores algozes.

É fundamental equiparmos o Eu para gerir nossos pensamentos. Gastamos anos a fio, da pré-escola à pós-graduação, aprendendo detalhes do mundo de fora, mas não entramos em camadas mais profundas da emoção.

Um dia a ciência se convencerá de que os mesmos fenômenos que financiam o raciocínio lógico e a lucidez também constroem as ideias bizarras e o raciocínio incoerente; que os mesmos processos que produzem a saúde psíquica também produzem os transtornos mentais; que os mesmos instrumentos que produzem o relaxamento, quando estimulados exageradamente, também financiam uma mente agitada e ansiosa.

Gostamos de nos classificar como negros e brancos, intelectuais e iletrados, ricos e miseráveis, celebridades e anônimos, lúcidos ou psicóticos, mas no fundo, mais uma vez reafirmo, somos mais iguais do que imaginamos. Estudar a mente humana na perspectiva da construção de pensamentos e da formação do Eu revela que toda classificação é estúpida e desumana. Quando olhamos com atenção os fenômenos que atuam no processo de construção de pensamentos, chegamos à conclusão de que tanto a loucura como a lucidez são obras de artes inimagináveis do psiquismo humano.

A educação mundial está doente, formando pessoas doentes para uma sociedade doente. Ela não prepara o processo de formação do Eu para que as pessoas tenham consciência crítica, enxerguem-se de maneira complexa, não se diminuam nem se posicionem acima dos outros. Ninguém se torna um grande líder no teatro social se primeiramente não for líder no teatro psíquico.

Capítulo 17

A TIM e sua aplicação na educação: a formação de pensadores com mentes livres e emoção saudável

As escolas viciam o Eu nos pensamentos dialéticos

A educação mundial, por desconhecer os mecanismos de formação do Eu e as formas do pensamento, vicia a mente das crianças no mais pobre e restritivo deles, o pensamento dialético. Ainda que ele seja importante para desenvolver o raciocínio lógico, realizar provas e se comunicar, não dá conta das questões psíquicas.

Apesar das exceções, é possível observar que as crianças, à medida que frequentam a escola, vão perdendo a ousadia, a criatividade e até a espontaneidade. Muitos pais têm orgulho da imaginação e rapidez de raciocínio de suas crianças pré-escolares, mas com o passar do tempo elas silenciam. Não veem mais nenhuma notoriedade. Você já observou esse triste filme? Muitos pais não notam que seus filhos estão passando por uma contração do pensamento antidialético e dando mais e mais espaço para o dialético.

O Eu controlado pela agenda escolar lógico-dialética, em especial a partir do ensino fundamental, asfixia o desenvolvimento das habilidades que são produzidas pelo pensamento antidialético e pelo raciocínio multifocal/abstrato, como o altruísmo, a flexibilidade, a autoconsciência, a resiliência e a ousadia. São perdas irreparáveis.

Em tese, os professores e diretores de escolas não têm culpa desse processo. Os culpados são os ministérios da Educação, que impõem uma grade curricular engessada, que desconsidera a multifocalidade e multiangularidade das formas do pensamento e as classes de raciocínio. Com o objetivo de preparar os alunos para receber um diploma e exercer uma profissão, utilizam o pensamento mais manipulável, formatado, fácil de examinar e fácil de ser reproduzido nas provas. Os mecanismos de formação do Eu ficam em segundo plano.

Claro que se devem transmitir as informações com maestria, ensinar as matérias fundamentais e preparar bem os alunos para uma profissão, mas jamais deveríamos abrir mão das técnicas pedagógicas que estimulam a formação do Eu imaginativo, criativo, livre, capaz de dar repostas originais em situações estressantes. Educar é em primeiro lugar formar um ser humano; em segundo, um profissional. Quem inverter essa ordem poderá comprometer o futuro da humanidade. E quantas não são as escolas, na Ásia, na Europa e nas Américas, que a invertem!

Ser o melhor aluno da classe nem de longe garante sucesso emocional, intelectual, social e profissional; para isso são necessárias habilidades antidialéticas. Quem educa o pensamento antidialético não apenas pode formar um ser humano saudável e inteligente, mas também um profissional brilhante. O pensamento antidialético é fonte de novas ideias, um manancial para a construção, inclusive, do pensamento lógico-dialético.

Os professores devem se preparar didaticamente, reciclar seu conhecimento e teatralizar sua fala para encantar os alunos, abrir as janelas da memória deles e lhes estimular a capacidade de se concentrar e de assimilar o conhecimento dialético. Mas é preciso avançar. A seguir apresento dez técnicas psicopedagógicas que aplicadas em sala de aula levam à produção do pensamento antidialético e à expansão das melhores classes de raciocínio.

- Estimular o debate de ideias e aplaudir as opiniões e a expressão do pensamento dos alunos. A participação é tão ou mais importante do que dar respostas certas.

- Interromper, uma vez por semana, por cinco a dez minutos, a aula curricular para que o professor conte um capítulo de sua história existencial. Falar das dificuldades, perdas e aventuras que viveram. Antes de ser mestres de uma área, os professores devem ser mestres da vida.

- Contar as histórias que os pensadores e cientistas viveram enquanto produziam o conhecimento que está sendo exposto, a paixão pela ciência, as escolhas, a ousadia.

- Estimular os alunos a contar suas histórias, pelo menos aquilo que for possível.

As três técnicas acima contribuem para construir uma plataforma de janelas *light* na MUC (memória de uso contínuo), que estimula a produção do pensamento antidialético, promove o processo de formação do Eu e alicerça o desenvolvimento da sociabilidade e da resiliência, que é a capacidade de administrar perdas e frustrações. Todo esse processo melhora indiretamente o rendimento intelectual dos alunos.

- Transmitir o conhecimento, pelo menos em alguns momentos, de maneira lúdica e colocar música ambiente em baixo tom na sala de aula para diminuir os níveis de ansiedade e estimular o deleite do prazer de aprender. O conhecimento assimilado com "tempero" antidialético/emocional é arquivado de maneira privilegiada.

- Ensinar usando metáforas, imagens, ambientes, paralelismos.

- Estimular o Eu dos alunos a proteger a emoção: ensiná-los a se doar sem esperar excessivamente o retorno e a entender que por trás de uma pessoa que fere há alguém ferido.

- Estimular o Eu deles a gerenciar os pensamentos: ensiná-los a pensar antes de reagir e a expor, e não impor, as ideias.

- Incentivá-los a olhar os fenômenos físicos, psíquicos e sociais por múltiplos ângulos, para que ultrapassem os limites do raciocínio unifocal e desenvolvam o raciocínio complexo/multifocal.
- Estimulá-los a pensar como espécie e não como indivíduos isolados, por meio do exercício de se colocar no lugar dos outros. Isso é uma fonte excelente de pensamentos antidialéticos, que financiam os alicerces mais notáveis do raciocínio complexo/multifocal/indutivo/abstrato.

Essas técnicas, se exercitadas sistemática e cotidianamente, revolucionam o microcosmo da sala de aula, abrem o leque da inteligência dos alunos e estimulam o processo de formação de intelectos brilhantes.

Os educadores têm o futuro da humanidade em suas mãos, as crianças e os jovens. Têm a possibilidade de lavrar o solo de suas mentes através de uma educação dialética/antidialética profunda. Assim, eles poderão desenvolver um Eu capaz de gerenciar a ansiedade, filtrar o estresse e ser altruísta; não adoecerão e não se tornarão pacientes de psiquiatras/psicólogos; não cometerão crimes; não farão guerras nem serão arregimentados por generais.

Como pesquisador da mente humana, considero os professores tão fundamentais que me curvo diante deles. Não é exagero dizer que sem a educação e sem os educadores nosso oceano emocional não teria porto, nossas primaveras sociais não teriam flores e nossas aeronaves mentais não teriam plano de voo.

A educação familiar é igualmente fundamental no processo de formação de mentes saudáveis. Estou particularmente preocupado, pois me parece que nessa sociedade altamente ansiosa e consumista a grande maioria dos pais não está conseguindo transferir seu capital intelectual/emocional para os filhos. Transferir esse capital é transferir poderosas janelas *light* que contenham ousadia, superação, garra, resiliência e autonomia para que crianças e adolescentes desenvolvam um Eu saudável e inteligente, capaz de sair da esfera de proteção de seus pais e construir sua própria história.

Para realizar essa transferência, os pais precisam deixar de apresentar apenas um manual com regras de comportamentos e passar a dividir com os filhos suas experiências de vida; precisam falar de suas lágrimas para que os filhos aprendam a também chorar; precisam abrir o livro de sua existência e falar de suas perdas, angústias e dificuldades para que os filhos entendam que drama e comédia, sucessos e fracassos fazem parte da história de todo ser humano.

Pais que conseguem transferir apenas herança monetária e sucesso social, e não um capital intelectual/emocional, têm grandes chances de criar filhos com um Eu imaturo, inseguro, destituído de ousadia, inflexível e esbanjador. O capital financeiro e o sucesso não duram para sempre, mas o capital das ideias se renova ao longo da existência e cria raízes mesmo sob tempestades...

Outras habilidades insubstituíveis

Precisamos continuar a estudar o processo de formação de pensadores. Vamos ter de, inicialmente, revisar o papel do ser humano diante dos vários tipos de solidão. Quem vive a síndrome da exteriorização existencial vive, como vimos no Capítulo 8, fora de si mesmo. Mas é bom lembrar que, se a sociedade nos abandona, a solidão é suportável, mas se nós mesmos nos abandonamos ela é intolerável.

As sociedades modernas promovem a pior de todas as solidões, a solidão do autoabandono. Quem se autoabandona não se interioriza, quem não se interioriza não experimenta a saudável e fundamental solidão criativa. Estar mergulhado dentro de si mesmo libertando o imaginário e pensando em novas possibilidades é vital para ser um pensador.

Há, além dessas, outras habilidades que educadores da pré-escola à pós-graduação deveriam valorizar sistematicamente para formar pensadores. Devemos levar nossos alunos a desenvolver:

- O hábito de interiorizar-se
- A autoconsciência
- A arte da dúvida
- O hábito de pensar sobre a própria história
- O sentido existencial
- O mapeamento de seus fantasmas mentais

- Diversas habilidades socioemocionais
  - ▶ pensar antes de reagir
  - ▶ colocar-se no lugar do outro
  - ▶ aprender a expor, e não impor, suas ideias
  - ▶ empreender e aprender a correr riscos calculados
  - ▶ ser flexível
  - ▶ ser proativo
  - ▶ ser generoso
  - ▶ ser tolerante
- O autodiálogo e o diálogo interpessoal inteligente e aberto.[4]

É preferível que os professores transmitam menos conteúdo e estimulem os alunos a pensar sobre o que aprendem. É importante que entendam quais são os princípios e as aplicações dos dados a eles transmitidos. Assim, poderão desenvolver o raciocínio esquemático e complexo. No próximo capítulo estudaremos as classes de raciocínio.

É fundamental que os mestres não limitem sua atuação a apenas transmitir informações, mas que também dividam com os alunos suas experiências de vida, para estimular a ousadia, a resiliência, a flexibilidade e o altruísmo neles, bem como a capacidade de produzirem conhecimento. Os mestres precisam comentar suas aventuras, crises, dificuldades, rejeições, noites de insônias. Meu sonho é que os professores, em todas as nações, humanizem a matéria, sejam o rosto à frente dos conteúdos que ensinam, a personalidade por trás do avental de professor. Matéria sem personalidade gera conhecimento sem tempero.

O homem que perturbou positivamente o mundo há dois mil anos tornou-se o Mestre dos mestres porque chorou diante de seus alunos, mostrou-lhes sua dor, revelou seu drama. A religião pode ser fonte de doenças mentais ou fonte de generosidade e tolerância. Mas, por não ter estudado as ferramentas psicopedagógicas do Mestre da emoção, muitas religiões cometeram atrocidades.

---

[4] Quem quiser conhecer com mais detalhes essas habilidades, recomendo meu livro *Gestão da Emoção*. São Paulo: Benvirá, 2015.

Na historinha que narro a seguir, dei a Jesus o título de "professor".

Naquele dia, o professor estava na fortaleza Antônia, a casa de Pilatos, o governador preposto de Roma. O clima era dramático. Ele tinha sido açoitado fisicamente e emocionalmente pelos romanos. Seu rosto estava desfigurado, suas costas sangrando. De repente chegou seu aluno mais ousado, Pedro. A noite era fria, o ambiente emocional era denso. Pedro aprendeu a amar "o professor". Vira-o implodindo preconceitos e ficava perplexo a vê-lo dar o mesmo *status* a uma prostituta e a um puritano. Os miseráveis e os leprosos comiam na mesma mesa que um intelectual e um religioso. Horas antes no jantar, Pedro elevara o timbre da voz e dissera que todos poderiam negá-lo, mas ele, Pedro, jamais o faria. Daria sua vida por ele.

Mas o professor conhecia as limitações humanas. Não acreditava em heroísmos. Não cobrava nada de ninguém. Quando Pedro chegou à fortaleza Antônia, todos ali estavam passeando por janelas *killer*, o altruísmo dera lugar à exclusão, o afeto à agressividade; ninguém raciocinava. De repente, uma serva perguntou se ele não era um dos alunos do professor. O mais forte dos alunos do professor entrou numa janela traumática especial, chamada na Teoria da Inteligência Multifocal de *killer* duplo P. "P" de poder: poder de encarcerar o Eu e poder de deslocar a maneira de ser e pensar.

Ao entrar na fortaleza *killer* dentro da fortaleza de Pilatos, Pedro bloqueou, devido ao volume imenso de tensão dessa janela, milhares de outras janelas. Seu Eu perdeu o acesso a inúmeras informações para dar respostas inteligentes numa situação estressante. Pedro não era o mesmo. O gigante virou menino. O herói se transformou num covarde.

Na realidade, ninguém é herói diante das janelas *killer* duplo P. Muitos pais e professores dão respostas estúpidas para quem mais amam quando contrariados, frustrados ou decepcionados num nível de intensidade mais brando do que Pedro experimentou. Ele negou o professor solenemente. Apareceu outro funcionário de baixa patente e fez a mesma pergunta a ele. A janela *killer* duplo P aumentou os níveis de ansiedade e tornou seu Eu vítima e não autor de sua história. Na terceira vez, indagado se pertencia ao grupo que acompanhava o professor, ele não só negou sua amizade com o professor como teceu argumentos solenes para assegurar que os dois nunca tinham se conhecido.

O professor parecia ouvir as teses de Pedro. A dor que sentia no corpo era menos penetrante do que a impressa em sua alma pela negação veemente de seu aluno. Não seria injusto se o professor se sentisse decepcionado. Mas, ao perceber que Pedro o negava pela terceira vez, ergueu a cabeça e o alcançou com os olhos. Viu que o aluno estava livre por fora, mas preso pela janela *killer*, ao contrário dele que, apesar de amordaçado, estava completamente livre por dentro. Os olhares se cruzaram. E talvez esse tenha sido o mais belo olhar da literatura mundial. Tinha de ser um médico para captar esse olhar, Lucas. O professor, ferido, não conseguia falar, mas foi como se seus olhos gritassem no silêncio: "Eu o compreendo! Eu o compreendo!".

Pedro nunca mais foi o mesmo. Ele que tinha a necessidade neurótica de poder e de estar sempre certo, tornou-se tolerante e entendeu que o verdadeiro educador é capaz de dar tudo o que tem aos que pouco têm. Se o professor tivesse sido estudado pela psicologia, sociologia, psiquiatria e pedagogia, e não somente pelo ângulo da teologia, a humanidade seria outra. O mais forte dos alunos foi para a lona, mas aprendeu com o professor a usar seus fracassos, vexames e atitudes incoerentes. Deixou de ter vergonha dos seus fantasmas.

Por que digo isso? Somente Pedro estava em cena na fortaleza Antônia. Como então as quatro biografias de Jesus contam a atitude vexatória de Pedro? Quem contou a eles? O próprio Pedro. Quem tem medo dos porões de sua história não é digno da maturidade. Bilhões de pessoas souberam ao longo das gerações que ele cometeu um erro gravíssimo. Mas ele perdeu o medo de si mesmo. Tinha visto o professor chorar, falar da sua dor, discorrer sobre seus sonhos, suas decepções, enfim, se humanizar. Muitos líderes, inclusive religiosos, adoecem, chafurdam na lama da ansiedade e da depressão porque não se humanizam.

Um erro educacional crasso!

Os Ministérios da Educação em todo o mundo moderno precisam se reciclar. Eles levam os professores a dissociarem o pensador da ideia que ele concebeu, o conhecimento daquele que o produziu. Cometem, assim, um erro imperdoável no processo de formação de mentes livres.

Os professores precisam usar o fenômeno RAM (registro automático da memória) para construir plataformas de janelas *light* no psiquismo dos alunos. Essa plataforma é fundamental para fomentar a ousadia, a criatividade, a capacidade de correr riscos. Os professores conseguem isso falando aos alunos sobre as crises de Newton, as rejeições de Einstein, a intrepidez de Linus Pauling etc.

É uma desonra à memória dos pensadores transmitir o conhecimento sem lhes dar o devido crédito existencial. Não basta citar seus nomes; é preciso descrevê-los, comentar suas aventuras, suas perdas, seus sonhos, sua garra e resiliência. A transmissão seca e fria do conhecimento produz servos, a transmissão humanizada produz seres humanos autônomos, que têm opinião própria.

Educar não é só transmitir conhecimento objetivo, mas em primeiro lugar falar sobre o ser humano que o produziu. Essa é a primeira técnica para formar mentes brilhantes. Milhões de professores se preocupam em transmitir em primeiro lugar as informações. Erram no essencial. Primeiro os alunos deveriam se encantar com o pensador, depois com o conhecimento produzido. Se fizermos ao contrário, o resultado é nefasto: o último lugar que muitos alunos vão querer estar é dentro da sala de aula. Infelizmente esse resultado já contaminou a educação.

Numa sociedade saturada de filmes, TV, internet, *video game* etc. respeitar os alunos e a escola é humanizar o conhecimento, dar-lhe sabor e aventura, e não enfiar as informações goela abaixo da memória. Os professores adoecem e os alunos se entediam. Alguém poderia dizer: mas é necessário cumprir a grade curricular. Sim, é necessário, mas a grade não deve aprisionar, e sim libertar a mente.

Não faz muito tempo fui convidado para dar uma conferência para cerca de seiscentos mestrandos e doutorandos em psicanálise. Grande parte deles estudava a Teoria da Inteligência Multifocal. Depois de minha explanação, eu perguntei em que geração se formavam mais pensadores: na que viu determinado pensador produzir sua teoria ou nas seguintes, que o supervalorizaram e abraçaram sua teoria?

Aqueles pesquisadores, embora tivessem excelente raciocínio, não souberam responder com segurança. Como minha teoria estuda não apenas o processo de construção de pensamentos, mas também o processo de formação de pensadores, a resposta era evidente. Então refiz a pergunta usando um exemplo: teria sido a geração contemporânea a Freud, que vira seus defeitos, suas dificuldades, sua ousadia e sua capacidade de argumentação, a produzir mais pensadores ou as gerações posteriores, cujos membros se tornaram freudianos?

Eles começaram a entender a complexidade que a resposta tinha. Comentei que a geração de Jung, Adler e tantos outros, a que conheceu Freud, foi mais intrépida, correu mais riscos, propôs novas ideias. As gerações seguintes valorizaram a teoria, mas não receberam a transferência do capital de experiências do pensador. Com as devidas exceções, essas gerações têm tendência a endeusar o teórico, a aderir radicalmente à teoria, a gravitar em sua órbita e, consequentemente, têm enorme dificuldade para repensá-la, adequá-la, reciclá-la, expandi-la. Eles amaram tanto a teoria que a prejudicaram. Esse amor intenso gerou mecanismos inconscientes abortivos da criatividade.

Diante dessa exposição espero que os professores libertem seu imaginário, deem um rosto para o conhecimento que transmitem. Transmitam o capital da experiência dos produtores de conhecimento. Nenhum deles foi herói e nenhum deles foi santo. Sonho com o dia em que todos os professores passarão dez minutos por semana falando de si mesmo, seus recuos, suas crises, dificuldades, perdas, lágrimas, sua coragem e ousadia. Todos tropeçaram, amaram, batalharam, hesitaram, enxergaram outras possibilidades. Sonho com o dia em que todos os educadores falarão de seus fracassos para que seus alunos percebam que ninguém é digno do pódio se não usar os fracassos para alcançá-lo...

Formando pensadores humanizados

Humanizar o conhecimento é dar um rosto a ele, humanizar o professor é igualmente dar-lhe um rosto. É mais fácil explorar os fenômenos do mundo que nos cerca do que aprender a nos interiorizar e empreender uma jornada em nosso próprio ser, explorando os fenômenos de nosso mundo intrapsíquico. É mais fácil e confortável explorar os estímulos extrapsíquicos, que sensibilizam nosso sistema sensorial, do que explorar as armadilhas mentais, as fobias, a ansiedade. É mais fácil falar do trivial do que discorrer sobre o essencial.

O ser humano que aprende a se interiorizar e questionar suas certezas, seus dogmas e paradigmas estimula a revolução das ideias; mas os que não aprendem essas lições são especialistas em engessar a própria mente e ajudar a formar pessoas engessadas, radicais, herméticas. Na era da comunicação digital e dos telefones celulares inteligentes, as pessoas estão próximas fisicamente, mas muito distantes interiormente. Conversam sobre o mundo que as circunda, mas calam-se sobre si mesmas. A educação clássica, que transmite dados objetivos mas não humaniza o conhecimento nem o mestre que o transmite, é a maior fábrica de destruição em massa do diálogo.

Já disse no livro *Pais Brilhantes, Professores Fascinantes* que quanto pior for a qualidade da educação mais importante será o papel da psiquiatria e da psicologia clínica. Não é sem razão que estamos adoecendo coletivamente. Ser estressado faz parte da rotina diária. Os professores se escondem atrás da matéria, os alunos se escondem atrás das redes sociais e os pais se escondem atrás de sua autoridade ou de seu manual de regras. Nós nos escondemos tanto dos outros que, por fim, não conseguimos nos achar. Detestamos não encontrar nossas chaves ou nossos celulares, mas não nos damos conta de que estamos mais perdidos que nossos objetos. Quem acorda cansado, sofre por antecipação, perde a paciência e não tolera a frustração, precisa urgentemente se encontrar.

Onde estão os educadores que transferem o capital de suas experiências para seus filhos e alunos? Quem relata seus medos? Quem declara seus fracassos? Quem fala de suas lágrimas e de seus mecanismos de superação?

Educadores que seguem apenas manuais de regras podem trabalhar com máquinas, mas não podem ser incumbidos de formar pensadores. Educadores que são peritos em falar sobre o mundo de fora e não sobre si mesmos tornam-se especialistas em promover a síndrome da exteriorização existencial e não contribuem para a formação de seres humanos altruístas, tolerantes, resilientes.

As janelas *killer* contêm fobias, humilhações, comparações, perdas, frustrações, e sentimentos de incapacidade que de alguma forma controlam o Eu e impedem que ele liberte o imaginário, a criatividade, a capacidade de relaxar e de encantar-se com a vida. As janelas *light*, ao contrário, contêm experiências que libertam o prazer, a capacidade de pensar antes de reagir, a generosidade, a ousadia, a autoestima.

Quando falamos das crises, perdas, conflitos e aventuras que vivemos, o fenômeno RAM imprime uma plataforma de janelas *light* que enriquecerá o Eu como autor de sua história. Quando falamos sobre nós mesmos com nossos filhos e alunos, ensinamos a eles que a vida tem drama e comédia, risos e lágrimas; nutrimos e estimulamos a resiliência, a capacidade de suportar frustrações, de proteger a emoção, de relaxar mais, de filtrar estímulos estressantes. Quando nos calamos sobre nossa história, essas funções complexas da inteligência terão mais dificuldades de se formar. Apenas alguns jovens privilegiados as desenvolvem instintivamente.

Mas não basta contar uma experiência, é necessária uma mudança de paradigma. Educar é em primeiro lugar humanizar os pensadores e em segundo lugar humanizar o mestre. Professores que não têm coragem e sensibilidade para contar parte de sua história formam repetidores de informações, mas não pensadores ousados e altruístas. As faculdades de pedagogia têm de fazer escolhas: formar pedagogos que equipam professores para formar servos ou mentes livres; formar repetidores de informações ou construtores de ideias; formar personalidades radicais e insensíveis ou formar personalidades saudáveis e sensíveis.

Meus alunos: universos mentais que desconheço

Muitos professores não estão preparados para formar pensadores, mas isso não é culpa deles. Eles não foram ensinados sobre o funcionamento da mente, não foram equipados para entender o processo de construção dos pensamentos nem a formação do Eu como autor da própria história; tampouco foram treinados para construir plataformas de janelas *light*. Nada é tão agradável e relaxante do que falar de nós mesmos.

Em alguns de meus livros contei diversas experiências minhas. Narro tropeços, recuos, falhas, arrependimentos, mas também falo de minha ousadia, minhas aventuras, meus momentos de relaxamento, minhas escolhas. Muitos já sabem que tive uma crise depressiva no início do terceiro ano na faculdade de medicina. Chorei sem lágrimas. A dor gestou minha capacidade de pensar. Ela me fez produzir milhares de perguntas. Como penso? Por que penso? Por que sou escravo de meus pensamentos? O que são os pensamentos? Como são produzidos? Por que sofro por antecipação? Por que não consigo proteger minha emoção?

Cada resposta, ainda que ínfima, era fonte inesgotável de novas perguntas. A dor foi minha maior educadora. Ela virou a página da minha história e me estimulou a conhecer o estranho que habitava em mim: eu mesmo. A dor que é como um ponto final em nossa história é paralisante, mas aquela que se torna fonte de vírgulas para que se possa recomeçar é essencial.

Alunos de mestrado e doutorado aos quais dei aulas me disseram que ousaram mais, se arriscaram muito mais, mudaram rotas e reciclaram paradigmas não apenas por causa do conhecimento que lhes transmiti, mas também por causa de minha história. Sempre falo aos alunos das crises que atravessei e dos desertos que enfrentei em minha produção de conhecimento.

Essa proximidade é tão fértil que certa vez, ao conhecer um leitor num aeroporto, a primeira atitude que ele teve foi ligar para o diretor de sua empresa, também leitor meu. "Olha, você não imagina com quem estou aqui no aeroporto, com o dr. Cury. Ele vai dar uma palavrinha com você!", disse ele ao chefe sem sequer me consultar. Isso aconteceu porque me humanizei em meus livros. Então, as pessoas sentem grande liberdade quando me conhecem pessoalmente. Sinto-me feliz por isso. Einstein também era um pensador humanizado. Freud se humanizou tanto que escreveu mais de cinco mil cartas a seus amigos. Aprendi que uma pessoa verdadeiramente grande se faz pequena para tornar os pequenos grandes...

Capítulo 18

As surpreendentes classes de raciocínio

O segundo grande mecanismo de formação do Eu está ligado às classes do raciocínio. A memória genética, existencial e de uso contínuo, como primeiro mecanismo, representa os alicerces da formação do Eu e as classes de raciocínio, bem como os demais mecanismos que estudaremos representam as construções que serão edificadas sobre esses alicerces.

As classes de raciocínio estão relacionadas ao conteúdo e podem ser: simples/unifocal, complexo/multifocal, lógico, abstrato, dedutivo, indutivo.

As formas do pensar se definem por seus tipos ou formatos. De acordo com a Teoria da Inteligência Multifocal há três tipos de pensamento: o pensamento essencial, o dialético e o antidialético. O primeiro é inconsciente e os dois últimos são conscientes. Quanto à natureza dos pensamentos, eles são classificados como real/essencial e virtual/imaginário.

Tudo o que for dito sobre as classes de raciocínio neste capítulo está intimamente relacionado aos tipos de pensamento – as formas do pensar – e à natureza dos pensamentos – a natureza do pensar. Como o assunto é extenso, eu me aterei mais ao raciocínio simples/unifocal e ao raciocínio complexo/multifocal; das demais classes de raciocínios apresentarei apenas uma síntese. Existem várias subclasses que serão estudadas no futuro em outros textos. Cada raciocínio é um constructo, quer dizer, uma construção intelectual.

As pautas do raciocínio simples/unifocal e do complexo/multifocal

O raciocínio simples é produzido por pensamentos simples, que por sua vez usam uma base quantitativa e qualitativa limitada de dados e uma eficiência reduzida na organização dos dados. Sua construção é linear, pautada por ação-reação, estímulo-resposta, unifocalidade, por isso também é chamado de raciocínio unifocal. O raciocínio unifocal vê os fenômenos por um único ângulo, portanto, por meio de um campo intelectual reduzido; o raciocínio multifocal abrange múltiplos focos e múltiplas formas de organização dos dados, por isso ele pode ser de baixa, média ou alta complexidade.

O raciocínio simples/unifocal se caracteriza por ter a menor taxa possível de inferências, induções, intenções subjacentes, paralelismos, sentimentos subliminares, conclusões multiangulares e a maior taxa possível de objetividade, lógica, linearidade. Para se encaixar na categoria de raciocínio complexo/multifocal as taxas dos elementos acima devem se inverter.

O pedido/ordem de uma criança ao ver um brinquedo numa loja, "Mamãe, eu quero esse brinquedo", expressa um raciocínio simples, pois tem elevada taxa de objetividade, mas um pedido/pergunta/solicitação que diz "Mamãe, você pode me comprar esse brinquedo?" é um raciocínio que tende à complexidade, pois tem significativa taxa de subjetividade e inferência, decorrentes de rápida e sofisticada análise dos limites e da necessária de concordância da mãe. A quantidade de janelas abertas e a qualidade da organização dos dados são muito maiores no raciocínio complexo/multifocal.

As gritantes diferenças entre os raciocínios unifocal e multifocal

- No raciocínio simples/unifocal, enxerga-se somente a própria necessidade; no complexo/multifocal, coloca-se em discussão o que o outro sente e consideram-se também as necessidades dele.
- O raciocínio unifocal é fonte do egoísmo, a felicidade dos outros não importa; o raciocínio multifocal é fonte do altruísmo, contribuir com a felicidade do outro irriga a própria felicidade.
- No raciocínio unifocal defendem-se os próprios direitos; no multifocal, é importante que os direitos de todos sejam respeitados.
- O raciocínio unifocal desencadeia guerras, genocídios, homicídios, exclusão social; o raciocínio multifocal desencadeia a luta por igualdade, fraternidade e liberdade.
- No raciocínio simples/unifocal há liberdade sem limites; no complexo/multifocal só há liberdade dentro de certos limites.
- No raciocínio unifocal procura-se o prazer a qualquer custo; no multifocal, procura-se o prazer que preserva a vida.
- No raciocínio unifocal liberta-se o instinto e fere-se quem nos feriu; no multifocal liberta-se a generosidade e pensa-se antes de reagir.
- No raciocínio unifocal toda ação provoca uma reação; no multifocal toda ação provoca a razão, o ato de pensar.
- No raciocínio unifocal ama-se a resposta; no multifocal ama-se a oração dos sábios, o silêncio proativo. E nesse intrigante silêncio liberta-se a arte de perguntar: quando?, por quê?, como?, será que há outra forma para pensar e reagir?
- No raciocínio unifocal detestam-se os fracassos e ama-se o sucesso; no multifocal tem-se plena consciência de que ninguém é digno de sucesso se não usar seus fracassos para conquistá-lo.
- No raciocínio unifocal procuram-se elogios e aplausos; no raciocínio multifocal sabe-se que drama e comédia, aplausos e vaias fazem parte da história humana.

- O raciocínio unifocal leva o Eu a ter a necessidade neurótica de estar em evidência social; o raciocínio multifocal liberta o Eu para ter prazer no anonimato.
- O Eu unifocal quer ter controle dos outros; o Eu multifocal sonha em ter autocontrole.
- O Eu unifocal pune quem erra; o Eu multifocal dá sempre uma nova chance.
- O Eu unifocal recita as ideias dos outros; o Eu multifocal cria suas próprias ideias.
- O Eu unifocal obedece a ordens; o Eu multifocal pensa por si mesmo.
- O Eu unifocal corrige erros; o Eu multifocal os previne.
- O Eu unifocal impõe suas ideias; o Eu multifocal as expõe gentilmente.
- O Eu unifocal recua diante do caos; o Eu multifocal vê no erro a oportunidade de iniciar uma nova etapa.
- O Eu unifocal anseia pelo fim da trajetória; o Eu multifocal curte o processo.
- O Eu unifocal precisa de muitos eventos para sentir migalhas de prazer; o Eu multifocal explora as insondáveis riquezas das pequenas coisas.
- O Eu unifocal é sequestrado pela ansiedade; o Eu multifocal procura gerenciá-la.
- O Eu unifocal é vítima das circunstâncias; o Eu multifocal não abre mão de ser autor de sua história.
- O Eu unifocal pensa como indivíduo; o Eu multifocal pensa como humanidade.

É provável que muitos jovens saiam das universidades sem aprender a raciocinar com complexidade. Alguns só aprendem a raciocinar unifocalmente, e por isso têm mentes radicais, estreitas, tímidas, com baixa capacidade de suportar contrariedades, de lidar com novas situações e de se reinventar.

O que determinará nosso futuro profissional/social/emocional é o desenvolvimento do raciocínio complexo; o raciocínio simples expresso por informações armazenadas no córtex cerebral, reproduzidas unifocalmente nas provas.

Alguns tipos de provas escolares, em especial as de múltipla escolha, fortalecem só o raciocínio simples/unifocal. O debate, a troca, a interação social, se praticados, estimulam o raciocínio complexo/multifocal.

As provas da existência são muito mais exigentes do que as provas escolares. Nas provas escolares, dividir é sempre diminuir; nas da existência, dividir pode aumentar. Na escola, os erros são punidos; na vida, eles são o alicerce da experiência. Nas provas escolares, ousar, emitir opiniões e correr riscos são atitudes desencorajadas; nas provas da existência, essas atitudes são essenciais. É proibido colar na escola; na vida, é fundamental transmitir o que se sabe. Que tipo de provas nossos filhos estão preparados para realizar? Que tipo de Eu estão formando?

As classes de raciocínio como matéria-prima

O Eu usa o raciocínio simples/unifocal para executar tarefas, copiar dados, fazer solicitações, realizar interações corriqueiras. Embora todos os raciocínios, simples ou complexos, sejam produzidos por fenômenos sofisticadíssimos, grande parte de nossas atividades mentais e sociais não necessita de pensamentos com conteúdos altamente complexos. Quem se perde em explicações sem fim e quem se emaranha em detalhes perde a objetividade, torna complexo aquilo que é simples.

Todos temos nos bastidores da mente atores inconscientes (o gatilho da memória e o autofluxo) e um ator consciente (o Eu). Mesmo as crianças que nascem com alguma alteração genética, a síndrome de Down, por exemplo, desde que uma parte significativa do córtex cerebral mantenha-se preservada, contam com a atuação desses três atores. Elas produzem continuamente raciocínios simples/unifocais. A ação contínua do fenômeno RAM (registro automático da memória) forma as janelas na MUC e na ME com milhares de informações. O Eu, em especial, lê as janelas da memória, resgata verbos em frações de segundos, conjuga-os espaçotemporalmente, insere um sujeito e outros elementos para produzir milhares de cadeias de raciocínios unifocais diariamente. Raciocínios simples também são produzidos pela atuação de fenômenos muito sofisticados e nada simplistas.

Um bebê, por exemplo, precisa de dinamismo intelectual e de uma grande base de dados para que seu Eu produza um simples pensamento como "Mamãe, eu quero água". Como já afirmei, algumas das mais complexas etapas do raciocínio estão em curso aqui. A sede, a consciência da sede, a convicção de que a sede emana dele mesmo, a intencionalidade da ação com objetivo de satisfação, a focalização do agente (a mãe) para quem a intencionalidade é dirigida, a expectativa da receptividade e a consequente recompensa. Em todas essas etapas, inúmeras janelas são abertas e lidas até que se forme um raciocínio simples/unifocal. Grande parte dos pensamentos que estão na base desse raciocínio não é traduzido por palavras, não ganham sonoridade, pois são antidialéticos. Somente o pensamento dialético, que copia a linguagem dos sinais, é expresso em palavras.

À medida que ocorre o processo de formação da personalidade, é necessário aumentar a base de informações para que o Eu possa lê-las e utilizá-las para expressar as múltiplas intenções e ações espaçotemporais, como "Amanhã irei a sua casa", "Já estive nesse lugar", "Hoje tenho um compromisso", "Você pode realizar esse trabalho?", "Por favor, sente-se aqui".

Para produzir raciocínios simples/unifocais, o Eu, como gerente da psique, lê áreas limitadas de janelas do córtex cerebral. Essa leitura pode causar vícios graves. O Eu pode se viciar em penetrar e ler a MUC de maneira reduzida, preguiçosa e estreita e construir pensamentos simples em atividades nas quais se exigem raciocínios complexos, como julgar, excluir, incluir, analisar sentimentos, trocar experiências. Pessoas irritadiças, impulsivas, excessivamente críticas, extremistas, intolerantes e que detestam ser contrariadas são viciadas em determinados circuitos de janelas. Têm grande potencial, mas reagem estupidamente como se fossem intelectualmente limitadas.

Se é necessária uma razoável quantidade de janelas para subsidiar a produção de raciocínios unifocais, imagine para subsidiar a construção de raciocínios complexos, como "Senti-me ofendido por seu comportamento. Talvez você não tenha percebido, mas seu tom de voz, muito mais do que o conteúdo das suas palavras, machucaram-me".

Múltiplos elementos estão em jogo nesse raciocínio. Vou comentar apenas a primeira parte dele, "Senti-me ofendido por seu comportamento". O verbo que inicia o raciocínio expressa a consciência do sentimento e a relação existencial com o próprio ser – "Eu senti", e não milhões de outras pessoas. O adjetivo "ofendido" expressa a consciência da dor e sua relação temporal – "Senti-me ofendido". A ação já ocorreu ou, provavelmente, ainda está em curso subliminar, embora as palavras não a declarem. A locução adverbial, "por seu", indica uma relação de causalidade objetiva e subjacente. Objetiva, porque aponta a causa, ou seja, o "comportamento" do outro; subjacente, porque não expressa qual foi esse comportamento, mas existe a expectativa que o agente ofensor faça um mapeamento de sua história, detecte o comportamento referido, assuma que o produziu e reconheça que ele gerou consequências no território da emoção do outro.

Só nessas etapas da construção da primeira parte desse pensamento complexo, milhares de janelas foram abertas, muito provavelmente nos dois envolvidos, e dezenas de milhares de informações foram processadas. Um robô poderá dizer a mesma coisa, a diferença é que suas palavras teriam um centímetro de profundidade; as proferidas por um ser humano, que produz pensamentos complexos, têm muitos rios subterrâneos.

O Eu pode viciar sua leitura do córtex cerebral

Que tipo de raciocínio você usa quando entra em atritos? Seu Eu faz a oração dos sábios, pensa antes de reagir, ou ataca quem o atacou? E quando alguém o decepciona? Seu Eu raciocina multifocalmente, coloca-se no lugar do outro e entende que por trás de uma pessoa agressiva há uma pessoa agredida em sua história, ou dispara seu julgamento e exclui essa pessoa de sua agenda social? E quando necessita mudar de rota? Você tem coragem de começar tudo de novo ou vai até as últimas consequências, mesmo que lá no fundo saiba que está errado?

Todos nós temos um Eu viciado, em maior ou menor grau, em ler áreas restritas da MUC e da ME nos focos de tensão, seja porque somos prisioneiros de janelas *killer*, seja porque não desenvolvemos habilidades para ampliar o campo de leitura da memória e, consequentemente, para superar o cárcere do raciocínio simples/unifocal.

Não adianta ter uma enorme base de dados, um córtex cerebral com bilhões de informações, se o Eu não desenvolve a capacidade de acessá-los e organizá-los. Sem essas habilidades, um cérebro culto não produzirá uma mente culta. Como disse e reafirmo, já se foi o tempo em que ser gênio era ter uma excelente memória, uma capacidade de armazenamento de informações espetacular. Hoje, qualquer computador tem capacidade de armazenar ou, melhor, de acessar dados arquivados nos espaços virtuais comuns ao mundo todo. Nós nos diferenciamos das máquinas fundamentalmente pelo raciocínio complexo/multifocal e não pelo raciocínio simples/unifocal.

Não apenas as drogas podem ser viciantes para o Eu, os circuitos de leitura da memória também. O Eu, dependendo da educação a que é submetido, vicia-se na construção de pensamentos com estreitas dimensões intelectuais, emocionais, sociológicas, filosóficas. O senso comum sabe que cada pessoa tem uma índole, só não sabe que essa índole são os vícios de leitura da memória. O senso comum acredita que a índole não muda. Mas o ser humano não é imutável. Acredito nisso não apenas como humanista, mas como pensador da área. É possível romper esse círculo vicioso de leitura e reorganizar o psiquismo. Difícil? Sim, mas possível. Depende de o Eu aprender a ser transparente, a desenvolver o raciocínio abstrato, a reconhecer sistemática e continuamente seus erros, a reeditar o filme do inconsciente e a ser protagonista de sua história.

Veja alguns exemplos de vícios de leitura da memória.

Uma pessoa impulsiva não suporta ser contrariada, tem um Eu dependente de algumas janelas do córtex cerebral. Reage pela pauta da razão unifocal, bateu-levou. Uma pessoa é especialista em mentir, quando é confrontada entra em zonas de conflito e mente com a cara mais deslavada. Seu Eu é viciado em pensar unifocalmente, tem medo de ser transparente, não leva em consideração as consequências do seu comportamento e nem a dor dos outros. Uma pessoa portadora de fobia, diante de determinado estímulo fóbico e se torna refém de uma determinada janela *killer*.

Toda vez que viciamos a leitura num determinado grupo de janelas da memória, reduzimos a complexidade do nosso raciocínio, contraímos de maneira simplista a interpretação de um objeto de estudo, que pode ser uma coisa ou pessoa. Muitos cientistas, artistas e esportistas destroem sua criatividade depois de alcançar o sucesso por causa do vício de leitura dos circuitos da memória. Contraem a capacidade de arriscar-se, aventurar-se, debater, imaginar. Se você teve sucesso em determinadas áreas, cuidado, o risco de um engessamento intelectual inconsciente é grande.

Certa vez, ajudei um dos melhores esportistas do mundo a resgatar a liderança do Eu, reeditar o inconsciente, superar alguns conflitos e se tornar autor de sua história. Esse esportista era brilhante, mas os traumas físicos o tinham levado a arquivar janelas traumáticas duplo P que sequestravam sua autoconfiança, determinação e habilidade. As críticas e as cobranças que fazia a si próprio, dominavam-no. Reafirmo, toda pessoa que atinge o ápice pode se psicoadaptar a ele e levar o Eu a se viciar em determinados circuito de janelas, dificultando o acesso a áreas que contenham aventura, ousadia, rebeldia ao cárcere da mesmice.

Como ele tinha uma mente brilhante, entendeu que primeiro o jogo precisava ser ganho no complexo campo de sua mente, e só depois na arena esportiva. Compreendeu que o Eu precisa sair do banco de reservas, identificar as janelas que o controlam, proteger a emoção, administrar a ansiedade e ser líder da psique nos focos de estresse. Como era disciplinado, fez exercícios intelectuais continuamente para deixar de ser servo e se transformar no autor de sua história. E conseguiu. Nada é tão belo e relaxante do que alcançar essa meta.

Os aplausos, o reconhecimento e a notoriedade podem levar o Eu a procurar zonas de segurança para preservar o sucesso, o que engessa sua flexibilidade, rebeldia e inventividade. Essa zona de segurança é evidenciada por duas coisas: áreas restritas de leitura da MUC e uso excessivo do pensamento dialético/previsível, traduzido pelo raciocínio lógico/linear. É o pensamento antidialético/imprevisível que transgride a mesmice, liberta o imaginário e fomenta a criatividade. Não é exagero dizer que 90% do raciocínio humano é bloqueado pela educação simplista-unifocal-lógica do Eu.

Um psiquiatra ou psicólogo clínico que quer "moldar" seu paciente de acordo com a teoria que abraçou não está exercendo o pensamento complexo, mas o simplista. Há histórias de professores de psicologia, psicanalistas ou cognitivistas radicais que dizem a seus alunos que a teoria que ensinam é a "top" e as demais são irrelevantes. Eles não sabem que a verdade é um fim inatingível na ciência, desconhecem os tipos de pensamento e as variáveis que entram em seu processo de construção, tampouco se dão conta das armadilhas que podem surpreender o Eu em seu processo de formação.

A pedagogia do radicalismo é grave. Tem chance de formar psicólogos que não desenvolverão o raciocínio complexo/multifocal no *set* terapêutico, e farão de tudo para enquadrar os pacientes na teoria que abraçaram, desrespeitando a individualidade e a complexidade da personalidade de cada paciente. O paciente sempre será maior do que uma teoria, uma linha psicoterapêutica. É a teoria que deve servir ao paciente e não ele à teoria. O Eu do psiquiatra e do psicólogo clínico tem de ser livre e maduro para pensar com complexidade, colocar-se no lugar do paciente e dar a ele as ferramentas de que precisa para reorganizar seu Eu e reconstruir a própria história.

Erros de um Eu encarcerado/estressado

Ciúmes, atritos, discórdias, raivas, mágoas e medos frequentemente são fruto de mentes estressadas, que não estão equipadas para pensar com complexidade. Um Eu viciado em construir raciocínio unifocal poderá transformar uma barata em um monstro, uma frustração em experiência inaceitável, uma traição em ódio mortal. Os piores inimigos do Eu, frequentemente, não estão fora da mente, mas nas armadilhas existentes nos mecanismos que o constituem.

Uma pessoa que tem autoconsciência sólida e habilidade para aumentar a base de leitura da memória, jamais venderá sua dignidade e tranquilidade. Se alguém que ama a trai ou frustra, dá-lhe liberdade para partir. Ela não tem desejo de vingança e não se sente terrivelmente magoada. Não existem pessoas intelectualmente limitadas, mas mentes estressadas e viciadas em raciocinar de maneira estreita e unifocal.

Um professor que, ao analisar a prova de seus alunos, só dá nota em função da repetição dos dados objetivos não está exercitando o pensamento complexo/multifocal, pois está desconsiderando a inventividade, o raciocínio esquemático, o imaginário e a ousadia deles. Sua atitude contribui para formar repetidores de ideias e não pensadores. Pode ser agente, inclusive, da destruição de gênios.

Lembro-me de uma jovem muito querida que tirou nota zero numa redação. Será que o esforço intelectual de participar não merecia uma nota? Seu raciocínio era tão limitado que não podia ser minimamente considerado? Que base se usa para aferir os dados subjetivos de uma redação? Para mim, ela era inteligente, inventiva, ousada, mas levou um zero de seu professor, uma punição tão grave quanto uma humilhação pública. Ela chorou, achou-se incapaz e plantou uma janela *killer* que podia abortar sua criatividade bem no centro da memória. Mas eu a encorajei a reescrever sua história, a desenvolver inúmeros raciocínios complexos/multifocais para libertar seu imaginário, deixar de ser escrava dessa punição, libertar-se de seu conformismo. O resultado? Hoje ela é uma brilhante escritora. Há pouco tempo eu a vi dando uma conferência para mil e oitocentos professores e todos a aplaudiram de pé. Frequentemente ela discute suas ideias com notáveis intelectuais e é muitíssimo admirada. Mas quantos alunos ficam pelo caminho sem apoio?

Pais que são especialistas em criticar o comportamento dos filhos, mas são incapazes de perguntar as causas que financiam suas reações, dialogar abertamente e trocar experiências com eles têm grande chance de formar servos do sistema social e não autores da própria história. Eles podem detestar as drogas e ter medo que seus filhos se tornem dependente delas, mas não sabem que seu Eu tem um grave vício, o de dar respostas prontas e previsíveis.

Executivos que controlam seus pares e não exploram seu potencial, bem como mulheres e homens que são extremamente controladores de seus parceiros, têm um Eu encarcerado pelo raciocínio unifocal. O raciocínio multifocal não arde em ciúme, é generoso, doador, apoiador.

Em casos mais graves, o pensamento simples/unifocal, ancorado em janelas *killer* duplo P, que contêm extremismos, radicalismo, insensibilidade, pode financiar o desenvolvimento de ditadores, sociopatas, psicopatas, cujo Eu tem a necessidade neurótica de poder, de estar acima dos outros e de que o mundo gravite a seu redor. O autoritarismo não nasce no solo de uma racionalidade complexa. Por mais poderoso que um ditador possa ser no terreno social, será sempre frágil em seu psiquismo.

O raciocínio indutivo e o dedutivo

O raciocínio dedutivo usa a análise sequencial para tirar conclusões e fazer avaliações. Ele é fundamental na produção científica. Quando o raciocínio dedutivo é lógico-matemático está menos sujeito a erros; quando é psicossocial, pode cometer muitas falhas. Em situações complexas, o raciocínio dedutivo abre maior número de janelas que o raciocínio simples/unifocal porque é sustentado pela capacidade de observação multilateral dos dados.

Deixe-me dar um exemplo. Se eu digo "Um garoto comprou doze laranjas e chegou em casa com oito", essa é a expressão de um raciocínio unifocal, declara o personagem (o garoto), os objetos (as laranjas), a ação espaçotemporal (chegou em casa). O raciocínio dedutivo entra em cena quando abrimos algumas janelas da memória e deduzimos que se o garoto comprou doze e chegou em casa com oito laranjas, perdeu quatro no caminho. O raciocínio indutivo vai mais além da imagem das laranjas; amplia o número de janelas abertas e questiona as verdades dedutivas: se o garoto chegou com oito, pode não ter perdido nenhuma. Mas como? Pode ter chupado duas, doado uma para um amigo e jogado outra fora porque estava podre. O raciocínio indutivo amplia o leque de possibilidades, questiona a lógica imediata, transgride os paradigmas. O raciocínio dedutivo tem muita afinidade com o pensamento dialético e o indutivo com o pensamento antidialético.

Hitler usava o raciocínio simples/unifocal/dedutivo para exterminar judeus, homossexuais e outras minorias. Sua mente insana usava dados falsos para deduzir suas conclusões. Para ele, judeus e homossexuais contaminavam a raça ariana superior, logo tinham de ser exterminados.

Ele disse num discurso "Nenhuma personalidade militar ou civil poderia me substituir". Após esse raciocínio simplista/unifocal verbalizado com voz imponente para seus asseclas e admiradores que o endeusavam, deduziu "Estou seguro da força do meu cérebro e da minha capacidade de decisão". Alicerçado nessa dedução, concluiu "As guerras nunca devem terminar a não ser pela capacidade de total aniquilamento do adversário...". Fiel a seu raciocínio delirante, levou a guerra até as últimas consequências. Não apenas exterminou milhões de pessoas das mais diversas nações, mas levou a juventude alemã a um verdadeiro suicídio, mesmo quando já se sabia que estava derrotado.

No dia 14 de maio de 1934, um alemão fascinado por Hitler escreveu a peça teatral *Irmãos de Sangue*, que seria encenada pelos meninos hitleristas. O raciocínio simplista/unifocal do autor apontou Hitler como messias, ele escreveu: "O Führer foi enviado pela misericórdia de Deus. Não apenas para a Alemanha! Também para as outras nações!". Se Hitler era uma espécie de messias, então, deduziu "Somos profetas do Führer. E vamos acabar com as religiões! Podemos construir as pontes para o futuro da Alemanha. Que nossos filhos olhem, orgulhosos, para o alto!".

O raciocínio unifocal/dedutivo foi e tem sido fonte de grandes tragédias humanas. No livro *O Colecionador de Lágrimas x Hitler*, romance histórico psiquiátrico a ser publicado, comento o raciocínio nazista e suas inimagináveis atrocidades. O raciocínio unifocal/dedutivo tem o poder de adestrar mentes frágeis. Himmler, o todo-poderoso chefe da polícia secreta alemã – a temida SS, que controlava com incrível severidade os campos de concentração –, era uma mente adestrada. Tremia na frente de Hitler. Tinha um raciocínio unifocal, dedutivo, serviçal. O problema é que, quando se usa uma base de dados errada, as deduções podem ser completamente irracionais.

Diante dessa análise devemos nos perguntar: será que nossos alunos, colegiais e universitários, estão desenvolvendo coletivamente o raciocínio complexo/multifocal/indutivo? Têm eles um Eu que possui consciência de seus papéis vitais? Esse Eu é gerente do psiquismo? Eles têm consciência das classes de raciocínio? Qualificam sua racionalidade? São questionadores das verdades ideológicas e científicas? Sabem colocar-se no lugar dos outros? Pensam nos focos de estresses antes de reagir? Têm resiliência para trabalhar e superar angústias e frustrações?

O raciocínio abstrato

O raciocínio abstrato é a classe de raciocínio mais íntima e introspectiva do Eu. Ele envolve a classe multifocal e indutiva, mas o classifico separadamente devido a sua arquitetura e práxis específica. Esse raciocínio é ou deveria ser a ferramenta intelectual básica usada pelo Eu para conhecer a si mesmo, interiorizar-se, observar-se e se mapear. Posteriormente tratarei com profundidade esse tipo de raciocínio, por isso agora farei apenas uma síntese dele.

Já disse que quanto pior a qualidade da educação mais importante é o papel da psiquiatria e psicologia. Infelizmente, como a educação mundial está doente, além de perder oportunidades educativas preciosas, ela contribui indiretamente para formar pessoas doentes. É quase inacreditável que alunos fiquem tantos anos sentados nas carteiras escolares e não aprendam nada sobre as classes dos pensamentos. É quase inacreditável também que não aprendam que exercitar o raciocínio abstrato é imprescindível para a prevenção dos transtornos psíquicos e para a formação do Eu e dos seus papéis vitais.

Como o Eu se reciclará, fará faxinas mentais, protegerá a emoção, gerenciará a ansiedade, reciclará o poder dos pensamentos mórbidos e dos fantasmas do medo, se ele não sabe desenvolver minimamente o raciocínio abstrato? As crianças, adolescentes e universitários sequer sabem que têm um Eu, muito menos que esse Eu deve dar um choque de lucidez em pensamentos perturbadores e emoções angustiantes. Não se admite que joguem lixo na carteira e no chão, mas ninguém os alerta sobre seu lixo psíquico. É como se pensamentos e emoções doentios não nos infectassem. Sinceramente espero não ser uma voz solitária no teatro social; espero que cada vez mais profissionais de todas as áreas se levantem apontando esses paradoxos e declarando que a humanidade tomou o caminho errado.

Não basta desenvolver um raciocínio abstrato, é necessário que ele se desenvolva com saúde. Algumas pessoas com sintomas de timidez, por exemplo, desenvolvem um raciocínio abstrato doentio, que gera uma introspecção inadequada, que, por sua vez, não estabiliza a emoção, não gerencia os pensamentos, não abranda a ansiedade. Algumas dessas pessoas punem-se frequentemente, não admitem seus erros, são algozes de si mesmas, acham-se sempre incapazes e indignas de ser felizes. São generosas com os outros, mas excessivamente críticas consigo mesmas. Outras, ao contrário, colocam-se como vítimas do mundo, julgam ser culpa dos outros a infelicidade que sentem, nunca delas mesmas. São especialistas em apontar os erros alheios, nunca os próprios. Há aquelas que acham que os outros estão sempre falando delas, tramando contra elas. Desenvolvem um Eu com ideias paranoicas ou de perseguição. Todas essas pessoas, ainda que tenham excelente potencial para brilhar e se reciclar, têm defeitos na formação do Eu. O Eu coloca-se como servo e não como autor de sua história.

A introspecção inadequada é uma bomba contra a saúde psíquica. É fonte de janelas *killer* duplo P, que contraem a sociabilidade, o prazer de viver, a capacidade de filtrar estímulos estressantes.

A maioria das pessoas fica na superfície, quer dizer, não desenvolve patamares mínimos do raciocínio abstrato. Veja os contrastes: muitos sabem falar com exatidão de partículas atômicas e subatômicas, mas, como não estruturaram seu Eu para exercitar o raciocínio abstrato, não conseguem sair das montanhas de seus medos e temores, nem dos penhascos que são suas angústias. Alguns descrevem com detalhes os mais variados tipos de carros, marcas, modelos, particularidades dos motores, mas não conseguem falar nada sobre as particularidades de sua mente, não sabem como constroem seus pensamentos nem por que sofrem por antecipação. Outros, preocupados com a segurança, fazem todo tipo de seguro, mas não sabem garantir a segurança de sua mais importante propriedade, o território da emoção; irritam-se ou perdem a paciência com facilidade.

Já vi pessoas se "levantarem das cinzas" por desenvolverem o raciocínio abstrato. Um psicopata que aprenda a se interiorizar e a agir de modo altruísta pode ser algo muito raro, mas não é impossível. Claro que um psicopata cairá faltamente em depressão se entrar em contato com seus dramáticos erros e se aprender a se colocar no lugar de suas vítimas. Essa dor, no entanto, será necessária para que seu Eu se reorganize.

A meditação, a espiritualidade e as técnicas psicoterapêuticas podem ajudar na formação do raciocínio abstrato, mas são necessários outros nutrientes. O Eu precisa de doses elevadas de educação inteligente, de grandes quantias de capital intelectual/emocional e precisa conhecer os mecanismos que participam de sua formação; só assim poderá exercer seus papéis vitais.

O raciocínio abstrato contribui para formar o Eu e, depois de formado, o próprio Eu se torna uma fonte excelente dessa classe de raciocínio. Não é possível viajar para dentro de nós mesmos de maneira inteligente e velejar nas águas da emoção de maneira saudável sem desenvolver um raciocínio abstrato também inteligente e saudável. Navegar é preciso, afundar, não.

Três técnicas pedagógicas para expandir o raciocínio complexo / multifocal / indutivo / dedutivo / abstrato

A pedagogia da cultura geral

A pedagogia da cultura geral expande a qualidade das janelas da MUC. Uma MUC restrita diminui a fluência do raciocínio, a interação social, o prazer do diálogo e do debate. Por outro lado, uma MUC extremamente dilatada pelo excesso de informação, consumo, atividades e preocupações gera uma mente agitadíssima, fatigada, esquecida, irritadiça, flutuante, impaciente, caracterizada pela síndrome do pensamento acelerado. A maioria dos jovens e adultos cai nesses extremos.

Uns, por timidez, medo de se expor e comportamento socialmente alienado, enfim, por terem uma MUC limitada, têm mente lenta e isolam-se em seu mundo. Outros, pelo excesso do uso de computadores e internet e pelo consumo de informações sem qualidade, enfim, por terem uma MUC superexpandida, não relaxam, têm a mente superestressada.

Para ter uma MUC qualitativamente expandida devem-se selecionar as informações. O cérebro humano não é depósito de dados. Suas janelas não são ilimitadas, quer dizer, cultura inútil estressa a mente. Devem-se ler livros e jornais de qualidade. Particularmente, acho importante ler jornais cujos assuntos englobem as artes, o esporte, a agenda cultural local, além, é claro, as notícias do país, o movimento dos povos, os conflitos internacionais.

É estranho que muitos jovens não saibam o que está acontecendo no mundo. Desconhecem o que significa a Primavera Árabe, a crise econômica mundial, o aquecimento global, a segurança alimentar. Parece que vivem em outro planeta. Formar especialistas, que sabem cada vez mais de cada vez menos, pode ser perigoso; pode comprometer a construção do raciocínio multifocal/indutivo/abstrato, restringir a liberdade do imaginário e a produção de novas ideias. É necessário formar especialistas que tenham cultura geral.

Alguns cientistas não sabem falar sobre nada além de sua área de pesquisa. Alguns religiosos não sabem discorrer sobre nada além de sua religião. Alguns políticos não têm outro assunto a não ser sua ideologia, as eleições, os políticos que estão no poder. Todas essas pessoas restringiram a parte mais importante da MUC, aquela que liberta o Eu e financia a sociabilidade, o prazer do diálogo e da criatividade. Elas só se relacionam com seus pares, pois só eles as suportam. Ainda que sejam pessoas notáveis, possuem um Eu viciado em determinados circuitos cerebrais.

A pedagogia da dúvida

A arte da dúvida leva o Eu a explorar o subsolo da memória – áreas mais nobres da MUC, região central da memória, e da ME, as extensas regiões periféricas. Essa nobilíssima ferramenta leva o Eu a questionar sua interpretação dos eventos da vida, reciclar suas verdades e revisar seus paradigmas, expandindo a complexidade do seu raciocínio.

Quem começar a usar sistematicamente essa ferramenta tem grande possibilidade de, apenas uma semana depois, ter expandido em pelo menos 20% o seu raciocínio multifocal/abstrato/indutivo. É preciso não apenas que o Eu se autocritique e se recicle, mas também que faça diversas perguntas sobre um assunto, fenômeno ou acontecimento antes de dar uma resposta.

Não adianta ter cultura se ela for inacessível ao Eu viciado em ler áreas estreitas da memória. Você conhece pessoas cultas que são pouco sociáveis e não aguentam ser questionadas ou contrariadas? Ter empilhado quantidades enormes de tijolo e cimento no córtex cerebral não quer dizer que se é um bom engenheiro de pensamentos.

A pedagogia da crítica

Cultura geral é importante e a arte da dúvida é excelente, mas além disso é fundamental usar a técnica da pedagogia da crítica. A dúvida expande o território de leitura da memória e a crítica refina o processo de leitura, processa os dados. A dúvida abre o leque de possibilidades do pensamento, mas é a crítica que qualifica e organiza essas possibilidades. As duas são dois grandes papéis do Eu para reciclar o lixo acumulado na MUC e ajardiná-la, plantar flores no centro da memória para nutrir a primavera emocional. Duvidar rompe o cárcere do conformismo, extrapola a masmorra da rotina, desperta a sede de saber, e, desse modo, amplia a produção de conhecimento; criticar calibra e prepara o Eu para a ação.

A pedagogia da dúvida e a pedagogia da crítica nos tiram da condição de expectadores passivos e nos transformam em atores construtivos do processo de produção de conhecimento. Escolas que transmitem conhecimento, mas não trabalham com essas duas pedagogias preparam servos e não pensadores. Sem aprender a duvidar e criticar, os alunos são mentes adestráveis.

O nazismo adestrou a mente de milhões de jovens e adultos, inclusive de notáveis membros das forças armadas. Por quê? Porque a dúvida e a crítica foram abolidas da sociedade alemã. Como um simples cabo, Adolf Hitler, que transportava mensagens do quartel para o front, pôde tornar-se o senhor de uma sociedade cultíssima? Como um estrangeiro indolente e inculto, que não tinha traços arianos, que nunca dirigira sequer um botequim pôde dominar o país de Kant, Shoppenhauer, Nietzsche, que tinha ganhado um terço dos prêmios Nobel na década de 1930? Abortar a dúvida e a crítica do teatro educacional, jurídico e político pode nos levar a cometer atrocidades inimagináveis.

Certa vez, dei uma conferência num congresso de pesquisa e ensino. Comentei com os alunos de graduação e pós-graduação que quem não desenvolve o raciocínio abstrato e multifocal/indutivo e não o utiliza para repensar os pensamentos, o conteúdo dos livros e os ensinamentos dos professores corre sérios riscos de tornar-se servo e não construtor de conhecimento.

Estimulados pela preleção, muitos universitários e mestrandos vieram conversar comigo dizendo que queriam um dia reciclar as universidades. Foi um bom começo. Alegrei-me com aqueles "rebeldes". Descobriram que, no brevíssimo palco da existência, intimidar-se na plateia não é a atitude mais saudável. O Eu tem duas grandes responsabilidades históricas: reciclar sua história e reciclar, o tanto quanto possível, a história social. O Eu maduro, crítico, estrategista, que abre o leque da sua mente para pensar em múltiplas possibilidades, está destinado a mudar a história, pelo menos a sua própria.

Capítulo 19

A TIM e sua aplicação na psicologia: a terapia multifocal e o gerenciamento do Eu

O veículo da mente e os núcleos de habitação do Eu

Vimos a aplicação da TIM na sociologia e na educação, agora estudaremos, pelo menos um pouco, sua aplicação na área dos transtornos psíquicos, quer dizer, na psicologia clínica. De imediato, precisamos fazer um grande questionamento. Por que dirigimos veículos com facilidade, mas não pilotamos a mente humana com a mesma destreza? Por que temos tanta dificuldade em gerenciar a emoção e protegê-la? Por que é tão fácil adoecer e ser um encarcerado no único lugar em que deveríamos ser sempre livres, dentro de nós? Por que tratar de um paciente deprimido, com síndrome do pânico ou anorexia nervosa é um processo lento e complexo e não cirúrgico, como operar uma úlcera ou um tumor? Se o mundo das ideias é tão criativo, por que nossa criatividade não é tão eficiente para governar a própria fonte dos pensamentos? Por que há psicólogos que são exímios conferencistas, empresários que são brilhantes executivos, advogados que são notáveis profissionais, mas não suportam ser contrariados, têm dificuldade para superar frustrações, estresse e sofrem por antecipação?

Há muitas explicações para os entraves do gerenciamento do funcionamento da mente – características de personalidade, perdas e privações na infância, falta de habilidades socioemocionais etc. –, mas duas causas são irrefutáveis: 1) a produção de pensamentos e emoções é multifocal, ou seja, não apenas financiada ou patrocinada pelo Eu, mas também por fenômenos inconsciente; 2) o instrumento usado pelo Eu para intervir no mundo psíquico é virtual: trata-se do pensamento dialético. O que é virtual não pode mudar a essência do que é substancial, emocionalmente concreto, como fobias, angústias, humor deprimido.

A primeira causa equivale a dizer que estamos num veículo e ao nosso lado existem passageiros que podem se apoderar da direção, do breque, do acelerador, e dirigi-lo por nós para trajetórias não previstas e causando acidentes. A segunda causa equivale a assistir a projeção de um filme na parede e tentar intervir na dinâmica do filme. Ele está próximo, mas infinitamente distante das cenas. O pensamento virtual não pode mudar as ondas eletromagnéticas reais projetadas na parede.

Claro, o Eu não usa apenas pensamentos dialéticos, portanto virtuais, como instrumento para atuar na mente, mas também essenciais. O Eu na realidade é a ponte fundamental entre o virtual e o real, ele materializa a imaginação de um monstro desenhado na mente, no território da emoção. Ele é capaz de transformar uma barata num dinossauro, levando não poucas mulheres a um estado de pânico, e homens também. O Eu, como ponte entre o virtual e o real, pode nos fazer sofrer por uma doença que só existe na nossa imaginação, por isso há milhares de pessoas hipocondríacas.

As pessoas, incluindo inúmeros profissionais das ciências humanas, não têm ideia de como esses fenômenos são complexos no teatro psíquico. Elas intervêm no consultório, julgam réus nos tribunais, debatem ideias em sala de aula, mas não percebem a dança de fenômenos que ocorre em frações de segundos em sua própria psique.

O Eu como gestor da mente humana, independentemente de ser péssimo ou eficiente, materializa os pensamentos conscientes, portanto, de natureza virtual, no território da emoção, de natureza concreta, usando os pensamentos essenciais, pois eles também são concretos. Desse modo, o Eu pode se convencer de que não vale a pena gravitar a órbita dos outros, que se cobrar excessivamente é se punir, que sofrer por antecipação é uma estupidez intelectual. O pensamento consciente é ineficiente para estancar a emoção, pois sua natureza é virtual, mas o crédito que o Eu dá a esses pensamentos e a leitura rapidíssima da memória gera pensamentos essenciais subjacentes (inconscientes) que, esses sim, têm o poder de transformar a ansiedade em serenidade, a autopunição em autopreservação.

Mas o Eu precisa se exercitar continuamente nesse modo de pensar, caso contrário, ele vai criar janelas solitárias, incapazes, portanto, de se manter na memória. Se se exercita diariamente, por exemplo, fazendo psicoterapia, o Eu constrói inúmeras janelas saudáveis (*light*) que formarão um núcleo de habitação, um "bairro" sustentável no córtex cerebral; essa plataforma de janelas *light* pode expressar a superação de um trauma. A intenção não muda a personalidade, pois gera janelas solitárias, a práxis diária produz núcleos de habitação que levam o Eu a ser autor de sua história.

Dificuldades da gestão psíquica

Se o Eu tem grandes habilidades, por que então não conseguimos dominar totalmente o mundo dos pensamentos e das emoções? Porque o instrumento que o Eu usa para intervir no território das emoções e nos fenômenos que produzem as cadeias de pensamentos não é apenas o pensamento essencial, mas, principalmente, o pensamento dialético, que é de natureza virtual. Voltamos à complexa tese: o que é virtual tem condições de se conscientizar do que é real, mas não tem como modificá-lo. Além disso, não apenas o Eu constrói pensamentos, mas fenômenos inconscientes, como o autofluxo e a âncora da memória também.

Quantas vezes ruminamos perdas e frustrações sem que o Eu autorize? Ele não quer chafurdar na lama de um problema, mas torna-se espectador passivo. E quando resolve ser ativo, usa o pensamento virtual para superar transtornos reais, como anorexia, bulimia, obsessão, humor depressivo. E, então, percebe sua impotência.

Você pode ver na TV uma pessoa presa nas ferragens de um carro acidentado, contudo, apesar de ter consciência do sofrimento, ela é virtual. Entre você e a pessoa acidentada, existe um mundo intransponível. Você pode sofrer por ela, mas esse sofrimento será sempre seu. Um psicoterapeuta experiente pode ficar sensibilizado com as graves perdas de seu paciente, mas, se ele sentir qualquer tipo de dor, essa dor será dele mesmo e não do próprio paciente. Psicoterapeuta e paciente se comunicam por um sistema de códigos sonoros e visuais que acionam o gatilho da memória, mas não transmitem a essência da emoção. Algumas pessoas acreditam que certos ambientes lhes causam emoções e sensações desagradáveis, mas no fundo essas experiências foram elaboradas nos incríveis porões da sua própria mente.

No exemplo do carro, apesar de estar consciente da dor da pessoa, você não tem condições de ajudá-la. Do mesmo modo, os pensamentos dialéticos servem para nos tornar conscientes de nossas angústias, dores e ansiedades, mas eles não têm como intervir nessas emoções e transformá-las.

Os pensamentos dialéticos são o principal instrumento de gerenciamento do Eu, mas eles precisam dos pensamentos essenciais. São eles (pensamentos essenciais) que produzem os dialéticos, expressos, por exemplo, pela comunicação verbal; mas os pensamentos conscientes, uma vez formados, precisam provocar os pensamentos inconscientes (essenciais) a fim de provocar o território da emoção. Como? Através da análise de dados, reelaboração de experiências, autodeterminação, autonomia, DCD (por exemplo, *duvidar* do medo, *criticar* a emoção fóbica, *determinar* estrategicamente ser resiliente).

Apesar de o Eu estar consciente dos conflitos psíquicos e das causas que geraram esses conflitos, ele, por si só, não tem capacidade para resolvê-los. Um dos maiores erros da psicanálise é acreditar que, pelo fato de o paciente compreender as causas inconscientes dos seus conflitos, ele conseguirá resolvê-los. Mas é fundamental usar os pensamentos essenciais para que isso aconteça.

Quem mais usa o inconsciente: os psicanalistas ou os comportamentais?

Compreender as causas de uma doença é importante, mas insuficiente para superá-la. É necessário reelaborá-la para que passe pela atuação do fenômeno RAM (registro automático da memória). Ele registra os pensamentos essenciais gerados pela reelaboração (técnica psicanalítica) ou dessensibilização (técnica comportamental) nos territórios das janelas *killer*, reeditando, assim, o filme da memória.

Na psicanálise, um paciente pode ficar dez anos deitado num divã, conhecer toda a formação de sua personalidade, e, ainda assim, não conseguir reescrever seu passado se não criticar ativamente suas descobertas. As terapias cognitivas e comportamentais frequentemente não valorizam o aspecto inconsciente mais profundo da personalidade. Elas levam o paciente a intervir diretamente nos conflitos, no humor deprimido, nas reações fóbicas. Mas, embora possam ser mais eficientes ou pelo menos mais rápidas do que a psicanálise nos transtornos depressivos, essas terapias também enfrentam as limitações do Eu.

Por que a terapia cognitiva é mais eficiente em alguns transtornos psíquicos do que a teoria psicanalítica? Essa é uma questão importante, ignorada talvez até mesmo pelos adeptos dessas correntes terapêuticas. A resposta é que os terapeutas cognitivos, mesmo sem saber, estimulam os pacientes a usar mais os pensamentos inconscientes (essenciais) do que os conscientes (dialéticos). Eles acreditam que trabalham fortemente os fenômenos conscientes ao produzir técnicas que geram uma intervenção direta no conflito, mas segundo a TIM, eles usam mais os fenômenos inconscientes do que os psicanalistas, que amam o inconsciente. Essa é uma grande quebra de paradigma na psicologia.

Ao intervir nos conflitos, sem saber usam o gatilho da memória, a âncora da memória e o fenômeno RAM, fenômenos inconscientes, com notável intensidade quando atuam em fobias, anorexia, ansiedade, dependência de drogas, depressão etc.

A psicanálise, por meio da técnica da livre-associação, usa, sem saber, mais os pensamentos dialéticos do que os essenciais no processo terapêutico. Reitero, embora seja paradoxal, a psicanálise, que objetiva reorganizar o inconsciente, usa mais do que imagina os pensamentos conscientes (dialético e antidialético) como instrumento terapêutico do que a teoria comportamental. Como os pensamentos dialéticos usados na técnica de livre-associação são de natureza virtual, não têm força para atuar no território da emoção. Claro que o autoconhecimento eficiente, uma vez que elabora a experiência do trauma, produz pensamentos essenciais, que por sua vez registrados reeditam o filme do inconsciente.

Devido à complexidade desses conceitos, deixe-me explicar melhor. A psicanálise almeja que o paciente penetre nas camadas de sua história, encontre as experiências que geraram frustrações, por exemplo, um abuso sexual. Vasculhando a mente de forma livre e espontânea, o paciente sai das fronteiras da MUC (memória de uso contínuo) e entra na memória inconsciente (ME – memória existencial). Assim, ele reelabora sua experiência, recicla sua história, o que são objetivos nobres, mas, para isso, usa excessivamente o pensamento consciente verbalizado (dialético). Uma série de pensamentos essenciais é produzida para dar sustentabilidade a essa verbalização (pensamentos conscientes). Uma vez que os pensamentos conscientes são produzidos, levando o paciente a entender como foi ferido na infância, a criatura se torna o criador. Ou seja, os pensamentos conscientes criam um ambiente "iluminado" (consciência crítica), estimulando o Eu a vasculhar com mais profundidade sua memória e elaborar melhor essas experiências conflitantes.

Todavia, o que fica registrado na memória são os pensamentos essenciais e não os pensamentos conscientes. Uma vez registrados nos focos de tensão, nas janelas traumáticas, ou *killer*, os pensamentos essenciais reescrevem a memória, reeditam a história intrapsíquica. Assim, ele pode deixar de gravitar a órbita de seu algoz, dá o direito a si mesmo de ser saudável e feliz e se entregar sem medo a uma relação afetiva. A melhora do paciente ocorre espontaneamente. Sei que tudo isso é difícil de entender, pois estamos falando de ciência básica na psicologia. É como se estivéssemos penetrando o interior de uma célula.

Na técnica psicanalítica, os pensamentos essenciais nem sempre têm carga emocional intensa e frequentemente não são direcionados para atingir diretamente os conflitos dos pacientes, como ocorre nas terapias cognitivas. O cognitivista entra com mais liberdade, embora nem sempre com mais profundidade, na história do seu paciente. Se ele sofreu perdas, privações, abusos, leva-o a não ser vítima de sua história, a encontrar estratégias para superar-se, estimula-o a ter órbita própria, a trabalhar sua dor e ressignificar suas mazelas. Como vimos, sem perceber, provoca uma série de fenômenos inconscientes que produzem pensamentos essenciais com alta carga emocional, facilitando o processo de reedição.

Toda vez que a psicanálise ou as terapias comportamentais e cognitivistas têm eficiência ou é porque reeditaram as janelas traumáticas ou porque construíram janelas saudáveis paralelas, novos núcleos de habitação do Eu na memória. Assim como na física não existe nada que ultrapassa a velocidade da luz, na psicologia, bem em como todas as ciências humanas, toda mudança estável passa pela transformação dos arquivos da memória. Por isso, as melhores e mais sustentáveis transformações são educacionais, patrocinadas pelas habilidades socioemocionais, em destaque pelo Eu como gestor da sua própria mente.

Psicoterapia multifocal

O psicoterapeuta multifocal não é o terapeuta que abraça exclusivamente a Teoria da Inteligência Multifocal, mas um profissional de psicologia e psiquiatria que tenha consciência de que o conhecimento não é compartimentalizado, de que o paciente não pode ser loteado por uma teoria, de que os conflitos na mente humana são tão complexos que precisam dos esforços e da inteligência de várias teorias para entendê-los e resolvê-los.

A psicoterapia multifocal usa intensamente os pensamentos conscientes e os essenciais. Usa o pensamento dialético para fazer dos pacientes pensadores conscientes de sua história, e usa os pensamentos essenciais, por meio das técnicas do resgate da liderança do Eu nos focos de tensão, para torná-los agentes modificadores de sua história. A terapia multifocal não entra em conflito com a psicanálise nem com a terapia cognitiva, mas as complementa e lhes abre avenidas de pesquisa e de compreensão do psiquismo total.

Certa vez, atendi um paciente com um grave transtorno obsessivo. Havia muitos anos era perturbado continuamente por ideias fixas relacionadas a acidentes, doenças e morte de pessoas próximas. Quando pensava que sua filha ou sua esposa sofreriam um acidente, ele se desesperava. Não conseguia falar, debater ideias, ficava quase paralisado. Perdeu completamente o controle sobre a produção dessas ideias obsessivas e desenvolveu estranhos gestos compulsivos para tentar obter alívio. Tal era seu descontrole que fazia esses gestos em público. Ultimamente, costumava entrar no banheiro de sua empresa e bater a cabeça na parede, assustando a todos com seus hematomas.

Esse paciente passou por diversos psiquiatras e psicoterapeutas. Fez psicanálise, terapia cognitiva, comportamental e muitos outros tipos de terapia. Porém, não teve sucesso nos tratamentos. Tomou todos os tipos de antidepressivos e tranquilizantes disponíveis, mas nenhum devolveu-lhe o prazer de viver nem a saúde psíquica. Era empresário, mas levava uma vida angustiante. Alguns o consideravam louco, outros, um ser socialmente estranho, bizarro.

Os pais dele viram o filho apresentar esse transtorno desde a adolescência, e sofriam muito com isso. Por fim, alguém recomendou-lhe o "melhor psiquiatra do país", cuja identidade desconheço. Na consulta, o psiquiatra o desanimou, dizendo que não tinha mais nada a fazer, pois ele já havia feito diversos tratamentos psicoterapêuticos e tomado os mais diversos medicamentos. Segundo esse psiquiatra, o paciente teria que conviver com seu conflito.

Muito tempo depois, esse paciente me procurou. Como estou acostumado a tratar de casos resistentes, sabia que meu maior problema não era a doença dele, mas o fato de ele não acreditar que poderia melhorar, que poderia administrar seus pensamentos e se tomar uma pessoa saudável.

Perguntei-lhe com toda a honestidade se ele queria que eu fosse mais um psiquiatra e psicoterapeuta que passaria por sua vida ou um profissional que o ajudaria realmente a reescrever sua história. Procurei provocar sua inteligência, romper a adaptação à sua miséria. Desejava instigar sua produção de pensamentos essenciais e estimulá-lo a fazer uma revolução no seu mundo psíquico, estimulá-lo a romper seu cárcere intelectual.

Durante o tratamento, levei-o a compreender como a mente funciona, como produzimos os transtornos obsessivos, como retroalimentamos os conflitos na memória, como atuam os fenômenos RAM, gatilho da memória e autofluxo. Também o levei a compreender, à luz desses fenômenos multifocais, as causas inconscientes do seu conflito e a resgatar a liderança do Eu nos focos de tensão.

Estimulei-o a atuar no seu universo psíquico dia após dia, durante seis meses, construindo ideias inteligentes e críticas contra cada ideia obsessiva. Queria que ele reconstruísse sua história, pois ela alimentava suas ideias fixas por meio das leituras contínuas produzidas pelo fenômeno do autofluxo. Não fiz muito, apenas levei seu Eu a desenvolver suas mais importantes habilidades, entre elas o de ser gestor de sua mente, gestor das emoção, diretor do *script* de sua história.

O resultado foi brilhante. Já nos primeiros meses de tratamento, ninguém acreditava que aquela pessoa tão doente melhorara tanto. Esse paciente foi mais um dos que fizeram a terapia multifocal, compreenderam o processo de construção dos pensamentos, reeditaram sua história, construíram novos núcleos de habitação do Eu (plataformas de janelas *light*) e se tornaram líderes de si mesmos.

Capítulo 20

Cada ser humano é um mundo: princípios psicoterapêuticos vitais

Terapeutas não são deuses, mas seres humanos com defeitos

O maior líder é aquele que reconhece sua pequenez, extrai força de sua humildade e experiência de sua fragilidade. O psicoterapeuta multifocal é um estudioso dos fenômenos que participam da construção do pensamento, da transformação da energia emocional, da formação da história intrapsíquica e da consciência existencial do Eu. Compreende que o funcionamento da mente humana é complexo e sabe que um dos maiores desafios da inteligência humana é transformar o Eu num agente modificador de sua própria história.

A postura do terapeuta multifocal é muito importante, pois cria um ambiente terapêutico inteligente, livre, aberto, que estimula o ato de pensar. Ele não se coloca como um gigante no território da emoção.

Mas como alguém que, apesar de treinado para conhecer o processo de formação da personalidade e tratar doenças psíquicas, é um ser humano que também tem dificuldades existenciais e limitações no processo de gerenciamento das emoções e dos pensamentos, o psicoterapeuta não deve assumir a postura de semideus, de dono da verdade. O paciente, por sua vez, também não deve encará-lo como uma pessoa inatingível, distante de suas fragilidades e angústias.

Um bom psicoterapeuta é antes de tudo um excelente ser humano. Alguém sociável, seguro, bem resolvido, que não tem medo de reconhecer suas dificuldades, que se coloca como aprendiz diante da vida e que tem a capacidade de aprender lições existenciais com seus pacientes. Não se comporta como um extraterrestre, mas como um ser humano que interage sempre que possível com seu paciente, mesmo que seja psicanalista. O bom psicoterapeuta honra a inteligência do paciente, aplaude-o a cada conquista emocional e o estimula a ser autor de sua história.

Um psicoterapeuta experiente sente empatia por seu paciente e lhe transmite confiança e segurança. É capaz de mostrar que está muito interessado em sua história e em sua dor e cria nele a certeza de que ele não é só mais um paciente, mas um ser único e insubstituível, que merece todo o respeito e que tem direito de viver uma vida livre e saudável.

O psicoterapeuta inteligente, que conhece o funcionamento básico da mente humana, tem consciência das distorções que ocorrem no processo de interpretação. Sabe que é impossível não envolver sua própria história na interpretação de seus pacientes, pois o gatilho da memória e as janelas do seu córtex cerebral se abrem continuamente, e isso independe da técnica usada. Mas, apesar de saber que existe envolvimento inconsciente, seu Eu conscientemente questiona esse envolvimento e se distancia para compreender o outro o máximo possível a partir dele mesmo e não de si mesmo.

Está sempre apontando as armadilhas da mente humana, a síndrome do circuito fechado da memória, a necessidade vital de o paciente reeditar diariamente seu conflito. Leva-o a compreender que sempre podem ocorrer recaídas, por mais que seja relevante e haja muitas melhoras, pois frequentemente os traumas ou zonas de conflitos estão agrupados em múltiplas regiões. Reeditar uma área não quer dizer que todo o passado tenha sido reurbanizado. Vencer uma batalha não significa vencer a guerra. Psiquiatras e psicólogos que não preparam seus pacientes para ser resilientes durante as recaídas não conhecem as armadilhas da mente, a atuação subliminar do gatilho da memória, âncora e teoria das janelas do córtex cerebral.

Respeito incondicional e ético com os pacientes

Um psicoterapeuta deve abraçar uma teoria como seu pilar básico e estudá-la profundamente, embora possa usar diversas ferramentas de outras teorias. O terapeuta multifocal, independentemente se abraça a psicanálise, a teoria cognitiva, positiva, existencial ou a TIM como sua teoria fundamental, precisa entender os papéis fundamentais da memória, quais sejam:

- O registro automático pelo fenômeno RAM.
- O registro privilegiado no inconsciente das experiências que têm carga emocional intensa e que formam as janelas *killer*.
- A impossibilidade de deletar a memória consciente e inconsciente.
- A necessidade de reescrevê-la para mudar a estrutura da personalidade.
- A síndrome do circuito fechado da memória.
- A síndrome do pensamento acelerado que conduz ao baixo limiar para frustrações e dificulta o gerenciamento do Eu.

O terapeuta experiente, apesar de investigar o passado do paciente, não o faz gravitar em torno dele, pois o Eu não tem as ferramentas para descobrir onde estão registradas as experiências doentias no córtex cerebral nem, como já disse, para apagar arquivos. A história da personalidade arquivada na memória precisa ser reeditada, reescrita.

Um terapeuta multifocal experiente conduz seu paciente à autonomia, torna-o capaz de usar ferramentas como a técnica do DCD no ambiente extraconsultório, para que ele conquiste uma mente livre. O risco de produzir um paciente dependente das sessões no consultório tem de ser considerado por qualquer corrente psicoterapêutica e deve ser evitado com o máximo de empenho.

Para a Teoria da Inteligência Multifocal, o paciente tem direitos fundamentais que devem ser assegurados por qualquer tipo de psicoterapia, mas, infelizmente, eles nem sempre são respeitados. Entre esses direitos, está o de questionar seu terapeuta.

Por estar fragilizado por sua doença, o paciente está numa relação desigual com o terapeuta, está desprotegido diante dele, por isso, o psicoterapeuta tanto pode ajudá-lo como prejudicá-lo e embotar sua capacidade de pensar.

É necessário que o terapeuta dê plena liberdade para o paciente questionar suas interpretações, bem como a teoria e os procedimentos que utiliza. Ele deve estimular a pergunta, a dúvida e a crítica do paciente. O psicoterapeuta que não se deixa questionar pelo paciente deveria assumir o lugar dele e ser tratado.

Quando o paciente tiver condições de andar sozinho, de gerenciar seus pensamentos, de proteger sua emoção nos focos de tensão, de trabalhar seus transtornos psíquicos, ele deve ter alta supervisionada, ou seja, voltar somente quando necessário.

Independentemente de ser um psicólogo, um psiquiatra ou um agente de saúde, o terapeuta que transmite suas interpretações como se fossem verdades absolutas, que se comporta como um semideus em relação aos pacientes, pode estar apto a exercer qualquer atividade, inclusive a de deus, menos a de psicoterapeuta.

Objetivos solenes da psicoterapia

O objetivo da terapia multifocal não é só resolver doenças, mas estimular os pacientes a desenvolver amplamente a gestão da emoção, a liderança do Eu sobre os pensamentos, bem como as funções mais importantes da inteligência socioemocional: o pensar, o criticar, as capacidades de superar as intempéries, pensar antes de reagir, expor e não de impor as ideias, colocar-se no lugar do outro, contemplar o belo.

Não basta contribuir com a cura da doença. É preciso tornar o paciente um ser completo, que brilhe em sua inteligência, que saiba navegar no território da emoção, que seja especial por dentro, ainda que comum por fora. A psicoterapia mais eficiente não é a que trata de doentes, mas a que educa e forma seres humanos.

A psicoterapia multifocal vai além dos limites das doenças, procurando expandir as potencialidades intelectuais do paciente. Para atingir esses objetivos, o terapeuta deve estimular o paciente, durante o tratamento, a continuar sua terapia no ambiente em que exerce suas atividades sociais e profissionais, por meio das técnicas do resgate da liderança do Eu, bem como do gerenciamento do gatilho da memória, da âncora da memória e do fenômeno do autofluxo.

Além disso, deve estimulá-lo também a utilizar o fenômeno RAM para reescrever sua história e se tornar um agente modificador dela, reorganizando, assim, os transtornos depressivos, a síndrome do pânico e os transtornos obsessivos.

A terapia multifocal, portanto, precisa de prosseguimento nos territórios sinuosos da vida social e profissional, fora do ambiente do consultório. Quem só se preocupa em tratar os pacientes no *set* do consultório, ambiente controlado em que as zonas traumáticas não aparecem, tem uma visão reducionista da mente humana. Criará uma falsa crença de que só as diretrizes dadas nas sessões terapêuticas serão suficientes para que o paciente estruture e reorganize sua personalidade.

O clima na sessão psicoterapêutica deve ser inteligente e participativo. A terapia deve transcorrer num ambiente de democracia das ideias, evidenciando que a verdade é um fim inatingível; nesse ambiente o terapeuta jamais controla o paciente, que tem liberdade total para se expressar.

O psicoterapeuta multifocal analisa os momentos da história do paciente, investigando, em seu passado, os elementos registrados de maneira superdimensionada pelo fenômeno RAM, as experiências retroalimentadas pelo fenômeno do autofluxo, a dificuldade de gerenciamento do Eu, as dificuldades de descaracterizar as imagens inconscientes que estruturam os conflitos, a necessidade de intervenção nos pensamentos essenciais, que geram não apenas os pensamentos conscientes (dialéticos e antidialéticos), mas também a ansiedade, o humor deprimido e os conflitos existenciais.

Lembre-se de que o grande problema não é a doença do doente, mas o doente da doença, ou seja, a disposição do Eu do paciente em penetrar seu mundo, revisar sua história e reorganizar a sua maneira de reagir à doença e ao ambiente social, enfim, de não ser vítima de seus traumas, mazelas sociais e conflitos interpessoais.

Dez princípios psicoterapêuticos vitais para todas as correntes de pensamento

A psicoterapia multifocal não compete com nenhuma outra psicoterapia, ao contrário, expande e recicla-as; pode ser usada por todas as correntes teóricas, pois seus fundamentos são o processo de construção de pensamentos, os papéis da memória e o processo de formação do Eu. A seguir, traçarei os dez princípios vitais que deveriam ser levados em alta consideração por todos os psicoterapeutas de qualquer corrente teórica.

1. Conduzir o paciente à compreensão de que para conquistar saúde psíquica e ter qualidade de vida deve-se renunciar à perfeição; é preciso assumir-se como ser humano e, como tal, imperfeito. Também é fundamental ter autoconsciência e mapear os fantasmas mentais (fobias, perdas, privações, pânico, depressão etc.). Depois disse, devem-se estabelecer metas claras e trabalhar com disciplina e foco para alcançá-las.

2. Levar o paciente a atuar no processo de construção do Eu, na gênese da formação dos pensamentos, na educação emocional e na reedição da história intrapsíquica.

3. Estimular no paciente a capacidade de pensar, para que ele não apenas seja capaz de criticar seus conflitos e o ambiente social que o envolve, mas também a interpretação do psicoterapeuta, suas técnicas e seus procedimentos. Psicoterapeuta que tem medo de ser questionado por seus pacientes ou não lhes dá essa liberdade tem grandes chances de aprisionar mentes e não se tornar formador de mentes livres.

4. Estimular a capacidade de análise multifocal do paciente para que ele possa elaborar suas experiências e desenvolver o raciocínio complexo/dedutivo/indutivo.

5. Levar o paciente a desenvolver resiliência, capacidade de trabalhar perdas e frustrações e de proteger a emoção diante de estímulos estressantes.

6. Estimular o paciente a contemplar o belo, ter prazer pela vida e compreender a existência, para que tenha estabilidade e profundidade emocional.

7. Conduzir o paciente à compreensão dos papéis da memória e à reescrita da história consciente e inconsciente nela arquivada. A mente saudável não exige heróis que deletem seu passado, mas que sejam capazes de reeditar sua história construindo seu futuro.

8. Levar o paciente a resgatar a liderança do Eu nos focos de tensão. Ninguém é um grande líder social se primeiramente não for líder de sua própria mente.

9. Ajudar o paciente a desarmar a síndrome do circuito fechado da memória e aliviar a síndrome do pensamento acelerado. O paciente deve compreender o intercâmbio entre *Homo bios* e *Homo sapiens*, entre os mecanismos instintivos e racionais.

10. Estimular os pacientes a ter como meta não apenas a superação de depressão, síndrome do pânico, farmacodependência, ansiedade ou qualquer outro transtorno, mas sim a fundamental busca do Eu como gestor da mente.

Capítulo 21

Desafios para o futuro da humanidade em relação ao funcionamento da mente

As sociedades modernas vivem grandes e graves problemas psicossociais. Devido à globalização da informação, a cultura e o pensamento estão cada vez mais massificados, o belo está cada vez mais estereotipado, o consumismo se tornou uma droga coletiva e os paradigmas socioculturais engessam cada vez mais a inteligência humana.

O ato de pensar está sufocado, o prazer de ser um caminhante nas avenidas do próprio ser e trabalhar as angústias existenciais está combalido. A aventura de procurar as origens da inteligência e de mergulhar no mundo indescritível das ideias relativas à natureza e ao processo de construção dos pensamentos tem sido um privilégio para poucos. O mal do *logos* estéril e a síndrome da exteriorização existencial tornaram-se doenças psicossociais epidêmicas. É provável que a revolução da qualidade de vida psicossocial, uma revolução fundamentalmente mais importante e valiosa do que a revolução científica e tecnológica ocorrida no século XX não ocorra durante o século XXI.

Se não ocorrer a revolução do humanismo, da cidadania, da democracia das ideias, da arte de pensar e, ainda, uma profunda transformação no processo educacional, o século XXI será o século das doenças psíquicas, psicossomáticas e psicossociais. Será o século do paradoxo da informação, pois combinará alta assimilação de informações com baixa capacidade de pensar criticamente. Teremos apenas seres humanos bem informados, grandes especialistas que navegarão cada vez mais pela internet e que terão acesso às universidades virtuais e a um rico caldeirão de informações como nunca ocorreu antes na história. Contudo, nós, os seres humanos, não saberemos pensar, duvidar ou criticar as convenções do conhecimento, transformar o conhecimento vigente, interpretar criticamente os fenômenos, produzir ideias com originalidade, preservar os direitos humanos, repensar a si mesmos ou reciclar o autoritarismo e a rigidez intelectual.

Como tenho enfatizado, devido a duas síndromes, a da Exteriorização existencial e a SPA, as crianças podem correr o risco de desenvolver as funções cognitivas (raciocínio complexo, raciocínio estratégico, pensamento lógico), mas não as habilidades socioemocionais, o que propiciará cada vez mais a infantilização da emoção: adultos com idade biológica de trinta ou quarenta anos, com idade emocional de dez ou quinze anos. Pessoas adultas que não podem ser contrariadas, têm a necessidade neurótica de poder, querem que o mundo gravite em sua órbita, não sabem sequer reconhecer seus erros e falhas. São candidatos a deuses e não a seres humanos...

O desenvolvimento qualitativo da inteligência

A inteligência é produzida espontânea e quantitativamente no cerne da alma humana, pois o campo de energia psíquica se encontra em fluxo vital contínuo, que realiza a leitura da memória e dá origem a uma rica produção de cadeias de pensamentos.

Somos uma espécie inteligente não porque optamos por isso, mas porque os fenômenos da autochecagem, da âncora memória e do autofluxo produzem anualmente milhões de matrizes de pensamentos essenciais que carregam os arquivos da memória e, ao mesmo tempo, são lidos virtualmente, gerando os pensamentos conscientes. São estes últimos, por sua vez, que organizam, pouco a pouco, a complexa arquitetura do mais surpreendente fenômeno da inteligência, o Eu.

O Eu é o fenômeno capaz não apenas de se conscientizar de si mesmo, mas também do universo que o circunda. Todos os dias identificamos nosso estado emocional – se estamos tristes, alegres, deprimidos etc. – e milhares de itens a nosso redor.

Contudo, raramente alguém se perturba diante da complexidade da tarefa que é ter consciência de si mesmo e do mundo; dificilmente alguém se encanta com a leitura rapidíssima da memória, capaz de organizar, em milésimos de segundo, experiências existenciais e estruturas linguísticas não pensadas previamente e cuja localização no córtex cerebral desconhecemos.

Para processar o desenvolvimento qualitativo da inteligência e, consequentemente, formar pensadores, é necessário que fiquemos encantados com o processo de construção da inteligência, que compreendamos o conjunto de variáveis psicossociais que influenciam essa construção.

O desenvolvimento qualitativo da inteligência, muito mais que a melhoria na qualidade de vida emocional, intelectual e social do ser humano, objetiva expandir a academia de formação de pensadores que sejam capazes de provocar a revolução da cidadania, do humanismo e da democracia das ideias.

Cuidar do planeta cerebral é fundamental

Uma das características fundamentais de uma mente livre é se colocar como um eterno aprendiz na curta trajetória existencial. Temos de nos ser contínuos e inveterados aprendizes que procuram conquistar as funções mais nobres da inteligência, garimpeiros do universo intrapsíquico em busca da expansão das potencialidades intelectuais.

A morte de um pensador não acontece apenas quando ele morre fisicamente, mas, sobretudo, quando ele morre intelectualmente, quando desativa a âncora da memória, assim, restringe o território de leitura por meio de comportamentos autoritários e autossuficientes. Ele exerce a ditadura da verdade e deixa de ser um ávido aprendiz em sua trajetória existencial, pois passa a compreender o mundo apenas dentro da órbita de seu conhecimento.

Se não aprendermos que um dos papéis da memória é abrir e fechar o território de leitura diante de focos de tensão ou diante da postura ditatorial que, inadvertidamente, assumimos no processo de observação e produção de conhecimento, corremos riscos sérios de ser intelectualmente estéreis, de ter mentes adestradas.

Um ser humano que pensa livremente não envelhece nunca no território dos pensamentos e das emoções. Seu corpo pode estar abatido pelo tempo, saturado de cicatrizes, mas a mente e a emoção estarão cada vez mais rejuvenescidas, seu Eu continuará deslumbrado com os mistérios da existência. Contudo, um pensador poderá envelhecer se vivenciar altos índices GEEI, se viver sob a necessidade neurótica de poder, de ser reconhecido, de ser o centro das atenções, de ter excesso de trabalho e atividades sociais.

Toda essa trajetória estressante pode depositar milhares de experiências ansiosas na memória, que vai ser lida e relida pelo fenômeno do autofluxo, levando a pessoa a perder a sensibilidade, a se psicoadaptar ao cárcere da mesmice, a perder ou reduzir o interesse pelos fenômenos desconhecidos. Por isso, as grandes descobertas na ciência foram alcançadas por cientistas jovens, ainda imaturos, desejosos de aventuras e engajamentos e com baixos níveis de esgotamento cerebral. Certa vez, dei conferência com autoridades internacionais engajadas em preservar o planeta contra o aquecimento global. Eu mudei o foco e falei sobre a sustentabilidade de outro planeta, o cérebro humano. Muitos nunca tinham pensado sob esse novo paradigma.

Se nossos filhos e alunos não cuidarem do planeta cerebral, não preservarão o meio ambiente. Eles sofrem por antecipação, gastam energia descomunal nas redes sociais, têm a preocupação neurótica de que seus colegas curtam suas mensagens, são viciados em *smartfones*. Adultos que não aprenderem a cuidar da emoção e não souberem gerenciar a ansiedade e o estresse terão pouca disposição e efetividade para cuidar e preservar os escassos recursos deste belíssimo e importantíssimo planeta azul, a Terra.

Precisamos aprender a poupar nosso cérebro, relaxar, ter prazer em ser ator nos bastidores, no anonimato, reciclar a necessidade doentia e desgastante de estar no centro das atenções sociais. Há pensadores que não tiveram seu trabalho intelectual registrado nos anais da história, que não ganharam notoriedade social, porque amavam o prazer do anonimato mais do que o *status*.

Um exemplo de uma pessoa que semeou seu pensamento de maneira brilhante, expressou sua inteligência de maneira ímpar e procurou constantemente o anonimato foi Jesus Cristo. As religiões podem ser fonte de doenças mentais se não usarem algumas das ferramentas que ele usou. Jesus causou a maior revolução da história; entretanto, não desembainhou uma espada nem usou a violência.

A vida não o poupou; do nascimento à morte, passou pelas mais amargas situações estressantes. Foi traído, negado, inclusive por seus diletos discípulos, mas mesmo assim não desistiu deles ou de seus carrascos. Fez poesias quando o mundo desabava sobre ele. Deslumbrava-se diante das pessoas; tratou o leproso como um príncipe, a prostituta como rainha.

Foi crítico do culto à celebridade. Como gestor de sua emoção, gostava de ser chamado de "filho do homem", queria ser reconhecido apenas como um ser humano, sem rótulos. Era fascinado pela vida e pelo espetáculo dos pensamentos; paradoxalmente, muitos daqueles que o circundavam e dos que hoje o seguem amam enfatizar os espetáculos sobrenaturais.

A crise na formação de mentes livres e emoção saudável

Somos a espécie mais fantástica na biosfera terrestre, estamos no topo da inteligência entre milhões de espécies, mas frequentemente usamos ferramentas erradas, esdrúxulas ou ineficazes para solucionar nossos conflitos, como a crítica excessiva, a elevação do tom de voz, as pressões, as comparações. Não entendemos que essas estratégias disparam em frações de segundos o gatilho da memória, que abre janelas *killer*, cujo volume de tensão fecha o circuito, fazendo o ser humano reagir por instinto, sem pensar, reciclar-se ou reinventar-se.

Ninguém muda ninguém, temos o poder de piorar os outros e não de mudá-los; mas podemos contribuir com eles se aprendermos a promover acertos e elogiar cada um deles e se nos colocarmos no lugar de quem falha e o surpreendermos saudavelmente, dizendo palavras de acolhimento e compreensão. O futuro da humanidade precisa de uma massa de pessoas que sejam carismáticas e empáticas, que saibam abrir o circuito da memória nos focos de estresse e que eduquem a emoção. O futuro da humanidade precisa de gestores da mente.

Somos uma espécie em dívida, segmentada, dilacerada psicossocialmente; não honramos a espetacular capacidade de construir nossa inteligência. Se compreendêssemos melhor a natureza dos pensamentos, os papéis da memória, as dificuldades do Eu para gerenciar a energia psíquica, o fenômeno da psicoadaptação e a atuação rapidíssima dos fenômenos inconscientes que constroem as complexas cadeias de pensamentos, seríamos mais tolerantes, generosos, colaboradores e estrategistas que pensam na humanidade a médio e longo prazos.

Espero que este livro possa contribuir não apenas para expandir o mundo das ideias sobre o funcionamento da mente, a construção de pensamentos e o resgate da liderança do Eu, mas também para a formação de pensadores humanistas, de engenheiros de ideias, de poetas intelectuais, de seres humanos que desenvolvam nessa sinuosa e curta trajetória existencial o melhor de seu potencial socioemocional.

O futuro da humanidade depende da conquista da mente neste milênio. Precisamos de um novo ser humano. Como disse e reitero, devemos passar da era da informação para a era do Eu como gestor, da era do Eu como espectador passivo das mazelas sociais para a era do Eu como protagonista, da era do Eu como um servo adestrável para era do Eu como autor de sua história.

A seguir, vou fazer uma síntese das habilidades mais importantes que um ser humano, que pretende dirigir o *script* de sua história e contribuir com a sociedade, deve alcançar através da psicologia, da psicopedagogia, das ciências jurídicas, da filosofia.

As trinta características psicossociais fundamentais

1. Procurar o autoconhecimento. Conhecer as próprias origens como ser pensante, perscrutar pelo menos minimamente "quem sou" e o "que sou", desvendar o funcionamento básico da mente. Enfim, não ser um forasteiro em si mesmo.

2. Gerenciar os pensamentos. Ter consciência de que pensar é um processo inevitável, que só pode ser direcionado, gerenciado ou desacelerado, mas nunca interrompido completamente. Pensar não é uma opção do *Homo sapiens*, mas seu destino inevitável. Se o Eu não lê a memória e não constrói pensamentos, fenômenos inconscientes o farão. Diante disso, saber que, embora a construção de pensamentos seja a maior fonte de entretenimento natural do homem, ela pode se transformar na maior fonte de terror emocional, de estresse. Gerenciar em especial o sofrimento por antecipação.

3. Ser líder de si mesmo, antes de ser líder social. Impugnar, discordar, confrontar todo tipo de controle dentro de si, inclusive, reciclar o fenômeno da psicoadaptação, objetivando romper o cárcere da insensibilidade e da mesmice das ideias a fim de libertar o imaginário e a criatividade.

4. Resgatar a liderança do Eu nos focos de tensão psicossocial. Saber que ser livre, é antes de tudo ser livre em sua própria mente. Fazer a oração dos sábios nos focos de tensão, o silêncio proativo (calamos por fora e questionamos por dentro), pois nos primeiros trinta segundos de ansiedade cometemos os maiores erros de nossas vidas.

5. Aprender a pensar antes de reagir e reciclar a síndrome do circuito fechado da memória. Não ser escravo do gatilho da memória, caso contrário, seremos servos do bateu-levou, estímulo-resposta.

6. Desenvolver a arte da pergunta como princípio de sabedoria na filosofia. Um cientista, líder, pensador ou estudante pergunta mais do que responde. As grandes respostas nascem no estresse das indagações. Quem não suporta o estresse das perguntas não será digno das grandes respostas, repetirá dados, abortará sua criatividade.

7. Ter consciência da ditadura da resposta, sabendo que cada resposta é o começo de novas perguntas. Usar a arte da dúvida para reciclar conflitos e desatar sofismas e verdades prontas. Duvidar do controle das fobias, da timidez, da insegurança, da rigidez intelectual, do engessamento emocional.

8. Desenvolver a arte crítica como princípio da sabedoria na psicologia. Criticar as falsas crenças, as crenças limitantes, as ideias perturbadoras, as cobranças excessivas, a autopunição, o humor depressivo, os paradigmas e dogmas asfixiantes.

9. Proteger a emoção como a mais excelente propriedade, a única que não pode falir ou ser violada. Para proteger a emoção, aprender a não comprar o que não lhe pertence, doar-se diminuindo a expectativa do retorno, entender que por trás de uma pessoa que fere há uma pessoa ferida, saber que a maior vingança contra um inimigo é perdoá-lo. Aprender a se perdoar e deixar de viver entrincheirado. Entender a diferença entre o individualismo, que é doentio, e a individualidade, que é saudável.

10. Ser um empreendedor criativo, dinâmico, flexível, seguro, mas não uma máquina de trabalhar. Equipar o Eu para relaxar, contemplar o belo, ter um romance com a qualidade de vida e não se comportar como algoz de si mesmo.

11. Reacender as chamas da juventude emocional e ter prazer nos desafios intelectuais, sociais e profissionais. Não permitir que fobias, crises, calúnias, perdas, frustrações, bloqueiem o Eu como autor da sua história.

12. Pensar como família humana e não apenas como grupo social, científico, nacional ou religioso. Ter um caso de amor com a humanidade, preocupar-se com ela, com seu futuro e com sua sustentabilidade.

13. Ter convicção de que nos bastidores da mente humana não há palestinos ou judeus, negros ou brancos, intelectuais ou iletrados, ricos ou miseráveis, homossexuais ou heterossexuais, mas seres humanos. Tanto uma tese do mais notável cientista como os delírios de um paciente psicótico são produzidos com a mesma complexidade, frutos da atuação rapidíssima de fenômenos, como o gatilho da memória, o autofluxo e o Eu.

14. Fazer escolhas e saber que todas as escolhas são acompanhadas de perdas. Saber que as grandes decisões são solitárias.

15. Ter sonhos e disciplina. Sonhos não são desejos, mas projetos de vida. Sonhos sem disciplina produzem pessoas frustradas, e disciplina sem sonhos produz autômatos, que só obedecem ordens.

16. Desenvolver resiliência como joia da coroa para proteger a emoção. Saber que não há céu sem tempestades nem caminho sem acidentes. Trabalhar as dores, perdas e frustrações e utilizá-las como alicerce da maturidade da inteligência.

17. Refletir sobre a temporalidade e a fragilidade da vida humana e procurar dar um sentido mais nobre à existência. Ter consciência de que o sábio não é aquele que nunca erra ou fracassa, mas aquele que amadurece com seus erros.

18. Desenvolver a arte da contemplação do belo. Contemplar o belo é fazer muito do pouco, é se encantar com o que o dinheiro não compra, é se curvar deslumbradamente diante dos pequenos estímulos da rotina diária.

19. No binômio "ter e ser", optar pelo "ser" sem abandonar o "ter". Mas evitar sempre o "ter", em excesso. Saber que o dinheiro não garante a felicidade, mas no sistema capitalista a falta dele é motivo de ansiedade.

20. O melhor presente é o que somos e não o que temos. Nunca se esquecer de que o melhor presente que os pais podem dar a seus filhos e estes aos seus pais são eles mesmos, histórias, aventuras, elogios, gratidão.

21. Viver os princípios da matemática da emoção e não os princípios da matemática financeira. Na matemática numérica dividir é diminuir, na emocional dividir (frustrações, crises, dificuldades) é somar. Pais que não falam de suas lágrimas aos filhos, para que eles aprendam a chorar a deles, não os preparam para a vida.

22. Saber que quem não é fiel a sua consciência tem uma dívida impagável consigo mesmo. Ser um amante da honestidade intelectual. Criticar simulação, extorsão, omissão, sabotagem (inveja) e autossabotagem (autopunição).

23. Vacinar-se contra a paranoia de ser o número 1. Criticar a competição predatória, a atitude de vencer a qualquer preço, de ascender intelectual, política e financeiramente através de qualquer método. Sabendo que a emoção é democrática, é possível fazer muito do pouco e, ao contrário, viver com migalhas de prazer tendo muito. É possível ser o número 2, 3, 10... com dignidade.

24. Ter uma mente livre. Aprender a ser livre no único lugar em que não é admissível ser prisioneiro ou escravo, dentro de si mesmo. É possível ser um prisioneiro vivendo em sociedades democráticas e livre vivendo num cárcere.

25. Aprender a se colocar no lugar do outro e perceber suas dores e necessidades psicossociais. Esvaziar-se de preconceitos e verdades preconcebidas para perscrutar o intangível. Treinar o Eu para ouvir o que os outros têm a dizer e não o que queremos ouvir.

26. Aprender a expor e não impor as ideias. Ter consciência de que o verdadeiro líder expõe suas ideias e dá direito aos outros de o criticarem, pois sua força está na inteligência, na generosidade, na tolerância e no altruísmo que tem e pratica. Um líder fraco é autoritário, impõe seus pensamentos e suas teses, pois sua força está na necessidade neurótica de controlar o outro.

27. Ter consciência de que tanto as mais diversas formas de discriminação quanto a supervalorização de uma pequena casta de políticos, líderes sociais e artistas são procedimentos estúpidos e imaturos. A discriminação e a supervalorização são polos doentios da mesma moeda intelectual. Criticar o culto à celebridade e elogiar os inúmeros anônimos que fazem funcionar o teatro social.

28. Vacinar-se contra a necessidade neurótica de poder, o autoritarismo científico e a ditadura do discurso político. Ter consciência de que a verdade científica e sociopolítica é inesgotável e inalcançável, pois o pensamento consciente jamais incorpora a realidade do objeto pensado. Saber que o pensamento, ao mesmo tempo que nos liberta da solidão social nos aproximando das pessoas e do mundo, pode nos afundar em outro tipo de solidão, a mais dramática: a solidão paradoxal da consciência virtual, na qual estamos próximos e infinitamente distantes de tudo. Isso, longe de ser destrutivo, expande a ansiedade vital e transforma o *Homo sapiens* em *Homo socius*, ser social; isso faz com que, incansavelmente, nos relacionemos, amemos, convivamos, enfim, toquemos a realidade nunca alcançada.

29. Ter consciência de que o egoísmo, o egocentrismo e o individualismo depõem contra a saúde psíquica. Ser capaz de fazer com que as pessoas tenham sonhos e projetos sociais, motivando-as a se engajarem neles. Saber que de acordo com a Teoria da Inteligência Multifocal, a TIM, a regra de ouro da psicologia para ser feliz e saudável é não apenas investir em si mesmo, mas investir intensamente no bem-estar e na saúde emocional dos outros.

30. Ninguém é digno da maturidade se não aprender a usar as lágrimas e os fracassos para conquistá-la. Ser um poeta da existência, um garimpeiro de ideias, um ser humano que procura aquilo que o dinheiro é incapaz de comprar, cujo Eu tem consciência de que a vida é um eterno ciclo de estações, que invernos se alternam a primaveras. Qualquer pessoa sabe viver bem nas primaveras emocionais, mas só os que aprendem a gerir sua emoção aprendem a viver com dignidade e maturidade nos invernos existenciais.

Palavras finais numa sociedade massificada

Um pensador que desenvolve suas habilidades intelectuais e emocionais mais importantes é, antes de tudo, alguém que procura honrar em tudo o que faz a existência como espetáculo único e imperdível. Um pensador não se isola em universidade, laboratório, partido político, empresa ou religião, mas procura dar o melhor de si a fim de construir uma sociedade mais justa, livre e fraterna. É um ser humano que renuncia à necessidade de ser o centro das evidências sociais, que liberta seu imaginário, constrói novas ideias. Seus gestos são simples, mas impactantes. Procura com certa frequência desligar seu computador, não acessar a internet, não usar celular, desconectar-se das redes sociais e ligar-se a uma pessoa vital que frequentemente abandona, ele mesmo. E, assim, bebe doses solenes da solidão criativa.

Na solidão criativa, pensamos, repensamos e nos reencontramos. Na solidão criativa nos perdemos, mapeamos nossos fantasmas mentais e nos achamos. Todavia, vivemos numa sociedade em que as pessoas cada vez mais têm aversão à solidão, têm medo de ficar sem atividade. Ter medo de ficar só é ter medo de fazer a mais importante viagem que um ser humano deve empreender nessa bela, misteriosa e breve existência, uma viagem para dentro de si mesmo, para desvendar minimamente os segredos do funcionamento de nossa mente...

Fim

Referências bibliográficas

Adler, Alfred. *A Ciência da Natureza Humana*. São Paulo: Editora Nacional.

Adorno, T. *Educação e Emancipação*. Rio de Janeiro: Paz e Terra, 1971.

Costa, Newton C. A. *Ensaios sobre os Fundamentos da Lógica*. São Paulo: Edusp, 1975.

Chaui, Marilena. *Convite à Filosofia*. São Paulo: Ática, 2000.

Cury, Augusto. *Inteligência Multifocal*. São Paulo: Cultrix, 1999.

_____. *Armadilhas da Mente*. Rio de Janeiro: Sextante, 2013.

_____. *O Código da Inteligência*. Rio de Janeiro: Ediouro, 2009.

_____. *O Mestre dos Mestres*. São Paulo: Academia de Inteligência, 2000.

_____. *Pais Brilhantes, Professores Fascinantes*. Rio de Janeiro: Sextante, 2003.

Cury, Augusto. *12 Semanas para Mudar uma Vida*. São Paulo: Academia de Inteligência, 2004.

Freire, Paulo. *Pedagogia dos Sonhos Possíveis*. São Paulo: Editora da Unesp, 2005.

Duarte, A. "A Dimensão Política da Filosofia Kantiana segundo Hannah Arendt". In Arendt, H. *Lições sobre a Filosofia Política de Kant*. Rio de Janeiro: Relume Dumará, 1993.

Descartes, René. *O Discurso do Método*. Brasília: Editora da UnB, 1981.

Feuerstein, R. *Instrumental Enrichment: an Intervention Program for Cognitive Modificability*. Baltimore: University Park Press, 1980.

Foucault, Michel. *A Doença e a Existência*. Rio de Janeiro: Folha Carioca, 1998.

Freud, Sigmund. *Obras Completas*. Madri: Editorial Biblioteca Nueva, 1972.

Frankl, V. E. *A Questão do Sentido em Psicoterapia*. Campinas: Papirus, 1990.

Fromm, Erich. *Análise do Homem*. Rio de Janeiro: Zahar, 1960.

Gardner, H. *Inteligências Múltiplas: a Teoria e a Prática*. Porto Alegre: Artes Médicas, 1994.

Goleman, Daniel. *Inteligência Emocional*. Rio de Janeiro: Objetiva, 1995.

Hall, Lindzey. *Teorias da Personalidade*. São Paulo: EPU, 1973.

Heidegger, Martin. *Os Pensadores*. São Paulo: Abril Cultural, 1989.

Husserl, L. E. *La Filosofía como Ciência Estricta*. Buenos Aires: Nova, 1980.

Jung, Carl Gustav. *O Desenvolvimento da Personalidade*. Petrópolis: Vozes, 1961.

Kaplan, Harold I.; Sadoch, Benjamin J.; Grebb, Jack A. *Compêndio de Psiquiatria: Ciência do Comportamento e Psiquiatria Clínica*. Porto Alegre: Artes Médicas, 1997.

Kierkegaard, Sören Aabye. *Diário de um Sedutor e outras Obras*. Coleção Os Pensadores. São Paulo: Abril Cultural, 1989.

Lipman, Matthew. *O Pensar na Educação*. Petrópolis: Vozes, 1995.

Masten, A. S. "Ordinary Magic: Resilience Processes in Development". *American Psychologist*, 56 (3), 2001.

Masten, A. S.; Garmezy, N. "Risk, Vulnerability and Protective Factors in Developmental Psychopathology". In Lahey, B. B.; Kazdin, A. E. *Advances in Clinical Child Psychology* 8. Nova York: Plenum, 1985.

Muchail Salma T. "Heidegger e os Pré-socráticos". In *Temas Fundamentais de Fenomenologia*. São Paulo: Moraes, 1984.

Morin, Edgar. *O Homem e a Morte*. Rio de Janeiro: Imago, 1997.

_____. *Os Sete Saberes Necessários à Educação do Futuro*. (Relatório feito a pedido da Unesco.) São Paulo: Cortez/Unesco, 2000.

Nachmanovitch, Stephen. *Ser Criativo: o Poder da Improvisação na Vida e na Arte*. São Paulo: Summus, 1993.

Piaget, Jean. *Biologia e Conhecimento*. 2. ed. Petrópolis: Vozes, 1996.

Sartre, Jean-Paul. *O Ser e o Nada: Ensaio de Ontologia Fenomenológica*. Petrópolis: Vozes, 1997.

Steiner, Claude. *Educação Emocional*. 2. ed. Rio de Janeiro: Objetiva, 1997.

Sternberg, R. J. *Mas Alla del Cociente Intelectual*. Bilbao: Desclee de Brouwer, 1990.

Pinker, Steven. *Como Funciona la Mente*. Buenos Aires: Planeta, 2001.

Yunes, M. A. M. *A Questão Triplamente Controvertida da Resiliência em Famílias de Baixa Renda*. Tese de Doutorado. Pontifícia Universidade Católica de São Paulo, São Paulo, 2001.

_____; Szymanski, H. "Resiliência: Noção, Conceitos Afins e Considerações Críticas". In Tavares, J. (Org.) *Resiliência e Educação*. São Paulo: Cortez, 2001.

Apêndice

Minha trajetória como produtor de conhecimento

Coloquei este texto como apêndice desta obra para contar, pelo menos um pouco, minha trajetória como produtor de conhecimento e alguns dos desertos que enfrentei. O homem vive um dramático paradoxo exploratório. Ele pensa, explora e conhece cada vez mais o mundo que habita, mas pouco sabe sobre seu próprio ser e sobre a riquíssima construção de pensamentos que explode num espetáculo indescritível a cada momento da existência. O homem moderno, com as devidas exceções, perdeu o apreço pelo mundo das ideias.

Apesar de ter escrito este livro principalmente para pensadores das ciências, universitários e profissionais de psicologia, psiquiatria, filosofia, educação, direito e demais áreas cuja ferramenta fundamental seja o trabalho intelectual, gostaria que ele atingisse também os não especialistas. Pensar com liberdade e consciência crítica é direito fundamental de todo ser humano; este livro objetiva contribuir para que esse direito seja exercido. Escrevi este livro transitando pelas avenidas da democracia das ideias e da cidadania da ciência, por isso seria bom que os leitores lessem a teoria aqui contida como quem aceita um desafio e até estudassem as ideias deste livro com senso crítico, mesmo quando o texto ficar denso e parecer de difícil entendimento. Aprender a apreciar o mundo das ideias, percorrendo as avenidas da arte, da dúvida e da crítica, estimula o processo de interiorização, expande a inteligência multifocal e contribui para a prevenção da síndrome da exteriorização existencial.

Vivemos num mundo saturado de ideias prontas e acabadas, que não estimulam o pensamento nem a consciência crítica. Os livros de autoajuda, que inundam as sociedades modernas, têm sua utilidade, mas frequentemente pensam pelo leitor e apresentam respostas prontas, o que não estimula o ato de pensar nem o desenvolvimento da inteligência multifocal. Por isso, sempre insisto na necessidade vital de conhecer as origens da inteligência, os limites e o alcance dos pensamentos, o conceito multifocal do humanismo e da democracia das ideias. Não me canso de dizer que é preciso perguntar, duvidar, criticar, pois é fazendo isso que se consegue proteger a emoção, gerenciar os pensamentos e fortalecer as habilidades socioemocionais. Esses são alguns dos pilares fundamentais do desenvolvimento da inteligência multifocal e, consequentemente, da formação do ser humano como livre pensador e engenheiro de novas ideias.

A inteligência multifocal é resultado dos fenômenos que constroem os pensamentos. A atuação psicodinâmica desses fenômenos é inerente ao ser humano, ou seja, não depende de fatores externos; por isso ela está presente tanto em quem vive em miséria absoluta e no anonimato social, como naquele que vive gravitando em torno da riqueza e do estrelato social. Assim, independentemente das gritantes desigualdades sociais, todo ser humano possui o privilégio de ter inteligência multifocal.

Mas ter inteligência multifocal não quer dizer ter inteligência qualitativamente desenvolvida. O desenvolvimento qualitativo da inteligência multifocal é conquistado por um conjunto sofisticado de procedimentos intrapsíquicos e socioeducativos. Esses procedimentos nem sempre são produzidos em ambientes de cultura ou escolares. Há muitas pessoas que têm elevada escolaridade e abastada cultura, mas inteligência multifocal pouco desenvolvida; por isso o mundo das ideias delas é pequeno; elas não conseguem pensar além da esfera de seus problemas e dificuldades.

Conhecemos cada vez mais o pequeno átomo e o imenso espaço, mas pouco nos interiorizamos e procuramos conhecer a nós mesmos. Aparentemente, somos informados e inteligentes, mas emocionalmente somos frágeis, e nossa inteligência geralmente é unifocal. Não sabemos caminhar dentro de nós mesmos, pensar criticamente e analisar multifocalmente as causas históricas e as circunstâncias psicossociais que envolvem nossas relações e angústias existenciais, nossos conflitos e estímulos estressantes.

A crise de interiorização e a carência de compreensão mais profunda dos processos de construção da mente atingem também uma parte significativa da, assim chamada, casta dos intelectuais ou da *intelligentsia*. Provavelmente, uma parte significativa dos psicoterapeutas, psiquiatras, sociólogos, psicopedagogos, juristas, professores universitários, cientistas etc. desconhece a atuação e a cointerferência dos fenômenos que atuam nos bastidores da mente e geram, em frações de segundos, as complexas cadeias psicodinâmicas dos pensamentos dialéticos e antidialéticos; pensamentos esses que financiam a consciência existencial do mundo em que estamos e do mundo que somos.

É provável que esses profissionais desconheçam a natureza, os limites e o alcance do conhecimento usado como instrumento educacional, social e científico. Também devem desconhecer o sistema de encadeamento distorcido, cuja ação ultrapassa os limites da lógica, que acontece nos processos de construção do conhecimento dialético e nos faz valorizar a democracia das ideias como uma necessidade vital no processo de organização das relações sociais. Talvez também pouco saibam sobre a leitura multifocal da história intrapsíquica arquivada na memória e sobre o complexo sistema de variáveis que atuam nos bastidores inconscientes da inteligência para iniciar o processo de interpretação, os processos de construção multifocal dos pensamentos, a formação da consciência existencial e o processo de transformação da energia emocional. Por isso, provavelmente, elas também não saibam quais são os sistemas de relações existentes entre a verdade científica e a verdade essencial (real), nem quais são os riscos e benefícios existentes na utilização de uma teoria psicológica, psiquiátrica, sociológica, educacional etc. como suporte de interpretação no processo de observação, interpretação e produção do conhecimento científico.

O *status* de intelectual dado a algumas pessoas é um jargão social inadequado e preconceituoso, pois discrimina a grande massa de pessoas que, embora não possuam cultura acadêmica e não tenham títulos de pós-graduação, têm os mesmos complexos e sofisticados processos de construção multifocal dos pensamentos. Tanto a ideia sofisticada de um intelectual quanto a ideia simplista de uma pessoa iletrada são construídas a partir da leitura multifocal inconsciente da memória. Essa leitura é conduzida por um conjunto de fenômenos intrapsíquicos que atuam, em milésimos de segundos, nos bastidores da mente. Esses fenômenos leem, com incrível precisão, as informações contidas na memória e, em meio a bilhões de opções, selecionam algumas para construir psicodinamicamente tanto ideias sofisticadas, ou seja, as intelectualmente brilhantes, como as consideradas simplistas. Sem esses fenômenos, inerentes à mente humana, não existiriam intelectuais, pensadores, cientistas; não existiria o *Homo sapiens*. Nós não seríamos uma espécie pensante.

Todos somos devedores à gratuidade e à atuação espontânea dos fenômenos que leem nossa memória e constroem cadeias psicodinâmicas de pensamentos. Não se sabe como lemos e utilizamos as informações que constituem as cadeias de pensamentos, pois elas são organizadas e utilizadas em frações de segundos, antes que tenhamos consciência dos próprios pensamentos. Portanto, não há intelectuais e iletrados; somos todos ignorantes em relação aos fenômenos que nos tornam seres pensantes. Somos apenas, mais ou menos ignorantes...

Os títulos acadêmicos não evidenciam a qualidade do processo de exploração da mente nem o desenvolvimento das funções mais nobres da inteligência. É possível ter excelente cultura e títulos acadêmicos de graduação e pós-graduação sem nunca ter aprendido a interiorizar-se e sem ter conhecido, ainda que minimamente, os processos de construção multifocal dos pensamentos, a consciência existencial e a história intrapsíquica, produzidos num fluxo vital espontâneo e inevitável no âmago da mente.

A grandeza de um ser humano não é dada por *status*, sucesso sociointelectual, condição financeira ou títulos acadêmicos, mas por quanto ele caminha pelas avenidas do seu próprio ser, por quanto ele é multifocalmente inteligente, por quanto ele é um pensador e um engenheiro qualitativo de ideias. Um grande ser humano é aquele que expande e aprimora as funções mais nobres da mente, tais como solidariedade; humanismo; cidadania; cooperação social; consciência crítica; capacidade de trabalhar as dores e angústias existenciais; capacidade de se repensar, se reciclar, se reorganizar e de se colocar multifocalmente no lugar do outro.

Ainda que existam inúmeras diferenças sociais e de personalidade nas sociedades, o hábito de dar a uma minoria o *status* de intelectual, porque possui cultura e títulos acadêmicos, tem que ser revisto criticamente, pois é discriminatório e estúpido. Em todos os seres humanos atuam igualmente os mesmos fenômenos psicodinâmicos que financiam a construção multifocal dos pensamentos e da consciência existencial, enfim, da inteligência multifocal.

A grandeza de um homem está na grandeza de suas ideias, e não em sua notoriedade social. As funções mais nobres e humanizadas da mente se iniciam à medida que a pessoa começa a se interiorizar, a se colocar como um aprendiz no seu processo existencial e a perceber suas limitações intelectuais diante da infinitude dos processos de construção da inteligência.

Somos todos limitados quando se trata da compreensão das complexas tramas de energia psíquica que nos constituem psicodinamicamente como seres que pensam, têm consciência de que pensam e podem administrar os processos de construção multifocal dos pensamentos.

O nascedouro e o desenvolvimento de pensamentos ocorrem na esfera inconsciente da psique humana, que chamo de bastidores da mente. Diante da visão macrocientífica dos processos de construção multifocal dos pensamentos, ainda que haja diferenças genéticas e socioculturais e diferenças qualitativas no processo de gerenciamento da construção multifocal dos pensamentos, somos mais iguais do que podemos imaginar. Ao desenvolver um corpo teórico sobre os processos de construção ocorridos na mente, quis evidenciar que cada ser humano é extremamente complexo e digno do mais alto respeito; até mesmo as crianças deficientes mentais o são. Por isso, tanto as discriminações das massas quanto a supervalorização de intelectuais, líderes políticos, líderes místicos, artistas etc. são atitudes ignorantes e desumanas.

Pesquisando e escrevendo como um engenheiro de ideias

A sofisticação da mente, associada às deficiências do discurso utilizado para esquadrinhar os fenômenos e processos envolvidos na construção de pensamentos, na formação da consciência existencial e na transformação da energia psíquica, fizeram-me rever, criticar e reescrever continuamente os textos deste livro. Por isso, foram mais de dezessete anos de intensa dedicação. Também produzi textos que compõem o arcabouço teórico de minha produção de conhecimento e que não foram, ainda, publicados. Meu objetivo é que esses textos não se tornem efêmeros, mas criem raízes e sejam úteis em diversas áreas psicossociais.

A maioria das ideias contidas em meus livros, em especial no texto do livro *Inteligência Multifocal*, do qual derivei esta obra, foi, dentro de minhas limitações, cuidadosamente elaborada para que expresse com um pouco mais de justiça intelectual alguns dos sofisticados fenômenos que atuam nos bastidores inconscientes e nos palcos conscientes da inteligência. Muitas dessas frases escondem sofisticados mecanismos psicodinâmicos. Poderia extrair um texto inteiro de algumas delas, o que não faço porque isso seria inviável editorialmente. Sei que as frases são frequentemente longas, diferente das frases jornalísticas, por exemplo, que são curtas, de fácil entendimento, já que tratam normalmente de assuntos cotidianos pouco complexos. Aqui, cada frase encerra ideias e assuntos extremamente complexos.

Apesar das extensas limitações desta obra, eu a escrevi não apenas como um escritor, mas como um engenheiro de ideias. Cada ideia nela contida passou por uma engenharia construtiva dialética. Por isso, até aquelas que estão nos labirintos dos textos e que, às vezes, passam despercebidas à compreensão são importantes.

Na construção das ideias, tive de me valer de neologismos, ou seja, palavras novas formadas a partir de outras já existentes, tais como *Homo interpres* e *autofluxo*; de locuções inéditas, como *adaptação psíquica, autochecagem da memória* e *âncora da memória*, pois as linguagens científica e coloquial se mostraram insuficientes para definir, conceituar e discursar teoricamente sobre os processos de construção da inteligência. Além disso, durante o desenvolvimento da TIM usei frequentemente o sufixo latino *dade*, tais como *circunstancialidade, construtividade, evolutividade*, com o objetivo de romper a condição estática das palavras. Ao usar esse sufixo, quero resgatar o conteúdo filosófico da palavra, quero que ela expresse a dimensão, a qualidade e a continuidade de um fenômeno ou de um processo (conjunto de fenômenos).

Por exemplo, ao escrever *construtividade de pensamentos*, quero dizer mais do que uma simples *construção de pensamentos*, quero falar da essência dessa construção, ou seja, um processo de construção psicodinamicamente ativo, evolutivo, que experimenta o caos para, em seguida, se reorganizar em novas construções. Quando falo em *circunstancialidades psicossociais* quero falar não apenas de algumas *circunstâncias particulares*, mas da essência e do movimento das circunstâncias psicossociais vivenciadas no processo existencial.

Quando comento a evolução psicossocial, estou me referindo a evoluções que ocorrem continuamente no processo de construção do pensamento de cada ser humano e que contribuem para a evolução histórica. Apesar desse zelo teórico, ainda são grandes as deficiências do discurso para expressar o processo de construção do pensamento e o universo psicossocial do ser humano.

As letras deveriam servir às ideias e não as ideias às letras e às regras gramaticais, como, não poucas vezes, acontece. As letras e a gramática deveriam libertar o pensamento; ser um canal de veiculação das ideias. Mas nem sempre as frases e os textos compreensíveis expressam com justeza as ideias de um autor, embora facilitem a vida do leitor. As letras reduzem inevitavelmente as ideias; os labirintos gramaticais, às vezes, aprisionam os pensamentos. A linguagem tem um grande débito com o pensamento, principalmente com o pensamento psicológico e filosófico.

Para ter uma ideia de quanto o discurso é deficiente para expressar a ciência, basta dizer que os pontos finais das frases, embora úteis para a compreensão da linguagem, são uma mentira científica. Na ciência, não há pontos finais. Tudo é uma sequência interminável de eventos que interferem uns nos outros. Por isso, não há resposta completa em ciência e, muito menos, há resposta completa na aplicação de pensamentos que procuram examinar as próprias origens, os próprios processos de construção, os limites, o alcance, a práxis, enfim, a fonte que os gera. Na ciência, cada resposta é o começo de novas perguntas...

O pensamento, quando aplicado para discursar sobre o mundo extrapsíquico, é altivo; mas quando é usado para discursar dialeticamente sobre a própria fonte que o concebe, ele se abate. Quando o pensamento é utilizado para esquadrinhar o pré-pensamento e os processos de sua própria construção, ele se perturba diante de suas limitações.

A crise na exploração da psique: a necessidade de novas teorias

A psicologia e a psiquiatria ainda se encontram nos estágios iniciais do desenvolvimento teórico. Quem tem o mínimo de compreensão sobre o que é uma teoria, como ela se organiza, fundamenta-se e é utilizada no suporte à interpretação, assim como sobre o que é o conhecimento, seus limites, seu alcance, sua lógica, sua validade e práxis, sabe que a psicologia e a psiquiatria, embora possuam inúmeras teorias, avançaram apenas alguns degraus na escala inesgotável de conhecimento sobre a psique humana.

Um dos grandes obstáculos ao desenvolvimento teórico na psiquiatria e na psicologia é que elas possuem um objeto de estudo – psique, alma ou mente – intangível sensorialmente e inacessível essencialmente. Tal dificuldade investigativa tem propiciado a produção de diversas teorias psicológicas e psiquiátricas com postulados, definições, sistemas de conceitos, hipóteses e variáveis intrapsíquicas totalmente distintas. Por isso, elas não se intercomunicam e nem se expandem mutuamente.

O cientista da medicina, por exemplo um cirurgião, corta a pele e a musculatura e visualiza o órgão que estuda. Além disso, ele pode extrair tecidos desses órgãos e analisá-los em laboratório. Assim, o objeto de estudo se torna tangível ao sistema sensorial. O cientista da química promove reações, utiliza instrumentos de medição e verificação, podendo, assim, observar fenômenos, selecionar dados, interpretá-los e produzir conhecimento sobre eles. Mas o cientista da psicologia e da psiquiatria não tem a mesma facilidade para observar, interpretar e produzir conhecimento sobre a psique humana: fenômenos intrapsíquicos, processo de construção multifocal dos pensamentos, de formação da consciência existencial, de transformação da energia emocional.

Como os cientistas da psicologia e da psiquiatria podem discursar teoricamente sobre a intimidade da psique humana, se ela é inacessível essencialmente e intangível sensorialmente? Como poderão investigar os complexos processos de construção multifocal dos pensamentos, se não se sabe do que se constitui a natureza intrínseca da energia psíquica, como se organizam os pensamentos e se descaracterizam na mente? Como se organiza a energia emocional em fobias, angústias, prazeres e humores deprimidos? As perguntas são amantes da dúvida. Elas evidenciam nossas limitações intelectuais e investigativas. Temos limitações para explicar o que é a essência intrínseca de uma dor emocional e o que é a consciência dessa dor. O discurso teórico é insuficiente para explicar quais são os limites e as relações entre a consciência existencial da dor e a natureza essencial dessa dor.

A psicologia e a psiquiatria discursam sobre um mundo inacessível e intangível. Além da complexidade do processo de investigação dos fenômenos psíquicos, há toda uma cadeia de distorções de interpretação que um teórico pode produzir durante o processo de observação, aplicação metodológica e análise de dados, que macula sua produção intelectual e restringe a compreensão de variáveis universais que poderiam financiar a intercomunicação de sua teoria com outras teorias. Produzir ciência teórica sobre a psique é mais complexo do que imaginamos, ainda que sejamos criteriosos.

O grande problema da psicologia e da psiquiatria, bem como de outras ciências, não é produzir teorias, mas romper os apriscos teóricos, intercomunicar ideias, mesclar postulados, conjugar conceitos, afinar definições, organizar derivações e criar avenidas comuns de pesquisa sob o prisma de variáveis universais.

Ainda hoje existem dúvidas fundamentais sobre a psique que não foram minimamente resolvidas pelas teorias psicológicas e psiquiátricas. Tais dúvidas, às vezes, sequer são discutidas, devido à ansiedade e polêmica que geram. A mente, ou psique, está além dos limites do cérebro ou ela é intrinsecamente o próprio cérebro, ou seja, fruto do espetáculo do metabolismo cerebral? Essa pergunta nunca foi respondida pela ciência, a não ser no campo da especulação. Sem respondê-la, as ciências que norteiam a psique sempre terão um grande obstáculo em sua expansão qualitativa.

Apesar de o conhecimento sobre a natureza da energia psíquica ser a tese das teses na ciência, por referir-se à essência intrínseca que nos constitui como seres que pensam e sentem, e, portanto, ser de fundamental importância para o ser humano e para os destinos da própria ciência, as pesquisas sempre foram tímidas. Devido à complexidade e às polêmicas que envolvem a natureza intrínseca da psique humana, a ciência foi omissa e, com exceção da filosofia, preferiu entregar a discussão às religiões. Essa atitude gerou um caos teórico na psiquiatria, na psicologia e nas demais ciências psicossociais.

Somos seres pensantes, produzimos ciência, arte, construímos relações humanas, mas não sabemos o que somos intrapsiquicamente; não sabemos como transforma-se, organiza-se, desorganiza-se e reorganiza-se a energia psíquica. A ciência é o mundo das ideias, mas não toma como objeto de estudo os processos que fazem nascer as ideias e organizarem-se as cadeias de pensamentos. O que ocorre com a energia psíquica no milésimo de segundo anterior ao aparecimento das ideias, dos pensamentos?

As ciências que investigam direta e indiretamente a psique humana talvez nem saibam dizer em que estágio de desenvolvimento estão. Misticismos, esoterismos, psicologismos, cientificismos, achismos empíricos, explicacionismos e teoricismos, que expressam produção de conhecimento superficial, especulativa e sem embasamento científico, têm saturado a sociedade e contaminado a ciência, causando grande confusão teórica.

Precisamos de teorias multifocais capazes de explicar os processos de construção dos pensamentos, a formação da consciência existencial, a transformação da energia psíquica, enfim, o funcionamento psicodinâmico e histórico-existencial da mente humana. Tenho a impressão de que a produção de teóricos na psicologia se contraiu a partir das últimas décadas do século XX. A grande maioria dos pensadores e cientistas que investigam a psique não produziu novas teorias. É mais fácil e confortável intelectualmente produzir conhecimento dentro dos limites de uma teoria do que reciclá-la criticamente, reorganizá-la e expandi-la ou, então, partir para um motim teórico e produzir uma nova teoria. Minha produção de conhecimento durante vários anos viajou pelos trilhos do motim teórico e, depois, passou a circular pelos trilhos da democracia das ideias.

Apesar do número reduzido de teóricos da psicologia, a produção de conhecimento na neurociência aumentou. É inegável que a psicologia perdeu e tem perdido cada vez mais espaço acadêmico-científico para a neurociência, que inclui a psiquiatria biológica, a neurologia, a psicofarmacologia, a fisiologia cerebral, a bioquímica cerebral.

Com a expansão da neurociência, surgiram os postulados sobre a desorganização metabólica dos neurotransmissores cerebrais, entre os quais a serotonina tem figurado como estrela na gênese das depressões atualmente. Também surgiram as escalas de comportamentos, as técnicas do tipo estímulo-resposta, as técnicas de avaliação de diagnóstico e desempenhos clínicos, o mapeamento do cérebro, a cintilografia computadorizada, os exames laboratoriais etc. Porém, ainda que a produção de conhecimento e as técnicas da neurociência sejam respeitáveis e relevantes, as questões fundamentais da psique humana permanecem abertas, insolúveis. Por exemplo, o postulado sobre os neurotransmissores pode explicar alguma influência genético-metabólica na gênese das depressões, porém nada explica sobre a natureza intrínseca, a organização e desorganização da energia emocional depressiva, nem sobre a complexa leitura da memória e muito menos sobre a sofisticada construtividade das cadeias de pensamentos de conteúdo angustiante, que acompanham muitos tipos de depressão.

Um dos grandes problemas da ciência não é produzir respostas, mas formular perguntas. Perguntas abrem as avenidas das respostas. Perguntas mal formuladas geram respostas redutoras, inadequadas e superficiais. A dimensão das perguntas determina a dimensão das respostas, embora as respostas tenham invariavelmente uma dívida filosófica com as perguntas. A resposta não é um fim em si mesmo, é o começo de novas perguntas. Por isso, a formulação de perguntas é fundamental à expansão da ciência.

As neurociências precisam aprimorar e expandir a formulação de perguntas para explicar a psique. É provável que as teorias neurocientíficas não sejam apenas capazes de explicar as grandes questões ligadas à natureza intrínseca da energia psíquica e aos processos de construção multifocal dos pensamentos, mas também as ligadas ao nascedouro, à organização e à desorganização das mais ínfimas ideias que produzimos aos milhares no processo existencial diário. As teorias das neurociências precisam se expandir e se intercomunicar com as teorias psicológicas; se isso não ocorrer, o desenvolvimento científico será seriamente comprometido.

A redução do desenvolvimento teórico na psicologia não se deve apenas à diminuição atual da safra de grandes teóricos. Freud, Jung, Adler, Sullivan, Erich Fromm, Roger, Viktor Frankl, Lewin, Allport, Kurt Goldstein, Piaget, Lacan etc. são exemplos de notáveis teóricos da psicologia. As causas desse entrave teórico são, como já disse, multifocais. São elas:

1. As dificuldades intransponíveis de promover uma composição dos elementos que constituem as teorias, tais como os postulados, as definições, os conceitos, as derivações teóricas.
2. A ausência de variáveis universais capazes de produzir avenidas conjuntas de pesquisa e intercomunicação teórica.
3. A intangibilidade sensorial e a inacessibilidade essencial dos fenômenos intrapsíquicos, que geram grandes dificuldades no processo de observação e interpretação.
4. Os sistemas de encadeamentos distorcidos ocorridos nos bastidores da construção multifocal dos pensamentos do cientista teórico.
5. A produção de teorias com linguagens dialéticas distintas. Além disso, há também causas ligadas às limitações dos procedimentos de pesquisa utilizados na ortodoxia da pesquisa acadêmica e à redução da formação de pensadores pelas universidades.

Apesar de todas as dificuldades para explorar e produzir conhecimento sobre a psique humana, precisamos avançar, utilizar procedimentos de pesquisas capazes de refinar, reciclar e reorganizar continuamente o processo de observação e interpretação das variáveis psíquicas nos processos de construção multifocal dos pensamentos.

Creio que necessitamos de teorias multifocais e multivariáveis para explicar, ainda que parcialmente, a psique humana. Creio que a psicologia e a psiquiatria deveriam produzir pesquisas conjuntas, unirem-se teoricamente e, além disso, associarem-se à sociologia e à filosofia para produzir teorias psicossociofilosóficas multifocais e multivariáveis sobre a psique humana.

A filosofia, e também a sociologia, sempre foi, ao longo da história, fonte das grandes ideias na ciência, sempre foi expansora das possibilidades de construção do conhecimento, o tempero da sabedoria. Mas ela foi esquecida, desconsiderada e até desprezada pela psicologia e pela psiquiatria. Um dos maiores erros dessas duas ciências foi excluir a filosofia de suas teorias.

O divórcio da psiquiatria e da psicologia clínica com a filosofia contraiu a síntese da sabedoria, a expansão das ideias psicossociais, a macrovisão multifocal do ser humano total: o *Homo interpres* (inconsciente) somado ao *Homo intelligens* (consciente). Por isso, elas se tornaram excessivamente clínicas, psicopatológicas, contribuindo pouco para expandir o processo de interiorização, a capacidade crítica de pensar, a inteligência multifocal, a capacidade de trabalhar dores, perdas e frustrações, a capacidade de contemplação do belo e a expansão do humanismo e da cidadania do ser humano moderno. A psiquiatria e a psicologia clínica tornaram-se pobres na produção de vacinas psicossocioeducacionais eficientes contra as doenças psíquicas, psicossomáticas e psicossociais.

A psiquiatria e a psicologia clínica atuam com relativa eficiência em determinadas doenças psíquicas, mas não atuam na sanidade do ser humano total. Elas não promovem e não sabem como promover a qualidade de vida psicossocial dos consócios das sociedades. Atuam na dor, mas não sabem como expandir o prazer. Atuam na miséria psicossocial, mas não sabem como promover a solidariedade, o humanismo, a sabedoria existencial. Elas, que trabalham com os parâmetros entre a doença e a sanidade psíquica e psicossocial do ser humano total, deixaram essa enorme responsabilidade para outras áreas da psicologia, tais como a psicologia social e educacional, e para a educação familiar e escolar.

A escola ficou sobrecarregada com uma responsabilidade psicossocial que ela não consegue desempenhar adequadamente. Os jovens ficam por longos anos na escola sob um processo socioeducacional exteriorizante, unifocal e "a-histórico-crítico-existencial". Na escola não se promovem as avenidas da sanidade psicossocial que transformariam os alunos em pensadores humanísticos, enriqueceriam a capacidade deles de trabalhar dores, perdas e frustrações e expandiriam neles a sabedoria existencial.

Precisamos de teorias que agreguem as diversas ciências. Teorias que não apenas compreendam e descrevam as misérias psicossociais humanas, mas que compreendam e estimulem as potencialidades intelectuais do ser humano; que compreendam, ainda que com limitações, os processos de construção multifocal dos pensamentos e da consciência existencial; e que sejam capazes de abrir avenidas de pesquisas para promover a qualidade de vida psicossocial humana. Este livro apresenta um corpo teórico original, uma teoria multifocal e multivariável sobre os processos de construção da psique, ocorridos nos bastidores da mente humana, abordando-os numa perspectiva psicossociofilosófica (psicológica, psiquiátrica, sociológica e filosófica).

A ciência é inesgotável e, por isso, não há teoria perfeita e completa. A teoria multifocal tem, sem dúvida, limitações. Mas ela foi construída com critérios de interpretação, procedimentos científicos complexos, reciclagens e reorganizações contínuas da produção de conhecimento. O objetivo é contribuir para explicar a organização da psique humana, a leitura e utilização multifocal da história intrapsíquica contida na memória, a construção multifocal das cadeias psicodinâmicas de pensamentos, a organização da consciência existencial, o processo de formação da personalidade, o desenvolvimento psicossocial das relações humanas, o processo de formação de pensadores.

A abordagem psicossociofilosófica do ser humano abre tanto as possibilidades de construção do conhecimento sobre a psique como expande o humanismo da teoria, ou seja, a utilização psicossocial da teoria. Por isso, apesar de este livro conter uma teoria densa sobre os processos de construção multifocal dos pensamentos, ela é para debater diversos pilares da ciência, diversas posturas socioacadêmicas e sociopolíticas, bem como para evidenciar a crise de interiorização, o superficialismo do processo socioeducacional, as violações históricas dos direitos humanos, a redução da maturidade intelecto-emocional, a gênese de algumas doenças psíquicas, psicossomáticas e psicossociais, o desenvolvimento da inteligência multifocal e sua superioridade sobre a inteligência emocional etc.

Devido à multifocalidade psicossociofilosófica do ser humano, procuro ser específico ao comentar os fenômenos psíquicos, mas também faço críticas e generalizações com liberdade, para expressar o mundo das ideias que construí e não o mundo das verdades absolutas. Quando faço generalizações psicossociofilosóficas, tais como considerar as sociedades modernas superficializantes e exteriorizantes e considerar as universidades pouco eficientes na formação de pensadores, não quero que as palavras traiam minhas intenções e nem a democracia das ideias que tanto aprecio. Todas as minhas generalizações têm exceções, mesmo quando não as cito.

Optei por desenvolver a teoria multifocal sobre os processos de construção da mente fora dos muros acadêmicos, fora da ortodoxia da pesquisa acadêmica, ou seja, no ostracismo acadêmico e teórico. Eu desconfiava, no início de minha trajetória de pesquisa, que não haveria espaço acadêmico e financiamento em qualquer universidade para um projeto de pesquisa tão amplo, que abordasse a psique humana numa perspectiva psicossociofilosófica, que levasse em consideração os fenômenos e as variáveis envolvidos no processo de construção do pensamento, que nascesse e se desenvolvesse a partir de um motim teórico na ciência, ou seja, a partir da ruptura com as demais teorias, e que quisesse construir uma teoria original.

Acreditava que esse projeto poderia ser considerado um delírio intelectual na maioria dos centros de pesquisa universitários, principalmente se conduzido, como é o meu caso, por um pesquisador que é um crítico do sistema acadêmico e que vive num país que não tem tradição na produção de teóricos da psicologia. Isso se confirmou há mais de catorze anos, quando apresentei meu projeto num departamento de psicologia de uma respeitada universidade brasileira.

Após minha apresentação, um dos pesquisadores que me entrevistava e que coordenava o centro de pesquisa daquele departamento ficou perplexo e indagou: "Você está querendo pesquisar ou ganhar o Prêmio Nobel?!". Minhas ideias, embora ainda fossem tímidas e frágeis na época, causaram um escândalo intelectual naquele PhD da psicologia. Não havia espaço para mim em seu departamento, ele achou meu projeto de pesquisa extremamente ambicioso e pretensioso.

Tinha paixão pelo mundo das ideias relacionadas à psique e pensava que as universidades fossem o grande albergue da democracia das ideias, uma universidade de pensamentos; por isso queria pesquisar dentro de seus muros. Estava equivocado; se quisesse espaço dentro dos muros daquela universidade, teria que me submeter a todos os esquemas do sistema acadêmico, preocupar-me com a hierarquia acadêmica e confinar minha produção de conhecimento dentro dos limites de uma tese de doutorado (PhD).

Hoje a TIM é usada em muitas teses acadêmicas, sempre tenho notícias de que diversas faculdades, inclusive de medicina, usam a teoria. Meu programa Freemind (mente livre), talvez seja um dos poucos, se não o primeiro, programa mundial de prevenção de transtornos psíquicos, e eu o disponibilizei para que seja traduzido para todas as línguas e utilizado gratuitamente. Esse programa enfatiza o Eu como gestor psíquico, a proteção da emoção, o gerenciamento dos pensamentos e múltiplas outras ferramentas (quem quiser acessá-lo é só fazer download em (www.espiritofreemind.com.br e www.augustocury.com.br). Há três décadas, se quisesse seguir o ritual acadêmico, teria de abandonar minha rebeldia crítica, meus procedimentos de pesquisas e renunciar a minha produção original de conhecimento. O preço era caro demais para alguém que já havia experimentado o prazer da liberdade de pensar, o prazer de ser um caminhante nas trajetórias do próprio ser, o prazer da dúvida, da crítica e da formulação de perguntas.

Optei por pesquisar fora dos muros acadêmicos. Assim, discriminado, comecei a confirmar o que pressentia: não havia espaço acadêmico para realizar um projeto de pesquisa tão amplo sobre a psique, principalmente sobre os processos de construção do pensamento, numa perspectiva psicossociofilosófica, objetivando a construção de uma teoria multifocal e original da mente humana. Esse foi um dos motivos, associado a muitos outros, que me fizeram tomar o caminho árduo, solitário, desafiador e, ao mesmo tempo, livre do ostracismo acadêmico.

Agora, após tantos anos de pesquisa, em que reciclei criticamente e reorganizei continuamente minha produção de conhecimento, entrego este livro sobre a inteligência multifocal, que é apenas uma parte dessa produção, às universidades, à sociedade e à comunidade científica. Como este livro foi escrito transitando pelas avenidas da democracia das ideias, estimulo os leitores a julgar as ideias nele contidas sabendo que só somos livres quando pensamos com liberdade e, mais do que isso, quando pensamos com consciência crítica. Pensar com liberdade e consciência crítica é uma das características fundamentais do processo de formação de um pensador.

Os fenômenos participantes da construção psicodinâmica da inteligência multifocal

- Formação e leitura multifocal da memória.
- Fenômeno da autochecagem da memória: leitura automática do estímulo na memória.
- Âncora da memória: deslocamento do território de leitura da memória.
- Complexo do autofluxo da energia psíquica: representa um conjunto de fenômenos que financia a multiplicidade de ideias e emoções produzidas diariamente e sem a autorização do Eu.
- Consciência do Eu: representa a consciência da existência do Eu e do mundo extrapsíquico.
- Três tipos fundamentais de pensamentos da mente humana, produzidos pelos quatro fenômenos descritos acima: pensamentos essenciais, dialéticos e antidialéticos.
- Leitura virtual das matrizes dos pensamentos essenciais gerando os pensamentos dialéticos e antidialéticos.
- Construção multifocal das cadeias psicodinâmicas dos pensamentos segundo os parâmetros contidos na realidade extrapsíquica e segundo os referenciais histórico-críticos contidos na história intrapsíquica (memória).
- Liberdade criativa e a plasticidade construtiva na produção dos pensamentos produzidos pela consciência do Eu.
- Fluxo vital da transformação da energia psíquica: organização, desorganização e reorganização.
- Etapas do processo de interpretação, em que os fenômenos intrapsíquicos atuam para construir multifocalmente as cadeias dos pensamentos.

Todos esses fenômenos estão presentes nos bastidores da psique de qualquer ser humano e são responsáveis pela construção da capacidade de pensar, ou seja, pela construção da inteligência multifocal, independentemente da qualidade dessa construção. Cada um desses fenômenos ativa uma série de outros fenômenos subjacentes que não citarei aqui. Esses fenômenos se inter-relacionam para formar os intrincados processos de construção de pensamentos.

A influência das variáveis de interpretação na construção da inteligência multifocal

Variáveis intrapsíquicas presentes no momento da interpretação de cada estímulo

- qualidade da energia emocional (estresse, ansiedade, humor deprimido, reação fóbica, prazer etc.).
- qualidade da energia motivacional (motivação, ímpeto, desejo, desmotivação etc.).
- atuação psicodinâmica do fenômeno da psicoadaptação.
- qualidade do conteúdo da história intrapsíquica (memória).

Variáveis intraorgânicas
- Carga genética.
- Drogas psicotrópicas.
- Estresse físico.
- Distúrbios metabólicos (déficit de neurotransmissores).
- Doenças orgânicas.

Variáveis extrapsíquicas
- Causas históricas.
- Estresse psicossocial.

- Ambiente intrauterino.
- Ambiente sociofamiliar.
- Estímulos socioeducacionais.
- Perdas, frustrações existenciais, adversidades, contrariedades, apoio, segurança, rejeição etc.

As variáveis intrapsíquicas, intraorgânicas e extrapsíquicas cointerferem nos bastidores da mente ao longo de toda a trajetória existencial humana, influenciando multifocalmente a leitura da memória, a construção das cadeias de pensamentos e o desenvolvimento da inteligência multifocal.

Fenômenos participantes do desenvolvimento intrapsíquico e socioeducacional da inteligência multifocal

- Desenvolvimento da análise multifocal, expressa por uma análise contínua do processo de interpretação e do processo de construção multifocal dos pensamentos e por uma postura intelectual continuamente crítica, aberta e reciclável diante dos fenômenos (físicos, psicológicos, sociais, profissionais) observados.
- Resgate da liderança do Eu: desenvolvimento da capacidade de gerenciamento da consciência do Eu sobre os processos de construção da mente.
- Desenvolvimento do "*stop* introspectivo", ou seja, aprender a pensar antes de reagir, comprometer-se a ser fiel ao pensamento mais do que à necessidade imediata da resposta.
- Aprender a expor e não impor as ideias.
- Aprender a ouvir: aprender a ouvir o que o outro tem para falar e não o que queremos ouvir; ouvir sem preconceitos.
- Desenvolvimento da arte da formulação de perguntas, da arte da dúvida e da arte da crítica.
- Utilização da história intrapsíquica e da história social como leme intelectual do futuro.

- Busca do caos intelectual para descontaminar as distorções do processo de interpretação e para expandir as possibilidades de construção do conhecimento na produção de conhecimento científico, socioprofissional e coloquial.
- Desenvolvimento da capacidade de trabalhar estímulos estressantes, dores emocionais, perdas e frustrações psicossociais e de usá-los como alicerce do amadurecimento da inteligência multifocal.
- Desenvolvimento da arte da contemplação do belo: expandir o prazer, não apenas diante dos grandes eventos psicossociais, mas principalmente diante dos pequenos eventos da rotina diária.
- Desenvolvimento da capacidade de interpretação do "outro": aprender a se colocar no lugar do outro e perceber suas necessidades psicossociais.
- Desenvolvimento dos amplos aspectos da cidadania social.
- Desenvolvimento do humanismo como alicerce da teoria da igualdade e como fator de prevenção das múltiplas formas de violação dos direitos humanos.
- Desenvolvimento da democracia das ideias como fator regulador do processo de interpretação em todas as esferas – política, social, cultural e educacional.
- Prevenção contra a síndrome psicossocial da exteriorização existencial.
- Prevenção contra a síndrome intelectual do mal do *logos* estéril.
- Prevenção contra a síndrome psicossocial tri-hiper: hiperconstrução de pensamentos, hipersensibilidade emocional e hiperpreocupação com o que os outros pensam e falam (imagem social) etc.

Um brinde aos bons rebeldes na ciência

Na mente humana, os fenômenos estão num fluxo vital contínuo e inevitável, que produz uma leitura contínua e inevitável da história intrapsíquica (memória), que, por sua vez, gera as matrizes de pensamentos essenciais. As matrizes dos pensamentos essenciais passam, em frações de segundos, por um processo de leitura multifocal que gera as complexas cadeias de pensamentos dialéticos e antidialéticos e, consequentemente, o maior de todos os espetáculos humanos: o espetáculo da construção da inteligência.

O maior espetáculo que o homem pode produzir não está no cinema, no teatro, nos museus ou nas feiras de informática, está na construção dos pensamentos que acontece espontaneamente na mente de qualquer ser humano, mesmo das crianças famintas da África ou abandonadas nas ruas das grandes cidades. Sem a multifocalidade da inteligência, que está no psiquismo de cada ser humano, não haveria a consciência existencial; sem a consciência existencial estaríamos condenados à dramática condição de existir sem ter consciência da existência.

Nos bastidores da mente, há um *Homo interpres* micro e macrodistinto a cada momento da interpretação, cujo campo da energia psíquica está num fluxo contínuo de autotransformações essenciais que faz com que o homem viva sob o regime da revolução da construção das ideias e, consequentemente, da revolução da inteligência multifocal e multivariável. A inteligência multifocal pode ser reciclada, reorganizada, promovida e redirecionada para expandir a capacidade de pensar, a consciência crítica, a capacidade de trabalhar dores, perdas e frustrações psicossociais, a capacidade de superação dos estímulos estressantes e das contrariedades existenciais, a revolução da democracia das ideias, a revolução do humanismo, a revolução da cidadania.

As universidades, à luz dos processos de construção multifocal dos pensamentos, precisam ser repensadas, recicladas e reorganizadas como centros de produção e validação de conhecimento e como centros de formação de intelectuais.

Vivemos numa sociedade saturada de informações, mas que carece da formação de pensadores. No passado, quando a informação era escassa e sua veiculação reduzida, surgiram grandes pensadores nas ciências. Na filosofia, houve grandes pensadores que produziram teorias complexas, originais e inteligentes, tais como Sócrates, Platão, Aristóteles, Agostinho, Hume, Bacon, Bruno, Descartes, Spinoza, Kant, Montesquieu, Voltaire, Rousseau, Locke, Hegel, Comte, Marx, Nietzsche, Kierkegaard, Husserl e tantos outros.

Atualmente, com a multiplicação do conhecimento, a expansão quantitativa das universidades e o acesso facilitado às informações, deveríamos ter multiplicado a cadeia de pensadores nas ciências, mas parece que não é isso que tem acontecido. Há, sem dúvida, ilustres pensadores na atualidade; mas creio que muitos deles concordam que não poucos dos que cursam uma universidade e fazem uma pós-graduação, inclusive que defendem teses de doutorado, tornam-se espectadores passivos do conhecimento, retransmissores de dados, e não engenheiro de novas ideias, capazes, ainda que minimamente, de criticar, reciclar e expandir o conhecimento que incorporaram. Precisamos de cientistas mais rebeldes, inventivos e reinventivos.

Num mundo onde nos estimulam a desenvolver a síndrome da exteriorização existencial, precisamos retomar o caminho inverso; precisamos aprender a nos interiorizar, a caminhar nas trajetórias íntimas e aprender a nos repensar, reciclar e reorganizar.

A ciência, embora fundamental, nunca incorpora a realidade essencial dos fenômenos que estuda. A verdade científica é um sistema de intenções intelectuais produzidas criteriosamente pela construtividade de pensamentos, capaz de gerar uma consciência existencial científica sobre a verdade essencial, ou seja, sobre os fenômenos psíquicos (ansiedade, fobia, humor deprimido, pensamento) e fenômenos biofísico-químicos (energia eletromagnética, substâncias químicas, células) etc. Mas a consciência existencial científica (ciência) jamais alcança a realidade essencial dos fenômenos. A ciência acusa, através dos sistemas de definições, e discursa dialeticamente, através dos sistemas de conceitos, o mundo que somos e em que estamos; porém, nunca os incorpora essencialmente, pois é construída através de um complexo processo de leitura virtual das matrizes de pensamentos essenciais decorrentes da leitura multifocal da memória.

A ciência tem limites intransponíveis, pois é produzida na esfera da virtualidade intelectual. Um milhão de ideias sobre um objeto de madeira, ainda que discursem com fineza intelectual sobre tal objeto, nunca serão a essência em si da celulose que o constitui. Porém, apesar de seus limites intransponíveis, a ciência é também paradoxalmente infinita, inesgotável. A ciência, por ser inesgotável, faz com que toda teoria, todo conhecimento, toda verdade científica seja deficiente e restritiva em relação à verdade essencial. As teorias científicas são importantes, mas todas elas são passíveis de reciclagem, reorganização e expansão ao longo dos séculos e das gerações. Morrem os cientistas e os pensadores, mas a ciência e as ideias continuam evoluindo.

A ciência, como consciência da essência, é um sistema de intenções que acusa e discursa, através da plasticidade construtiva dos pensamentos dialéticos, sobre a essência em si dos objetos e fenômenos, mas jamais a incorpora. Tudo o que eu e o leitor pensamos, racionalizamos, analisamos, discursamos sobre nós mesmos e sobre o mundo que nos circunda são sistemas de intenções conscientes que discursam a respeito dos fenômenos intrapsíquicos e extrapsíquicos, mas nunca incorporam a realidade intrínseca deles. Precisamos compreender os processos de construção multifocal dos pensamentos para compreender os limites e o alcance da própria ciência, ou seja, compreender a construção das relações humanas, a gênese das doenças psíquicas e psicossomáticas, os procedimentos sociopolíticos, psicoterapêuticos, socioeducacionais etc.

Espero que cada vez mais a ciência investigue a si mesma (natureza, origens, limites, alcance, lógica, práxis etc.), use os pensamentos para investigar os próprios processos de construção multifocal dos pensamentos, use a ferramenta do conhecimento para explorar o nascedouro do conhecimento, utilize as ideias para esquadrinhar o próprio mundo das ideias. Esse é meu sonho. Se entrarmos nessa trajetória, poderemos nos vacinar contra o superficialismo intelectual e passaremos a ser caminhantes nas avenidas do nosso próprio ser, o que não nos arrebata para o pedestal intelectual, ao contrário, nos faz imergir num estado de caos intelectual e deparar com nossas limitações no processo de investigação e compreensão do mundo que somos.

O caos intelectual não é um fim em si mesmo, nem sempre destruidor e ameaçador, e pode se tornar um precioso estágio na expansão das possibilidades de construção do conhecimento, capaz de nos fazer pensadores que enriquecem a sabedoria existencial.

Contato com autor
www.escoladainteligencia.com.br
instituto.academia@uol.com.br

PRÓXIMOS LANÇAMENTOS

Para receber informações sobre os lançamentos da
Editora Cultrix, basta cadastrar-se no site:
www.editoracultrix.com.br

Para enviar seus comentários sobre este livro,
visite o site www.editoracultrix.com.br ou mande
um e-mail para atendimento@editoracultrix.com.br